PAPILLON DE NUIT

R. J. ELLORY

PAPILLON DE NUIT

Traduit de l'anglais
par Fabrice Pointeau

Directeur de collection : Arnaud Hofmarcher
Coordination éditoriale : Marie Misandeau et Hubert Robin

© R. J. Ellory, 2003
Titre original : *Candlemoth*
Éditeur original : Orion Books, London

© Sonatine, 2015, pour la traduction française
Sonatine Éditions
21, rue Weber
75116 Paris
www.sonatine-editions.fr

1

Quatre fois j'ai été trahi – deux fois par des femmes, une fois par le meilleur ami qu'un homme puisse désirer, et finalement par une nation. Et peut-être, à vrai dire, me suis-je trahi moi-même. Alors ça fait cinq.

Mais malgré tout, malgré tout ce qui s'est passé à l'époque, et tout ce qui se passe maintenant, ça a tout de même été magique.

Absolument *magique*.

Je m'en souviens avec une clarté et une simplicité qui même moi me surprennent. Les noms, les visages, les sons, les odeurs.

Tout.

Ça semble presque bizarre de se rappeler les choses avec une telle netteté, mais bon, ça tient peut-être à ma situation présente.

Mettez un homme face à la fin de sa vie, placez-le dans un endroit comme le couloir de la mort, et peut-être que Dieu lui accordera une petite grâce.

La grâce du souvenir.

Comme si le Tout-Puissant disait :

Bon, fils, tu t'es foutu dans un sacré merdier...

T'en as plus pour longtemps, c'est un fait...

Regarde bien tout ce qui s'est passé, et essaie de comprendre par toi-même comment t'en es arrivé là...

Fais-le maintenant, fils, fais-le et tire un sens de tout ça avant de devoir en répondre devant moi...

Peut-être.

Peut-être pas.

Je ne me suis jamais considéré comme autre chose qu'une âme. Un homme n'est pas un animal, pas une chose physique, et où je vais maintenant, je l'ignore.

Peut-être est-ce le dernier vestige de la grâce qui m'a été accordée, mais je n'ai pas peur.

Non, je n'ai pas peur.

Les gens ici, ceux qui m'entourent, on dirait qu'ils ont plus peur que moi. Presque comme s'ils comprenaient ce qu'ils font, ce meurtre d'hommes légal et approuvé, comme s'ils savaient qu'ils agissent mal et craignaient les conséquences : pas pour moi, mais pour eux.

S'ils pouvaient se convaincre qu'il n'y a pas de Dieu, ou pas d'au-delà, peut-être qu'ils seraient à l'abri.

Mais ils savent qu'il y a un Dieu.

Ils savent qu'il y a quelque chose de l'autre côté.

Un esprit flotte dans cet endroit. L'esprit des morts. Les gens ici vous diront qu'une fois que vous avez tué un homme, une fois que vous avez vu la lumière s'éteindre dans ses yeux, il marchera toujours à votre côté. Comme une ombre. Peut-être qu'il ne parlera plus jamais, qu'il ne s'approchera jamais suffisamment pour sentir la chaleur de votre corps, mais il sera là. Et ces hommes franchissent les mêmes passerelles que nous, ils mangent la même nourriture, ils voient les lumières s'estomper et font les mêmes rêves fracturés.

Et puis il y a les sons. Le métal contre le métal, les verrous qui s'enclenchent, les clés qui tournent dans les serrures... autant de rappels de l'inévitabilité de l'éternité. Une fois que vous arrivez ici, vous n'en ressortez jamais. Les couloirs sont suffisamment larges pour trois hommes côte à côte, un au milieu, un gardien de chaque côté. Les murs sont peints en une nuance vague à mi-chemin entre le gris et le vert, et les noms, les dates et les messages d'adieu gravés dessus traversent la peinture jusqu'aux briques en dessous. *Ici nous sommes tous innocents. Revenu du Vietnam pour arriver en enfer. Dites à M que je l'aime.* Ce genre de choses. Les pensées désespérées d'hommes désespérés.

Et finalement l'odeur. Elle ne vous quitte jamais, même si ça fait une éternité que vous jouez à ce petit jeu. Elle vous saute aux narines chaque fois que vous vous réveillez, comme si c'était la toute première fois. Un mélange de Lysol et de détergent bon marché, les relents de la nourriture en train de pourrir, une puanteur de sueur, de merde et de sperme et, quelque part en dessous, l'odeur de la peur. De la futilité. Des hommes qui baissent les bras et s'en remettent à la justice d'une nation. Broyés par la main du destin.

Les hommes qui nous surveillent sont froids et distants. Ils n'ont pas le choix. Car je suppose que s'ils s'attachaient, ils ne pourraient plus se détacher. C'est ce qu'on dit. Qui sait ce qu'ils voient quand les lumières s'éteignent, quand ils sont étendus à côté de leur femme, quand l'obscurité enveloppe leurs yeux et que leurs enfants dorment du sommeil des innocents. Puis quand vient la faible lueur fraîche de l'aube naissante, ils se réveillent et se rappellent qui ils sont, ce qu'ils font, et où ils iront une fois que le petit déjeuner sera fini et que les gosses seront partis à l'école. Ils embrassent leur femme, leur femme les regarde, et dans leurs yeux il y a cette conscience vague et indifférente que c'est en tuant des hommes qu'ils ont pu s'acheter le pain, les céréales et les œufs qu'ils viennent de manger. Des hommes coupables, peut-être, mais des hommes tout de même. La justice d'une nation. L'espoir qu'ils ont raison. Dieu sait qu'ils espèrent avoir raison.

Je regarde M. Timmons. Je le regarde, et parfois il transpire. Il le dissimule, mais je sais qu'il transpire. Je le vois qui m'observe à travers le judas, ses yeux de fouine, sa bouche étroite et pincée, et je crois que sa femme apaise son sentiment de culpabilité en lui disant qu'il effectue en fait le travail du Seigneur. Elle lui donne des beignets aux pommes recouverts d'une sauce blanche qu'elle prépare avec du miel et du citron, et elle le réconforte. Il a apporté des beignets un jour, ici, dans un sac en papier brun, avec des taches de gras qui s'étalaient dans les coins. Et il me les a montrés, il m'en a même fait sentir un, mais il ne pouvait pas me laisser goûter. Il m'a dit que si j'étais un homme honnête, alors je trouverais au paradis autant de beignets aux pommes que je pourrais en manger. J'ai souri, acquiescé et dit : « Oui, monsieur Timmons », et j'ai eu pitié de lui. Encore une chose qui le ferait se sentir coupable une fois l'aube venue.

Mais Clarence Timmons n'est pas un mauvais bougre, pas un type méchant. Il n'a pas le cœur noir de M. West. Lui, on dirait un émissaire de Lucifer. Il est célibataire, ce qui en soi n'est pas une surprise, et il porte sous sa peau suffisamment d'amertume et de haine pour faire exploser un homme. Pourtant, tout en lui est *noué*. Je ne sais pas comment l'exprimer autrement. Noué comme les lacets des chaussures du dimanche. Ses manières, ses paroles, ses tenues, tout est précis et méticuleux. Le pli de ses pantalons pourrait couper du papier. Regardez ses chaussures et vous voyez votre reflet. La blancheur de son col est surnaturelle, une blancheur céleste, comme s'il allait chaque soir s'acheter une chemise en ville, puis, une fois rentré chez lui, la frottait jusqu'au matin avec du Lysol et du bicarbonate de soude. Peut-être qu'il croit que la blancheur de son col compense la noirceur de son cœur.

La première fois que j'ai rencontré M. West, il m'a craché dessus. Il m'a craché en plein visage. J'avais les mains menottées et enchaînées à la taille. Mes pieds aussi étaient enchaînés. Je ne pouvais même pas m'essuyer. J'ai senti la chaleur de sa salive quand elle a heurté mon front, puis elle a entamé sa lente descente sur ma paupière et ma joue. Plus tard, je l'ai sentie qui séchait, et les germes semblaient vivants sur ma peau.

M. West a un objectif unique et simple, qui se manifeste de nombreuses manières – humiliation, vexation, violence, et une cruauté effrénée. Mais le but est toujours le même : affirmer son autorité.

Ici, en ce lieu, M. West est Dieu.

Jusqu'à ce que le moment arrive, jusqu'à ce que vous dansiez votre dernière danse, jusqu'à ce que vos pieds nus traînent comme des chaussons sur le lino, jusqu'à ce que vous rencontriez enfin votre Créateur, M. West est Dieu, Jésus et tous les disciples réunis dans un impossible tourbillon de folie qui peut s'abattre sur vous comme un orage, qu'il y ait eu provocation ou non.

M. West est le patron ici, et les autres gardiens, malgré leurs années de service, malgré leur expérience et leur serment de fidélité au gouvernement des États-Unis, au système de détention fédérale et au président Reagan, ne reconnaissent qu'un seul patron.

Ils s'appellent tous entre eux par leur prénom. Tous sauf M. West. Pour tout le monde, directeur de la prison inclus, il a toujours été et sera toujours M. West.

S'il y a un enfer, eh bien, c'est de là qu'il vient, et c'est là qu'il retournera. Je le crois. Je *dois* le croire. Car croire autre chose pourrait me faire perdre la raison.

J'ai aujourd'hui trente-six ans. Trente-six années derrière moi, trente-six années d'amour, de chagrin et de rire. Tout bien soupesé, ça a été bien. Il y a eu des moments où je n'aurais pas pu demander mieux. Il n'y a que maintenant, depuis environ dix ans, que c'est dur. Mais ce serait trop facile de me demander ce que j'ai bien pu faire pour en arriver là. S'il y a bien un équilibre en toute chose, alors j'ai trouvé le mien ici. Comme le zen, le karma, ou Dieu sait comment on appelle ça. Tout finit par se payer : vous me comprenez.

Je suis désolé pour les enfants. Ceux que je n'ai jamais eus. Je suis désolé pour Caroline Lanafeuille, que j'ai aimée à distance pendant des années mais n'ai jamais assez embrassée, ni tenue assez longtemps dans mes bras. Désolé de ne pas avoir pu être là pour elle quand son père a eu ses problèmes et qu'ils ont dû partir. Si j'avais été là, peut-être que les choses auraient tourné différemment. Et désolé pour Linny Goldbourne, une fille que j'ai aimée autant que Caroline, mais différemment. Désolé aussi pour Sheryl Rose Bogazzi. Elle était trop belle, trop énergique et désinhibée, et si elle n'avait pas été couronnée reine de mai à la foire du comté, elle n'aurait jamais rencontré les gens de San Francisco, et si elle ne les avait pas rencontrés, elle n'aurait jamais cru pouvoir captiver le monde. Mais elle a été couronnée, et elle les a rencontrés, et sa mère l'a laissée partir là-bas pour suivre son étoile. Une étoile qui brillait de mille feux puis qui est tombée comme une pierre. Six mois à San Francisco, et elle est morte d'une overdose de méthadone dans une chambre crasseuse. En plus, elle était enceinte, mais personne ne savait de qui. Apparemment, elle avait couché avec tous les types du quartier, et la plupart des membres de leur famille.

Je suis désolé pour mes parents, même s'ils ne sont plus de ce monde et étaient déjà morts quand tout est arrivé. Au moins, on leur a épargné ça.

Désolé aussi pour les parents de Nathan, parce que leur fils est mort et qu'il n'aurait pas dû mourir comme ça, et surtout pas pour cette raison. Le père de Nathan, un pasteur baptiste, est un homme puissant, un homme croyant et fort au pardon infini. Il connaît la vérité, l'a toujours connue, mais il ne peut rien faire. Il m'a dit un jour qu'il croyait que ses mains avaient été liées par Dieu. Il ne savait pas pourquoi. Il ne demandait pas pourquoi. Mais malgré sa foi, sa confiance et sa passion, je l'ai vu pleurer. Comme un enfant.

Des larmes coulant sur son large visage noir et clément, et sa femme qui lui serrait la main si fort que j'avais l'impression que leurs doigts allaient fusionner et devenir inséparables.

Ils se tenaient dans le parloir, moi derrière l'écran protecteur, les mains menottées à la chaîne qui ceignait ma taille, et j'ai vu la mère de Nathan me regarder, et j'ai su qu'elle me croyait. *Je sais que tu n'as pas tué Nathan*, disaient ses yeux. *Je sais que tu n'as pas tué Nathan, que tu ne devrais pas être ici, et que ce qu'ils te font est mal... mais je ne peux rien pour toi. Personne ne peut plus t'aider hormis le gouverneur ou le Seigneur Jésus.*

Alors j'ai souri, je lui ai adressé un petit geste de la tête pour qu'elle sache que je comprenais qu'elle ne pouvait plus rien pour moi. Ils avaient fait tout ce qu'ils pouvaient, tout ce qu'ils avaient osé faire, et je leur en étais reconnaissant.

Reconnaissant pour les petites grâces.

Difficile de croire que tant de temps a passé depuis ce jour. C'est comme si c'était hier. Même le visage de Nathan est toujours aussi vivant dans mon esprit que si nous avions pris le petit déjeuner ensemble. Je me rappelle les sons et les couleurs, le vacarme, l'émotion, l'horreur. Tout est intact, comme un puzzle de verre dont chaque pièce refléterait un même motif sous un angle différent.

Difficile de croire que... eh bien, juste ça. C'est difficile de *croire*.

Parfois je m'imagine que je suis ailleurs, voire que je suis quelqu'un d'autre. M. Timmons est venu l'autre jour avec un transistor qui diffusait une chanson des The Mamas and The Papas intitulée *California Dreamin'*. Et même si son intention était simplement de me remonter le moral, d'illuminer un peu ma journée avec quelque chose de différent, cette chanson m'a rendu triste. Je me rappelle Hendrix, Janis, The Elevators, Mike Bloomfield jouant au Fillmore. Je me rappelle Jerry Garcia, Tom Wolfe, Timothy Leary et les Merry Pranksters. Je me rappelle *Acid Test*. Je me rappelle avoir discuté avec Nathan de Huddie Ledbetter et de Mississippi Fred McDowell, je me rappelle l'invasion britannique avec les Rolling Stones et The Animals... je me rappelle tout ça aussi clairement qu'à l'époque : un déferlement effréné de fureur passionnée dans nos mains, nos têtes, nos cœurs.

M. Timmons n'a jamais compris la culture. Il comprenait JFK. Il comprenait pourquoi il était si important d'être les premiers sur la Lune. Il comprenait pourquoi la guerre du Vietnam avait débuté et pourquoi le communisme devait être stoppé. Il l'a compris jusqu'au jour où son fils a été tué là-bas, puis il n'en a plus jamais reparlé. Il était passionné de base-ball, fou de voitures Chrysler, il adorait sa femme et sa fille avec dévouement, intégrité, fierté. Il a regardé le film de Zapruder et a pleuré pour le roi déchu, il a prié pour Jacqueline Bouvier, et, pour être honnête, il a même prié un peu pour Marilyn Monroe, qu'il aimait à distance de la même manière que j'avais aimé Caroline Lanafeuille et Linny Goldbourne. De la même manière que j'avais aimé Sheryl Rose Bogazzi en troisième. Peut-être M. Timmons avait-il cru pouvoir sauver Marilyn comme j'avais cru pouvoir sauver

Sheryl Rose. Nous croyons en des choses si infimes, mais y croire les rend importantes, et parfois elles doivent suffire, et nous devons porter ces choses en nous, croire que peut-être elles nous aideront d'une manière ou d'une autre.

M. Timmons croit lui aussi que je n'ai pas tué Nathan Verney en Caroline du Sud par une nuit fraîche de 1970. Mais il ne le reconnaîtra jamais. Ce n'est pas à lui de remettre ces choses en question, car il y a la justice, les cours d'appel fédérales et d'État, et il y a de grands hommes graves armés de livres épais qui analysent ces choses en détail, qui font les lois, qui *sont* la loi, et qui est M. Timmons pour remettre tout ça en cause ?

M. Timmons est gardien dans le couloir de la mort, il fait son boulot, il obéit aux règles, et il laisse ces questions d'innocence et de culpabilité au gouverneur et au petit Jésus. Il n'est pas censé prendre de telles décisions, il n'est pas payé pour ça. Alors il ne le fait pas.

C'est plus simple ainsi.

M. West, c'est une autre histoire. Certains types ici croient qu'il n'est pas né de parents humains. Certains types ici croient qu'il a été engendré dans un bouillon de culture au MIT ou quelque chose du genre, au cours d'une expérience dont le but était de créer un corps sans cœur ni âme ni grand-chose d'autre. C'est un homme sombre. Il a des choses à cacher, de nombreuses choses, semble-t-il, et il les cache dans les ombres que dissimulent ses yeux et ses paroles, et dans l'arc que décrit son bras quand il abat sa matraque sur votre tête, vos doigts, votre dos. Il cache aussi ces choses dans le grincement de ses chaussures lorsqu'il marche dans le couloir, et dans la façon qu'il a de regarder à travers le judas et d'observer vos moindres mouvements. Il cache ces choses dans l'expression d'insecte qui apparaît furtivement sur son visage quand l'envie le prend. Et dans l'habitude qu'il a de laisser la lumière allumée quand vous voulez dormir. D'oublier l'heure de l'exercice. De laisser tomber votre nourriture quand on vous la passe par la grille. Dans le bruit de sa respiration. Dans tout ce qu'il est.

Avant d'arriver ici, durant la brève période où je me suis trouvé parmi les détenus ordinaires, un homme nommé Robert Schembri m'avait mis en garde contre M. West, mais ce qu'il m'a dit s'est mêlé aux très nombreuses choses qu'il m'a racontées.

En tout cas, je n'oublierai jamais la première fois que nous nous sommes rencontrés, M. West et moi. Ça s'est passé à peu près comme ceci :

« Tu vas perdre tes cheveux, mon gars. Pas de coupes de hippies ici. Et qu'est-ce que c'est que ce truc ? Une bague ? Enlève-la maintenant avant qu'on te coupe ton foutu doigt. »

Je me rappelle avoir acquiescé en silence.

« T'as rien à dire, hein, mon gars ? Ils te tiennent par les *cojones*, ça, c'est sûr. T'as tué un nègre à ce que j'ai entendu, tu lui as coupé la tête et tu l'as abandonnée aux corbeaux. »

J'ai alors ouvert la bouche. Pour la première et la dernière fois.

Son visage était tout contre le mien. Je me rappelle la pression du sol derrière ma tête, la sensation de la matraque en travers de ma gorge, comme si ma mâchoire allait me transpercer les oreilles et le cerveau. Il était au-dessus de moi, tout près de mon visage, et je *sentais* ses paroles tandis qu'il sifflait avec cruauté :

« T'as rien à dire, mon gars, tu saisis ? T'as pas de mots, pas de nom, pas de visage, pas d'identité, ici. Ici, t'es qu'un pauvre abruti qui s'est fait baiser par le système, quoi que t'en penses. T'es peut-être aussi innocent que le putain d'agneau de Dieu, aussi doux que les chérubins, les séraphins et tous les anges saints réunis, mais ici t'es coupable – aussi coupable que le cœur noir du diable. Tu comprends ça, tu t'en souviens, tu l'oublies jamais, et on s'entendra à merveille. T'es rien, t'as rien, tu seras jamais rien, et ça se passera bien. Tu vas rester longtemps ici avant qu'ils te grillent la cervelle, et je te jure que je resterai ici longtemps après que tu seras parti, alors n'oublie pas que, quand t'es chez moi, t'obéis à mes règles, tu surveilles tes manières et tu dis tes prières. On est sur la même longueur d'onde ? »

J'étais incapable de bouger la tête, j'arrivais à peine à respirer.

« Je vais prendre ton silence pour un oui », a dit M. West, et il a violemment appuyé une dernière fois sur sa matraque avant de me relâcher.

Je me suis relevé haletant, suffoquant à moitié. Mes yeux semblaient vouloir me sortir de la tête, et la pression derrière mes oreilles était semblable à un train de marchandises.

C'est M. Timmons qui m'a aidé à regagner ma cellule, à m'allonger, qui m'a apporté un peu d'eau que j'ai été incapable de boire pendant vingt bonnes minutes.

Et c'est M. Timmons qui m'a dit de faire attention à M. West, que M. West était un homme dur, dur mais juste.

Et j'ai compris au ton de sa voix, à l'expression dans ses yeux, qu'il se mentait à lui-même. M. West était un émissaire de Lucifer, et ils le savaient tous.

C'était il y a douze ans, quasiment. Arrêté en 1970. Un an au pénitencier de Charleston pendant que la première vague de protestations s'élevait, mourait, s'élevait une fois de plus. Et les appels, les débats télévisés, les questions auxquelles personne ne voulait répondre. Puis arrivée à Sumter, environ un an parmi les détenus ordinaires, pendant que les querelles juridiques tournaient inutilement en rond, et enfin le couloir de la mort. Et maintenant nous sommes en 1982, été 1982, et Nathan aurait également eu trente-six ans. On aurait été quelque part ensemble. Des frères de sang et tout, vous savez ?

Bon, peut-être que ce n'est pas si éloigné de la vérité. Parce que si M. Timmons dit vrai, si Dieu sait qui est coupable et qui est innocent et qu'il y a un endroit où nous allons tous pour rendre compte de nos péchés et être jugés de façon juste et équitable, alors Nathan Verney et moi sommes voués à nous revoir.

Nathan connaît la vérité, lui plus que tout autre, et même s'il me regarde droit dans les yeux en tenant sa tête haute comme il le faisait toujours, je sais qu'il aura le cœur lourd. Nathan n'a jamais voulu que ça finisse ainsi, mais Nathan était pris dans cette chose plus que n'importe qui d'autre.

Certaines personnes affirment que la peine de mort est une solution trop facile, bien trop rapide. Ils disent que ceux qui ont commis un meurtre devraient souffrir autant que leur victime. Eh bien, croyez-moi, c'est le cas. Ils oublient les années que les gens comme moi passent ici, deux étages au-dessus de l'enfer. Ils n'ont jamais entendu parler des types comme M. West, et de son sentiment que le châtiment devrait être à la hauteur du crime, que vous soyez coupable ou non. Les gens n'ont vraiment aucune idée de ce que ça fait de savoir que vous allez mourir, et après les premières années ce jour peut arriver n'importe quand. Ils ne savent rien des espoirs soudains qui retombent si rapidement, des appels qui tournent en rond pour finir par s'envoler. Ils ne savent pas ce que ça fait quand vous découvrez que tel ou tel juge a examiné votre dossier et rejeté l'audience que vous attendiez depuis près de trois ans. Ces choses sont le châtiment. À tel point que, quand le moment arrive, vous êtes presque reconnaissant, et vous voudriez que les jours, les heures et les minutes disparaissent… qu'ils se fondent en un simple battement de cœur et que les lumières s'éteignent pour de bon. Les gens parlent de raison de vivre, de raison de se battre, de raison de continuer. Mais si vous savez au plus profond de votre cœur que vous vous battez uniquement pour la satisfaction qu'éprouvera un autre quand vous mourrez, alors il vous reste peu de raisons de lutter. C'est cynique, mais la plupart du temps, c'est le type qui est exécuté qui désire le plus l'exécution.

M. Timmons le comprend, et il en tient compte dans la mesure du possible.

M. West le comprend aussi, mais ce qu'il ressent, c'est de la satisfaction.

M. West veut que nous mourions, il veut nous voir faire cette longue marche, nous asseoir sur cette grande chaise. Il sait que, quand l'un part, un autre vient prendre sa place, et rien ne lui plaît plus que la *viande fraîche*. Après six mois ici, il vous appellera de la *viande morte*. Il vous le dira quand vous vous rendrez de votre cellule à la cour, ou à la salle de douche, ou au portail.

De la viande morte ambulante, qu'il gueule, et même M. Timmons sent ses entrailles se glacer.

Comment M. West a fait pour devenir comme ça, je ne peux que le supposer à partir de ce qu'on m'a dit, de ce que j'ai déduit. Je ne sais pas, mais il me semble que c'est lui le plus dingue et le plus dangereux de nous tous.

À deux cellules de la mienne il y a un certain Lyman Greeve. Il a descendu l'amant de sa femme puis a coupé la langue de celle-ci pour qu'elle n'aille plus conter fleurette à d'autres types. Complètement cinglé. Mais bon sang, comparé à M. West, Lyman Greeve est l'archange Gabriel descendu du ciel avec sa trompette pour annoncer le second avènement du Christ. Lyman m'a dit que M. West avait été agent fédéral dans les années trente et quarante, qu'il avait couvert la prohibition, arrêtant les contrebandiers d'alcool, les prostituées et les types qui fabriquaient du gin dans leur baignoire. Il m'a dit qu'il était allé à Charleston quand la prohibition avait été levée, et qu'il avait été employé par le gouvernement pour surveiller les mouvements noirs, qu'il était à Montgomery et à Birmingham pendant les *Freedom Rides*, qu'il avait défoncé quelques crânes noirs, été l'instigateur de quelques émeutes. Un autre jour, Lyman m'a dit que M. West avait violé une fille noire, découvert qu'elle était tombée enceinte, et qu'il était revenu pour lui couper la gorge et l'enterrer dans un champ. Personne ne l'a jamais retrouvée, c'est du moins ce qu'il m'a dit, et j'ai écouté son histoire avec étonnement et curiosité.

Apparemment, tout le monde s'était concocté sa propre histoire sur M. West. Pour moi, eh bien, c'était juste un enfoiré mesquin et sadique qui prenait son pied à cogner sur n'importe quel abruti qui ne pouvait pas rendre les coups. Quelques années avant que j'arrive ici, quelqu'un a fait un scandale à son sujet, un jeune gars nommé Frank Rayburn. Vingt-deux ans, enfermé après avoir tué un type pour dix-huit dollars à Myrtle Beach. Frank a fait un scandale, des gens du service de surveillance des prisons ont débarqué, posé des questions, fait encore plus de scandale, et puis Frank a retiré sa plainte et il l'a bouclé. Un mois plus tard, Frank s'est pendu. Il avait réussi à se procurer une corde, une bonne corde bien solide, et il l'avait accrochée à une grille à trois mètres cinquante de hauteur. Le lit était à vingt centimètres du sol. Frank mesurait un mètre soixante. Faites le calcul.

De toute évidence, plus personne n'avait l'intention de se plaindre.

Et puis il y a Max Myers, soixante-dix-huit ans, un détenu qui bénéficie d'un régime de faveur. Cinquante-deux ans qu'il est ici, à Sumter. Emprisonné en 1930 pour avoir dévalisé une boutique d'alcool. Le type de la boutique a fait une attaque cardiaque le lendemain. L'accusation s'est donc transformée en homicide involontaire. Max est arrivé ici à vingt-six ans, comme moi, et le jour de son trente-deuxième anniversaire, en 1936, il a reçu un gâteau de sa femme. Quelqu'un a piqué le gâteau de Max Myers dans sa cellule, et Max a pété les plombs, sérieusement pété les plombs. Il s'est engueulé avec quelqu'un sur la coursive, il y a eu une échauffourée, un détenu a été poussé, est tombé, a atterri douze mètres plus bas comme une pastèque sur un trottoir. Max a été accusé d'assassinat. Pour l'homicide involontaire, il serait sorti vers 1950 et aurait pu être le témoin de trente années supplémentaires d'histoire américaine. Mais il a pris plein pot, aucun espoir de libération conditionnelle, et maintenant il est là à pousser un balai dans le couloir de la mort et à livrer des magazines une fois par semaine. Quand il a été emprisonné, sa femme était enceinte. Elle a accouché d'un fils, un beau gamin intelligent nommé Warren. Warren a grandi sans jamais voir son père autrement que derrière une vitre. Ils ne se sont jamais touchés, jamais pris dans les bras l'un de l'autre, ne se sont jamais parlé autrement qu'à travers un téléphone.

Le fils de Max a rejoint l'armée en 1952, il avait une femme et une maison, un chat nommé Chuck et un chien nommé Indiana.

Il est parti au Vietnam en 1965 et a été l'un des premiers soldats américains à mourir là-bas. Tué durant sa troisième semaine. Warren Myers a été inhumé quelque part dans le Minnesota. Max n'a pas été autorisé à assister à l'enterrement.

Six mois plus tard, la femme de Max a gobé deux poignées de somnifères et sifflé une bouteille de Jack Daniel's. Max est donc tout ce qu'il reste de la famille Myers. Il pousse son balai et transmet les messages, il peut vous avoir un exemplaire de *Playboy* contre trente cigarettes. Il fait partie de Sumter depuis toujours, pour toujours, et c'est le seul détenu qui était là avant M. West.

Le directeur de la prison, John Hadfield, est un politicien, ni plus ni moins. Hadfield vise le bureau du maire, ou le Congrès, peut-être même le Sénat. Il fait le nécessaire, dit ce qu'il faut, lèche les culs, se tient à carreau et reste dans les clous. Il gère les quartiers ordinaires, les blocs A, B et C, mais le bloc D, le couloir de la mort, il le laisse à M. West. Même Hadfield l'appelle M. West. Personne, sauf Max Myers, ne connaît le prénom de M. West.

Quand il y a un problème, M. West va voir le directeur Hadfield. La réunion est brève et inamicale, franche, purement professionnelle. Quand il en ressort, M. West a complètement satisfait le directeur Hadfield, qui – au besoin – publiera un communiqué pour faire plaisir au service de surveillance des prisons. Sumter est une communauté, un petit monde à part, et même les habitants de la ville estiment que les affaires pénitentiaires ne regardent personne. Il y a une prison ici depuis la guerre de Sécession, et il y en aura probablement toujours une. Tant que les détenus ne s'échappent pas et ne vont pas violer les filles des braves gens, tout va bien. Les gens ici croient que M. West est un élément nécessaire de la société, car sans discipline il n'y aurait pas de société. La politique de l'autruche, sauf quand on s'en prend à vous, et alors… eh bien, alors il y a des gens comme M. West pour régler le problème.

Mais ça, c'est maintenant, et nous avons plus qu'amplement le temps de parler de maintenant.

Nous parlions d'une période magique, avant tout ça, avant que tout tourne au vinaigre.

Mille étés, hivers, printemps et automnes, et ils s'étirent derrière moi comme un vaste patchwork, et sous ce patchwork il y a les vies que nous avons vécues, les personnes que nous avons été, et les raisons qui nous ont menés jusqu'ici.

Trente-six ans, et certains jours j'ai encore l'impression d'être un enfant.

L'enfant que j'étais quand j'ai rencontré Nathan Verney au bord du lac Marion, à proximité de Greenleaf, en Caroline du Sud.

Accompagnez-moi, car même si je marche lentement, je n'aime pas marcher seul.

Pour moi, au moins pour moi, ces pas si silencieux seront les plus longs et les derniers.

2

Pour autant que je me souvienne, ça a commencé avec un jambon cuit.

J'avais six ans, c'était l'été, et près de la rive du lac Marion l'odeur de la brise qui s'élevait de l'eau était l'odeur la plus magique de tous les temps. Dans cette odeur, il y avait les fleurs, les poissons et les arbres, et le mimosa d'été près de Nine Mile Road, et quelque chose qui ressemblait à de la tarte aux noix de pécan et à du soda à la vanille, le tout enveloppé dans un parfum d'herbe fraîchement tondue. Il y avait tout ça, et la sensation qui l'accompagnait. Une sensation de chaleur et de sécurité, et de tout ce qui faisait l'enfance en Caroline du Sud.

Je venais là presque chaque jour, je marchais jusqu'au bord de l'eau et je m'asseyais, j'attendais, je regardais le monde. Ma mère préparait des sandwichs, elle les enveloppait dans un torchon, et dans ces sandwichs il y avait le meilleur jambon cuit de ce côté-ci de la frontière avec la Géorgie.

Le petit gosse noir qui est arrivé ce vendredi après-midi était le gamin le plus drôle que j'avais jamais vu. Des oreilles comme des anses de cruche, des yeux comme des feux de signalisation, et une bouche qui lui fendait le visage d'une oreille à l'autre. Il a parlé en premier. Je m'en souviens précisément.

« Qu'est-ce tu fais ? qu'il a demandé.

— Je m'occupe de mes affaires, ai-je répondu, et je me suis retourné pour regarder dans une autre direction.

— Qu'est-ce tu manges ? a poursuivi le gamin.

— Jambon cuit.

— Quoi cuit ? »

Le gamin était désormais près de moi, j'aurais pu tendre la main et le toucher.

« Jambon cuit », ai-je répété.

Ce gamin était tellement stupide qu'il aurait pu se faire écraser par une voiture arrêtée.

« Donne-m'en un peu », qu'il a dit.

Je me suis retourné, tellement stupéfait qu'il m'ait demandé ça que je n'arrivais plus à respirer.

« Merde, t'as un problème ? j'ai dit.

— Un problème ? a fait le gamin. Pourquoi j'aurais un problème ? »

Je me suis levé du tronc d'arbre sur lequel j'étais assis et me suis tenu face à lui. Je serrais mon sandwich dans ma main.

« On va pas voir les gens qui mangent pour leur demander leur nourriture. »

Le gamin à la drôle de tête a froncé les sourcils.

« Pourquoi ?

— C'est malpoli.

— Bon sang, c'est malpoli de pas partager son repas avec quelqu'un qu'a faim », a répliqué le gamin.

J'ai secoué la tête.

« Ce serait pas un problème si on se connaissait. »

Le gamin à la drôle de tête a souri, tendu la main.

« Nathan Verney », qu'il a dit.

Je l'ai regardé d'un air soupçonneux. Il avait un sacré culot, ce garçon.

« Nathan Verney, qu'il a répété. Content de te rencontrer…

— Daniel Ford, ai-je répondu, et alors même que je disais ça, je me suis demandé pourquoi je le faisais.

— Alors maintenant qu'on se connaît, tu peux me donner un bout de sandwich. »

J'ai secoué la tête.

« C'est pas parce que je connais ton nom que t'es de ma famille. »

Nathan Verney a haussé les épaules.

« Bien, qu'il a dit. Continue de manger ton sandwich débile… je suis sûr qu'il a un goût de mauvaise ventrèche, de toute manière.

— Non. Ma mère fait le meilleur jambon cuit de Caroline du Sud. »

Nathan Verney a éclaté de rire.

« Et ma mère dort avec les yeux ouverts et elle attrape les mouches avec sa langue.

— Si, c'est le meilleur », ai-je insisté, sur la défensive, irrité par cette invasion de mon lac.

Nathan Verney a secoué la tête, puis il a fait une moue dégoûtée.

« Ce jambon cuit a plus que probablement un goût de semelle. »

Du coup, il a eu le sandwich, plus de la moitié, parce qu'il m'avait eu à l'usure. Il a pris une bouchée, a semblé sur la réserve, indécis, alors il en a pris une deuxième, puis une troisième, et au moment où il a englouti la quatrième, nous étions tous les deux hilares, et comme il n'arrivait plus à garder la bouche fermée, le gamin noir à la drôle de tête a failli s'étouffer.

Plus tard, après peut-être une heure ou deux, il a dit quelque chose qui nous lierait pour le restant de notre vie.

Six ans, des oreilles comme des anses de cruche, des yeux comme des feux de signalisation, et une bouche qui lui fendait le visage d'une oreille à l'autre.

« Je crois qu'ta mère fait le meilleur jambon cuit de Caroline du Sud », qu'il a dit.

Et j'ai su, véritablement su, que Nathan Verney et moi étions sur la même longueur d'onde, que nous avions la même certitude puérile que le jambon cuit, le lac Marion et l'odeur du mimosa de Nine Mile Road étaient ce qu'il y avait de mieux au monde.

On était en 1952, une année durant laquelle arriveraient de nombreuses choses qui dépasseraient notre entendement, des choses que nous comprendrions à peine plus tard. Truman était président, et en juin de cette année-là le Congrès rejetterait son veto et adopterait la loi sur l'immigration. Un homme originaire d'Illinois nommé Adlai Stevenson se présenterait comme candidat démocrate et promettrait l'égalité de l'emploi pour les Noirs s'il était élu. Marlon Brando fascinerait la nation dans le rôle de Stanley Kowalski dans *Un tramway nommé Désir*. L'Amérique grandissait, et dans les douleurs de la croissance elle sentait la menace d'émeutes et de révoltes qui couvaient dans l'ombre, à l'horizon, comme une tempête à l'approche.

Nous avions six ans, Nathan Verney et moi, et le monde vers lequel nous marchions nous accueillerait à bras ouverts.

C'était du moins ce que nous pensions.

Mon père était conducteur de train. Conducteur de train pour la Carolina Company, et juste un homme. Je me rappelle exactement le nombre de fois où il m'a fouetté. Quatre fois. Rien que quatre fois durant toutes ces années. Et chaque fois je l'avais mérité.

Il y avait un accord tacite entre nous, il avait toujours été là, et il le serait encore aujourd'hui si mon père était toujours vivant. Cet accord était la reconnaissance non dite qu'on pouvait faire certaines choses et pas d'autres. On ne jetait pas de cailloux dans les branches des arbres à côté de l'église pour faire tomber les fruits. On ne remplissait pas un sac en toile de boue et d'eau pour le lancer du haut d'un pont sur une voiture. On n'attachait pas une demi-douzaine de conserves à la queue du chien du voisin pour hurler de rire quand il dévalerait la rue. Et on ne plaçait certainement pas un poisson vivant dans une boîte à lettres.

Le poisson, c'était l'idée de Nathan. Nous avions alors onze ans, et la belle saison avait lentement fait le tour du monde pour nous rejoindre une fois de plus. Les premières pousses du printemps, les dernières neiges qui fondaient et rafraîchissaient la terre, l'odeur qui flottait autour de la rivière, les oies et les flamants roses qui arrivaient de Floride… tant de choses qui faisaient tellement partie de la magie éternelle de l'été au bord du lac Marion.

Le père de Nathan, un pasteur baptiste qui avait sa propre église, sa propre assemblée de fidèles, et une assiette de collection en argent massif, lui avait montré comment attraper un poisson avec un morceau de bambou, une épingle et une plume. Il estimait qu'on pouvait pêcher des poissons, qu'on pouvait assurément les manger, mais que tuer une autre créature de Dieu – à savoir un ver ou un insecte quelconque – était absolument inutile. Jésus avait accompli un miracle avec le poisson, Jésus était un pêcheur d'hommes, mais il attrapait les poissons avec des filets, pas avec des vers. Dieu voulait qu'il en soit ainsi, alors le père de Nathan s'était dit qu'une plume ferait l'affaire. Mouillez une plume et elle devient fine et incurvée, elle ressemble à peu près à un ver, et il y en avait partout quand les oiseaux arrivaient en été et se débarrassaient de leurs plumes d'hiver.

Alors, c'est ce qu'on a fait, Nathan Verney et moi, avec un morceau de bambou, une ficelle, une épingle tordue et une plume. Nathan disait qu'il fallait rester assis aussi immobile qu'une pierre, et que même quand vos jambes s'engourdissaient, il fallait rester assis là en attendant que quelque chose arrive. Si vous bougiez, ils pouvaient vous voir, et s'ils ne vous voyaient pas, c'était votre ombre qu'ils voyaient, ce n'étaient pas des poissons idiots, c'étaient des poissons intelligents qui venaient de la baie d'Albemarle et du cap Hatteras, sur la côte.

Alors, on est restés assis, Nathan juché telle une petite statue noire, la canne en bambou pointée au niveau du milieu de son corps, la ficelle pendouillant dans l'eau, et de temps à autre apparaissait le scintillement argenté de quelque chose qui bougeait sous la surface.

Lorsque Nathan a crié, il m'a presque foutu la trouille de ma vie.

Mon cœur s'est serré, et pendant une seconde je n'ai pas pu respirer.

« Yo ! Yo ! »

On aurait dit un oiseau qui hurlait. Il s'est relevé, perdant presque l'équilibre car sa circulation sanguine avait été bloquée au niveau des genoux.

J'ai vu qu'il se débattait avec la canne, que la ligne était tendue, totalement tendue, et que quelque chose à l'autre bout tirait comme une furie.

Je me suis placé derrière lui, passant les bras autour de son torse pour tenir également la canne. Tous les deux nous avons tiré sur la ligne, tiré au point que j'étais certain qu'elle allait se casser en deux et que ce qui se trouvait à l'autre bout serait catapulté dans la rivière et ne serait plus qu'un souvenir.

Mais qu'on me pende si on n'a pas pris cette bestiole ! On a sorti ce bébé de l'eau, on l'a déposé sur les rochers, et on a regardé tandis que le monstre argenté gesticulait sur les pierres chaudes comme si on l'avait balancé sur une plaque chauffante.

Nous étions excités, plus qu'excités, et nous nous sommes tous deux accroupis pour observer ce poisson qui faisait des bonds et retombait d'un côté et de l'autre, ses yeux grands ouverts, sa queue cognant comme un marteau à bascule.

Et c'est Nathan qui a suggéré la boîte à lettres.

« On va mettre le poisson dans sa boîte à lettres », qu'il a murmuré.

Je l'ai regardé de travers.

« Quoi ?

— La sorcière... on va mettre le poisson dans sa boîte à lettres. »

La sorcière dont il parlait était Mme Chantry.

« T'es devenu complètement dingue ? que j'ai dit.

— T'as peur, hein ? »

J'ai froncé les sourcils, reculé.

« Peur ? Tu veux mettre un poisson dans sa boîte à lettres et tu me demandes si j'ai peur ?

— T'as peur, pas vrai ? Aussi peur qu'un lièvre coincé dans une marmite.

— Hors de question, Nathan. Absolument hors de question que tu me fasses mettre ce truc dans sa boîte à lettres. »

J'y repenserais par la suite, des mois, des années, et même des décennies plus tard, et je me souviendrais chaque fois de l'expression de son visage, du son de sa voix, et je me rappelle comme si c'était hier le fou rire que nous avons eu, jusqu'à nous tortiller à notre tour sur les rochers comme si quelqu'un nous avait attrapés et s'apprêtait à nous griller.

Mme Chantry, Eve Chantry, était *la grande dame*[1], la matrone de Greenleaf, la petite ville où Nathan Verney et moi passerions ce qui semblerait l'essentiel de notre vie.

Mme Chantry était veuve, et à en croire les enfants qui se réunissaient et parlaient à voix basse sur le trottoir en planches devant le salon du barbier, elle était devenue veuve parce qu'elle avait mangé son mari à son retour de la guerre.

---

1. En français dans le texte. *(N.d.T.)*

Le fait que Jack Chantry était un héros qui avait reçu le *Purple Heart* et la *Silver Star*, un homme qui avait donné sa vie pour sauver trois jeunes hommes qu'il ne connaissait même pas, un homme qui n'était pas revenu de la guerre en 1945 n'était qu'un ouï-dire, une rumeur, et à coup sûr un mensonge. Eve Chantry était une sorcière et une cannibale, et sa maison était l'entrée des Enfers. Elle apparaissait deux fois par semaine, la première pour aller à l'église, la seconde pour faire ses courses, et dès qu'elle sortait de chez elle, c'était comme s'il n'y avait plus un seul gamin dans les rues de la ville.

Nathan m'a charrié, il m'a charrié bien comme il faut, me disant que j'avais peur, me traitant de dégonflé, me regardant de temps à autre comme si c'était moi qui avais perdu la boule.

Et c'est ainsi que Nathan Verney et moi avons décidé de mettre ce poisson dans sa boîte à lettres.

Je puis honnêtement affirmer que je ne me rappelle pas avoir jamais été aussi effrayé. Effrayé est un euphémisme. J'étais terrifié, dévasté, atterré. Je me rappelle m'être approché de cette maison, sentant ma peau blêmir, comme si mon sang percevait le danger et se retirait à mesure que nous avancions.

Nathan tenait le poisson. Nous l'avions enveloppé dans le même torchon que celui dans lequel ma mère avait emballé le sandwich. Le poisson était hors de l'eau depuis un bon moment. Mais ce n'était pas lui le problème. C'était ce que nous comptions faire de lui qui était la source de nos difficultés.

Si nous nous faisions prendre par Mme Chantry, nous étions certains de finir écorchés vifs, badigeonnés d'huile de maïs et cuits au four pendant des heures. Puis peut-être servis avec du maïs et de la salade.

« Va mettre le poisson dans la boîte à lettres, a dit Nathan.

— Bon sang, Nathan, c'est ton idée. C'est toi qu'y vas.

— Trouillard, a-t-il lancé d'un ton méprisant. T'es pas mieux qu'une fille. »

Si j'avais été moins terrifié, je lui aurais tapé sur la tête.

« Tu dois y aller, qu'il a insisté.

— Pourquoi moi ? Pourquoi c'est moi qui dois y aller ?

— Parce que ça prouvera que t'es pas une poule mouillée. »

Je l'ai regardé, bouche bée, respirant à peine. J'ai secoué la tête, si vite qu'elle semblait sur le point de se décrocher.

Mais Nathan a insisté ; c'était sa qualité particulière, et pendant cinq minutes de plus nous nous sommes tenus au bout de l'allée de Mme Chantry, nous disputant dans un murmure forcé.

« Si t'y vas pas, je graverai ton nom avec un caillou sur le côté de sa boîte à lettres », a-t-il finalement déclaré, et la détermination dans ses yeux m'a glacé intérieurement.

L'idée qu'il ne ferait jamais une telle chose ne m'a pas effleuré l'esprit, et ce n'est que plus tard que je me suis aperçu que Nathan possédait une autre qualité : il pouvait vous convaincre de n'importe quoi, vous saisir dans la fièvre du moment, et avec ses yeux tels des feux de signalisation et sa bouche qui lui fendait le visage, il pouvait vous raconter une histoire complètement bidon et vous la preniez pour parole d'Évangile. Par la suite, à de nombreuses reprises comme je m'en souviens maintenant, cette qualité nous aiderait et nous nuirait à la fois.

J'ai donc pris le poisson.

Terrifié, avec le ventre noué et les genoux en coton, le cœur serré et mon pouls qui s'emballait comme un chien de chasse, j'ai longé pas à pas l'allée en direction de la boîte à lettres. Si ce poisson n'avait pas été comateux, il m'aurait échappé des mains sans rencontrer de résistance. J'avais l'impression qu'à chaque pas que je faisais ma coordination physique et mentale diminuait progressivement, et quand je suis arrivé dans l'ombre de la haute bâtisse en bois, j'ai senti la fraîcheur de la maison. Malgré la saison, malgré le soleil vigoureux et l'absence de vent, malgré la température du milieu de journée qui frôlait les trente degrés, il suintait de cette maison, la maison de Mme Chantry, une pénombre et une froideur de mort qui semblaient envahir la rue, s'insinuer dans la terre sous mes pieds et remonter le long de mes chevilles.

J'ai lancé un coup d'œil en arrière.

Nathan Verney se tenait sur le trottoir, et durant le bref instant où je suis resté à côté de la boîte à lettres, il était aussi blanc que moi.

Je voyais qu'il tremblait. Qu'il tremblait suffisamment pour sortir de sa peau et détaler.

J'ai baissé les yeux.

Mes chaussures semblaient à un million de kilomètres de moi.

Je sentais le poids du poisson. Je sentais la texture du torchon, et, à travers, la peau douce et argentée de la créature.

J'ai relevé les yeux, levé la main droite, et d'un petit geste du pouce j'ai détaché le loquet. L'avant de la boîte à lettres s'est ouvert. Le petit battant a jailli rapidement, puis ralenti à mesure qu'il achevait son arc, avant d'accélérer soudain de nouveau, et comme il approchait du poteau sur lequel était fixée la boîte à lettres, il a semblé prendre tellement de vitesse que j'ai cru qu'il allait s'arracher de ses gonds.

Mais il ne l'a pas fait.

Le battant a tourné à toute vitesse autour du pied de la boîte aux lettres jusqu'à la percuter.

En produisant un bruit semblable à une cloche d'église à minuit.

À un homme défonçant une poubelle à coups de matraque.

À deux voitures ayant une collision frontale dans Nine Mile Road.

J'ai lâché le poisson.

Nathan a hurlé et a commencé à s'agiter.

J'avais l'impression que ma vessie allait exploser et tremper mes chaussures.

J'ai baissé les yeux.

Le torchon gisait entre mes pieds, à l'intérieur se trouvait le poisson, désormais assommé, découvrant un nouveau degré d'inconscience, bougeant extrêmement lentement d'un côté et de l'autre.

Je ne saurai jamais pourquoi je me suis baissé, pourquoi j'ai ramassé ce poisson avec le torchon et l'ai balancé dans la boîte à lettres. C'était comme si le crime avait déjà été commis. La preuve était là, par terre. Elle devait être cachée, dissimulée, et le seul endroit disponible était la boîte à lettres de Mme Chantry.

Alors, c'est là qu'elle est allée.

Et une fois cette livraison express effectuée, j'y suis allé à mon tour.

Comme des comètes à postcombustion turbo, nous avons détalé dans la rue jusqu'à atteindre, à bout de souffle, en sueur et riant aux éclats, le bord du lac.

Nathan pouvait à peine respirer. Il a dû s'asseoir la tête entre les genoux, ses mains agrippant ses chevilles, pendant cinq bonnes minutes avant de pouvoir parler. Son visage était sillonné de larmes, ses yeux étaient rouges et exorbités, et quand il a tenté de se relever, il est tombé sur le côté comme une planche et il est resté étendu par terre.

Jamais eu aussi peur.

Jamais autant ri.

Jamais vu mon père aussi en colère que quand il est rentré ce soir-là, tenant le torchon qui empestait le poisson que Mme Chantry avait eu l'obligeance de lui remettre accompagné de ce message : *Rendez ceci à votre fils, monsieur Ford, et dites à lui et à son petit ami noir que j'ai apprécié le poisson.*

Mon père m'a fouetté cette fois. Il m'a filé une bonne correction dans la remise à bois.

Le lendemain, je suis resté à la maison.

Nathan n'est pas venu me voir. Son père ne l'avait pas fouetté, car il estimait qu'un enfant ne devait pas être battu. Il pensait que la meilleure punition était d'interdire à l'enfant de sortir et de lui faire recopier les Saintes Écritures jusqu'à ce que sa main n'en puisse plus. *Écrire jusqu'à ne plus rien y comprendre*, me disait Nathan.

Plus tard, nous avons reparlé de Mme Chantry et du poisson. Nous pensions qu'elle l'avait mangé tout entier et tout cru et que son cou avait dû se dilater quand elle avait quasiment aspiré la bête d'un seul coup.

C'était ce que nous imaginions, il devait donc en être ainsi.

Ces années-là, alors que nous approchions de l'adolescence, ont été comme une annonce de ce qui arriverait, comme une prémonition, un présage, une boule de cristal.

Eisenhower est devenu président en 1953, mais le fait que Rocky Marciano avait conservé son titre de champion poids lourd après avoir mis KO Jersey Joe Walcott semblait bien plus réel, pertinent, et essentiel. Jackie a épousé JFK la même année, et vers Noël s'est produite une chose que nous ne commencerions à comprendre que plus tard, bien plus tard. En décembre de cette année-là, la Cour suprême a commencé à envisager l'interdiction de la ségrégation dans les écoles, et même si trois années s'écouleraient avant que Nat King Cole se fasse traîner hors de scène par une foule blanche à Birmingham, ces murmures de mécontentement et de désaffection étaient le signe que la vieille Amérique était à l'agonie. Même si les gens semblaient plus préoccupés par Marilyn Monroe et Joe DiMaggio, par Elvis Presley chantant *That's Alright Mama*, par James Dean dans *La Fureur de vivre*, et par un endroit nommé Disneyland, à Anaheim, en Californie, c'étaient ces choses qui suivaient leur cours en coulisse qui avaient le plus d'importance.

En mars 1954, Eisenhower a engagé les États-Unis dans une coalition pour prévenir toute prise de l'Asie du Sud-Est par les communistes. Sept mois plus tard, les troupes du Viêt-minh commençaient à occuper Hanoï. La tension montait. Là-bas, dans une jungle inconnue, une guerre débutait, une guerre qui broierait les esprits et les cœurs de cette nation et ferait naître un regret infini chez un million de pères et de mères.

Nathan Verney et moi étions des enfants. Nous ne comprenions pas. Nous ne voulions pas comprendre.

À Montgomery, Alabama, les transports publics de la ville ont ordonné la fin de la ségrégation dans les bus. Eisenhower a demandé aux écoles de mettre un terme à la discrimination, et la Cour suprême a invalidé la loi sur la ségrégation.

J'étais un gamin blanc en Caroline du Sud. Nathan était noir. Et ce n'est qu'en 1957 ou 1958, quand la cour de district fédérale a ordonné à Little Rock, Arkansas, de nous traiter à égalité, quand Martin Luther King a été arrêté pour délit d'intention, quand il a dénoncé les violences policières et a été condamné à une amende de quatorze dollars pour avoir refusé d'obéir à un agent, que les douleurs que ce pays endurait ont commencé à s'insinuer dans nos vies et à nous toucher. En février 1960, Nathan et moi avions presque quatorze ans, et quelqu'un a placé une bombe dans une maison. Cette maison appartenait à l'un des premiers étudiants noirs inscrits à la Little Rock Central High School. Nous en avons entendu parler de la bouche du père de Nathan, qui s'est rendu à Montgomery et a défilé avec des milliers d'étudiants noirs au mois de mars de la même année.

Martin Luther King a parlé à Eisenhower et lui a vivement recommandé de désamorcer les tensions, mais

Eisenhower était un politicien, pas un négociateur. Dix Noirs ont été abattus dans le Mississippi en avril. On a appelé ça la pire émeute raciale de tous les temps. On a appelé ça beaucoup de choses. Nathan et moi parlions de folie.

Je me souviens du père de Nathan à l'époque, et vingt ans plus tard je me rappellerais la passion, la fureur, la colère qui l'ont animé pendant toutes ces années. *La religion*, disait-il, *était sans importance*. Peu importait comment nous nous définissions. Peu importait de savoir à quelle église nous allions. Peu importait quels cantiques nous chantions. Et, aussi sûr que deux et deux font quatre, peu importait la couleur de notre peau. Un homme était un homme, tous les hommes avaient été créés à l'image de Dieu, et tous les hommes étaient égaux à la naissance et face à la mort. Tous les hommes devaient rendre compte des mêmes péchés, quelles que soient leur race ou leur croyance.

Le père de Nathan est rentré chez lui un soir avec la tête en sang. Il ne voulait pas de bandage ni de pansement, malgré Mme Verney qui faisait toute une histoire et refusait de le laisser partir, et il l'a renvoyée pendant qu'il nous parlait. Il a dit que sa blessure laisserait une cicatrice, et il en était ravi. C'était une chose qu'il porterait pour le restant de sa vie. C'était un homme de Dieu. Un ministre de la foi. Pourtant, aux yeux du policier qui l'avait frappé à Montgomery, Alabama, il n'était qu'un pauvre abruti de nègre qui avait oublié ses bonnes manières, de fermer sa bouche, et de rester à sa place.

Nathan et moi n'avions jamais vraiment remarqué la différence entre nous ; pas jusqu'à cet instant.

En janvier 1961, John Fitzgerald Kennedy était investi en tant que président des États-Unis. Mais il mettait les pieds dans un champ de mines. Alors qu'il était en poste depuis trois mois, des exilés cubains armés tentaient de renverser le gouvernement marxiste de Castro à Cuba. Khrouchtchev s'engageait alors à apporter à Castro toute l'aide dont il aurait besoin. Et le mois suivant, les États-Unis acceptaient d'envoyer plus d'argent et d'armes au Sud-Vietnam.

Une semaine plus tard, une foule blanche attaquait les *Freedom Riders* à la gare routière de Birmingham, Alabama.

J'avais quinze ans, et la chose qui me préoccupait le plus, c'étaient les filles – des filles comme Sheryl Rose Bogazzi, Linny Goldbourne et Caroline Lanafeuille –, mais quelque chose me disait que les tribulations d'un jeune adolescent étaient le dernier des soucis du monde.

Quand j'ai eu seize ans, Nathan était à mes côtés, et l'Amérique semblait au bord du gouffre, aussi bien chez elle qu'à l'étranger.

Nous avions entendu parler l'année précédente d'un endroit nommé la baie des Cochons.

Plus de onze cents envahisseurs de la baie des Cochons ont été condamnés à trente ans de prison, et Castro a tenté de les échanger contre une rançon de soixante-deux millions de dollars. Un an plus tard, en mai 1962, JFK envoyait ses marines au Laos. En juillet, Martin Luther King était arrêté pour une manifestation illégale en Géorgie, à un jet de pierre du lycée de Greenleaf, Caroline du Sud, où je suivais ma scolarité.

En septembre, tout est vraiment parti en couilles.

Des Blancs ont pris d'assaut l'université du Mississippi alors que James Meredith devait y entrer. Le gouverneur Ross Barnett a ordonné à la police de bloquer l'accès au jeune homme. JFK a envoyé le procureur général adjoint et sept cent cinquante marshals fédéraux sur place pour s'assurer que Meredith pourrait passer librement.

Plus tard, Ross Barnett était incité à se rebeller contre JFK par une vaste foule de Blancs dans le stade de Jackson. Et l'orchestre de l'université du Mississippi, en uniforme confédéré, mettait l'assistance à ses pieds avec une interprétation de *Dixie*.

James Meredith n'assisterait pas à ses cours avant octobre, et même alors, il y aurait deux cents arrestations.

Le même mois, JFK – un homme qui n'avait plus que treize mois à vivre – imposait à Cuba un blocus sur les armes après avoir informé le monde que l'Union soviétique installait des missiles sur l'île. Il lèverait le blocus en novembre, et en décembre, mille cent treize envahisseurs de la baie des Cochons seraient libérés contre une rançon de cinquante-trois millions de dollars.

Le monde semblait avoir dévié de son axe. Les gens paraissaient obnubilés par McCarthy, par la discrimination, par Castro, et par le fait que Marilyn avait peut-être été assassinée à cause de la personne qu'elle aimait.

Ces choses étaient réelles, mais pas au point de nous atteindre véritablement là où nous vivions.

Pas avant le mois de décembre, alors que Noël approchait, et elles nous ont alors atteints si rapidement, si impitoyablement, que nous n'avons rien pu faire d'autre qu'affronter la réalité.

Le monde était devenu fou, et finalement, cette folie est arrivée à Greenleaf.

3

Aujourd'hui, ça aurait été l'anniversaire de Nathan.
Et c'est précisément ce jour-là que M. West a choisi pour me
parler. Je ne me rappelle plus la dernière fois où il m'a parlé de
vive voix. C'était il y a peut-être deux semaines, ou un mois.
Ici, dans le bloc D, on perd la notion du temps. Quarante-huit
heures sans faire d'exercice, et on ne sait plus si c'est le jour
ou la nuit. Je suis sûr qu'ils ont modifié l'heure d'allumage et
d'extinction des lumières. On est désorienté. Confus.

Enfin, bref, M. West est venu, il a regardé à travers le judas et
a lancé : « T'es un putain d'animal, Ford. Qu'est-ce que t'es ? »

J'ai répondu : « Un animal, patron. »

Et il a dit : « Aussi sûr que deux et deux font quatre, t'es
un animal. »

Et alors il a ri.

Je voyais ses jambes à travers les espaces entre les barreaux. J'aurais presque pu les toucher depuis l'endroit où
je me tenais. Mais je n'y serais jamais arrivé. Cet homme
est aussi rapide qu'un léopard. Si ma main avait franchi les
barreaux, il m'aurait cassé le poignet avec sa matraque en un
éclair. Encore plus vite qu'un éclair.

« Je crois que la seule bonne chose que t'aies jamais faite, ça
a été de tuer un nègre, a-t-il poursuivi. Et maintenant on va te
griller le cul pour ça. Si ça c'est pas une putain d'ironie, hein ? »

Puis il a enfoncé la main dans sa poche de chemise, sorti une cigarette, l'a allumée. Il a tiré dessus une fois, souriant à travers le judas, il l'a laissé tomber par terre et l'a écrasée avec la semelle de sa chaussure jusqu'à ce qu'elle ne soit plus que de la poussière. Il a fait ça volontairement. Il l'a broyée si finement qu'elle n'aurait pu être ramassée et roulée de nouveau.

Après quoi, il s'est accroupi et m'a regardé à travers les barreaux. Pendant un moment, il a eu une expression compatissante.

« Certaines personnes sont ici parce qu'elles le méritent, a-t-il commencé. Et puis il y a ceux qui sont ici pour payer pour tous nos péchés. Toi, t'es ici parce que t'es trop con pour pas y être, Ford. C'est aussi simple que ça. Je crois qu'à un moment par le passé t'as fait une chose pour laquelle t'étais prêt à mourir, hein ? Toujours pareil. Si t'es pas ici pour ce qu'on dit que t'as fait, alors, aussi sûr que la merde est marron et pue, t'es ici à cause de ce que tu crois avoir fait. Et viens pas me dire que j'ai tort, parce que je sais que j'ai raison. »

L'expression compatissante s'est doucement transformée en expression de dégoût et de dédain.

« Quoi que t'aies fait, mon gars, tu te sentais assez coupable pour te faire tuer à cause de ça. »

M. West, en dépit de tout, sait quand il a touché la corde sensible, et une fois qu'il l'a touchée, il la tord comme un sadique. Certains affirment qu'il peut lire dans les esprits. D'autres qu'il peut sentir le moindre tic ou le moindre tressaillement dans votre expression et les saisir comme une grenouille attrape des mouches. Jamais un raté, toujours satisfait, et toujours prêt pour encore plus.

Il s'est relevé, avec son éternel petit sourire caustique, puis s'est éloigné lentement.

Les paroles de M. West avaient été parfaitement calculées, car il sait ce qui me fait souffrir, il sait où sont mes blessures, et il ne cesse de les attiser.

J'ai le sentiment que M. West a fait de moi sa *raison d'être*, du moins pour le moment, jusqu'au jour où je ferai ma dernière balade pour aller m'asseoir sur la *Grande Chaise*. C'est ce qu'il veut ; c'est ce qui le rendrait heureux.

C'est l'anniversaire de Nathan, ce qui me fait repenser une fois de plus à Greenleaf. Repenser à un jour précis ; le jour où le monde nous a clairement fait savoir que Nathan Verney et moi n'étions pas, et ne serions jamais, pareils.

J'ai l'impression que ce que tout le monde voulait toujours, c'était baiser les autres.

On le sentait dans l'atmosphère.

Nous avions le même âge – seize ans, bientôt dix-sept –, et nous traînions dans une buvette nommée Benny's. Benny, c'était Benny Amundsen, un immigrant venu de quelque part en Europe, un homme bien et honnête, mais un homme qui se tenait sur ses gardes vu qu'il n'était pas américain.

Il y avait un juke-box chez Benny's, une œuvre d'art hors d'âge et cabossée. Ce juke-box passait environ dix morceaux, douze les bons jours, et même si les disques sautaient et dérapaient, et si parfois on entendait que dalle, c'était toujours le centre de l'univers pour les adolescents de Greenleaf.

Ce jour-là, il y avait peut-être vingt gamins en tout. Des types en jean moulant et tee-shirt, des filles en robe avec des choucroutes sur la tête comme Martha and the Vandellas ou quelque chose du genre. Ils dansaient un peu, ils riaient, ils buvaient leur soda, et on sentait la tension dans l'air. Comme j'ai dit, tout le monde voulait baiser tout le monde, mais si l'opportunité s'était présentée, il est plus que probable qu'ils n'auraient pas su quoi en faire.

Nathan et moi étions assis près de la fenêtre. Nathan pliait une serviette pour former quelque chose qui ressemblait à un oiseau. Je l'observais, stupéfait que d'aussi grandes mains puissent faire quelque chose d'aussi délicat et fragile.

Je suis allé chercher un soda, me suis tenu un moment au comptoir en m'occupant de mes affaires, et c'est à cet instant, alors que j'hésitais entre un soda à la crème et un soda à la fraise, que j'ai perçu une présence à côté de moi.

Je me suis retourné. Elle était là. Sheryl Rose Bogazzi. Longs cheveux auburn, des cils comme les ailes d'un oiseau s'envolant dans le coucher du soleil, son chemisier blanc qui lui moulait la poitrine.

Je me suis senti rougir.

« Salut, Daniel », a-t-elle ronronné comme un chat.

J'ai senti quelque chose remuer sous mon ventre.

« Sheryl Rose », ai-je répondu.

J'ai essayé de sourire du mieux que j'ai pu, mais je crois que ça ressemblait à une grimace douloureuse.

« Qu'est-ce que tu prends ? » a-t-elle demandé.

J'ai haussé les épaules, me suis cru un moment idiot.

« Un soda. »

Elle a gloussé, porté sa main à sa bouche comme pour cacher ses dents. Mais elle n'en avait pas besoin. Elle avait des dents parfaites.

« Je sais que tu prends un soda, a-t-elle poursuivi, et elle a esquissé un pas vers moi. Quel genre de soda ?

— Je sais pas. Peut-être à la crème, peut-être à la fraise. »

Elle a acquiescé, comme si elle comprenait mon dilemme.

« Celui à la fraise m'a rendue malade, un jour », a-t-elle dit.

Elle a alors agité la tête, repoussant ses cheveux par-dessus son épaule. J'aurais voulu les toucher. J'ai de nouveau rougi.

« Alors, ce sera à la crème, ai-je décidé.

— Crème, a-t-elle ronronné, et j'ai failli mourir sur place.

— T'en veux un ?

— Tu me l'offres ? »

J'ai acquiescé.

« Pour sûr.

— Bon, merci, Daniel Ford... j'en prendrai aussi un à la crème. »

J'ai payé les deux sodas, elle m'a remercié une fois de plus, puis elle m'a adressé ce sourire qui n'appartenait qu'à elle, et je n'ai plus su quoi dire.

« À la prochaine, Daniel Ford », a-t-elle ajouté, et elle s'est penchée un peu plus près.

L'espace du plus bref des instants, j'ai senti ses doigts effleurer mon bras. Je me rappelle combien ils étaient frais, frais et un peu humides à cause du verre qu'elle avait tenu un moment auparavant, et lorsqu'elle s'est éloignée, j'ai regardé ses empreintes digitales humides s'évaporer sur ma peau.

J'ai regagné la table au ralenti, mon cœur battant à toute vitesse. J'ai regardé à travers la salle dans sa direction et je l'ai vue qui me regardait. Mon cœur troublé a manqué un nouveau battement.

« Et il est où, mon soda ? » a demandé Nathan.

Je l'ai regardé, je n'entendais rien, j'ai souri.

« Abruti d'arriéré », a-t-il lancé, et il s'est levé pour aller chercher sa propre boisson.

C'était une situation délicate, des jalousies couvaient, des choses non dites, d'autres qui l'étaient et qui auraient dû rester privées, et lorsque Sheryl Rose Bogazzi a senti une main sur sa poitrine, elle a giflé quelqu'un.

Je me suis retourné en premier, ai vu Larry James et Marty Hooper qui se tenaient là-bas. Marty était rouge comme une pivoine, le côté de son visage portait l'empreinte caracté-ristique d'une main, et Larry, son acolyte et *consigliere*, le défendait déjà.

Pourquoi je me suis levé, je n'en sais rien.

Bon Dieu, si, je le sais.

Je me suis levé parce que c'était Sheryl Rose Bogazzi.

Si ça avait été quelqu'un d'autre, n'importe qui sauf peut-être Caroline Lanafeuille, je serais resté à ma place et je l'aurais bouclé.

Mais non, j'étais hébété et amoureux, et, partant, fou à lier.

Alors je me suis levé, et Marty s'est aussitôt planté devant moi sur la défensive, avec une expression de méfiance. Ses manières étaient vulgaires, brutales, et je savais d'expérience que seules les personnes qui avaient quelque chose à cacher s'énervaient aussi rapidement.

C'est ainsi que j'ai su qu'il avait bien touché Sheryl Rose Bogazzi.

Il avait commis un crime d'une importance incommensu-rable et impardonnable.

« Qu'est-ce que t'as fait ? » ai-je demandé d'un ton hostile et agressif.

Marty Hopper a souri d'un air railleur. Il a plus ou moins regardé de biais en direction de ses amis, comme pour leur demander qui j'étais et ce que je fabriquais ici.

J'ai senti Sheryl Rose qui se tenait sur ma gauche. J'ai senti sa présence reconnaissable entre mille.

« J'ai dit, qu'est-ce que t'as fait, Marty ?

— Et qu'est-ce que ça peut te faire ce que j'ai fait ? a-t-il répliqué sèchement.

— Tu l'as touchée. Tu l'as touchée, Marty. »

Marty a montré les dents avec mépris.

« C'est toi que je vais toucher, Daniel Ford », a-t-il lancé.

J'ai poussé Marty Hooper.

Marty Hooper a ri et m'a poussé à son tour.

« Espèce de raté, a-t-il sifflé entre ses dents. T'es qu'un raté, Ford. »

Les jeunes dans la buvette se sont écartés simultanément, et soudain une arène s'est formée, un ring de boxe, et j'ai compris à cet instant que j'allais me prendre une raclée.

Marty Hooper était plus rapide, plus grand, plus fort, mais surtout il était plus confiant que moi. Je défendais l'honneur de Sheryl Rose, peut-être la motivation la plus grande et la plus puissante pour me lancer à l'assaut de ce criminel du cœur. Mais Marty Hooper s'était déjà battu, et pas moi.

Le premier crochet a percuté mon oreille gauche.

J'étais certain de sentir le goût du sang dans ma bouche. Je voyais trente-cinq couleurs en stéréo et beuglais comme un cochon égorgé.

Larry James riait.

« Connard, qu'il disait. Quel connard, ce type. »

Sheryl Rose s'est détournée avec sur le visage un mélange de terreur, de panique et de compassion.

Je suis alors revenu à la charge, comme un chien enragé, et alors que je me jetais sur Marty, j'ai senti une main sur mon col, et soudain j'ai été poussé en arrière, presque complètement soulevé du sol.

Avant de savoir ce qui se passait, je me suis retrouvé près de la fenêtre et Nathan était devant Marty Hooper, poings levés, les yeux grands ouverts, montrant les dents comme une bête féroce.

« Toi aussi tu veux t'en prendre une ? » a demandé Marty. Il s'est mis à rire. « Ce connard veut aussi en prendre une… Alors viens, connard, viens la chercher. »

Quand Nathan Verney a frappé Marty Hooper, ce dernier s'est écroulé.

Il s'est littéralement écroulé.

C'était difficile à décrire, encore plus dur à expliquer quand nous en avons reparlé plus tard. Marty Hooper est tombé comme une putain de masse.

Boum.

À terre.

Comme une pierre.

Et il ne s'est pas relevé.

Il y a eu un silence.

On aurait pu entendre une mouche voler.

Je me tenais là, la bouche grande ouverte, les yeux exorbités, les cheveux au garde-à-vous sur ma nuque comme un porc-épic.

C'est Larry James qui l'a dit. Aucun doute là-dessus. Je me rappelle même la façon dont il l'a dit. Aussi claquante qu'un coup de batte de base-ball. Qu'un coup de feu.

Nègre!

Marty Hooper a remué.

Quelqu'un s'est approché et l'a aidé à se relever.

En comprenant ce qui s'était passé, il a été encore plus stupéfait et embarrassé qu'avant. Mais maintenant, la cause de son ridicule n'était ni Sheryl Rose ni moi. C'était le grand adolescent noir qui se tenait à environ un mètre de lui.

Nathan Verney l'avait mis à terre d'un seul coup de poing, et il n'était pas près d'oublier ça.

Alors, il l'a dit à son tour.

« Nègre! Putain de nègre! »

Et même s'il ne l'a pas dit de la même manière, ça a semblé pire.

Maintenant, c'était là. Maintenant, ça avait été répété, et les membres de cette bande auraient dit ou fait n'importe quoi pour rester copains avec ces types.

Alors, quelqu'un d'autre l'a dit. Je ne sais pas qui. Ça n'avait aucune importance.

Nègre!

Et lorsque tout le monde s'y est mis et que c'est devenu comme un cri de guerre, Nathan Verney avait déjà atteint la porte.

Je l'ai rejoint en un éclair, nous sommes sortis rapidement et en silence, puis avons traversé à la hâte le trottoir en planches en direction de la rue.

« Va-t'en, disait Nathan. Va-t'en, Daniel... pars! »

Je percevais une panique et une terreur véritables dans ses yeux, quelque chose que je ne reverrais que des années plus tard quand nous serions devenus adultes.

Je me rappelle la sensation du soleil. C'était une sensation brutale. J'avais l'impression d'être nu.

Je me rappelle avoir jeté un coup d'œil derrière moi en direction de Sheryl Rose, qui me regardait fixement. Son expression m'a dit tout ce que j'avais besoin de savoir. Elle était désolée pour nous, peut-être pour moi, mais elle ne pouvait rien faire. Elle était à sa place ici, pas Nathan, et si j'étais avec Nathan, alors je n'étais pas à ma place non plus. Bon sang, c'étaient juste d'honnêtes gamins blancs qui tuaient le temps, qui s'amusaient un peu, et Marty Hooper et Larry James s'étaient un peu échauffés, certes, mais pas la peine d'en faire un fromage.

Je lui ai souri, je m'en souviens, mais elle ne m'a pas retourné mon sourire. Elle a détourné les yeux, a regardé le sol, tout sauf moi. Et c'est à ce moment qu'elle est devenue autre chose, quelqu'un d'autre. J'éprouvais un sentiment de perte, mais aussi de soulagement. D'aussi loin que je me souvienne, j'avais été déchiré entre elle et Caroline, déchiré entre elles deux comme un homme attaché à deux charrettes qui iraient dans des directions opposées. J'aurais seulement pu tenir quelque temps avant de sentir que quelque chose cédait, avant de me voir coupé en deux et m'effondrant intérieurement. À cet instant, lorsque je me suis tourné vers elle, elle m'a trahi, elle est devenue un membre de *leur* bande. Je me suis dit que je ne pourrais jamais lui pardonner. Alors, je l'ai laissée partir, je sais que c'est ce que j'ai fait. À cet instant précis, je l'ai laissée partir, et malgré la panique que j'éprouvais, je me suis retrouvé à remercier quelque puissance supérieure que Caroline Lanafeuille n'ait pas été là pour voir ma fierté meurtrie. Caroline demeurait sur son piédestal, alors que la couronne de Sheryl Rose Bogazzi avait glissé et roulé sans bruit jusqu'au caniveau.

Lorsque nous avons atteint la rue, ils devaient être cinq ou six derrière nous. Les garçons sont sortis, les filles sont restées à l'intérieur, et je me rappelle avoir entendu la voix de Benny Amundsen par-dessus le vacarme :

« Allez régler vos problèmes dehors ! Les garçons, allez régler vos problèmes dehors ! »

Benny savait ce qui se passait, il avait dû être le premier à comprendre, mais il ne voulait rien faire. Il ne pouvait pas être vu avec un Noir.

Quand la première pierre a été lancée, nous nous sommes mis à courir. Nathan était plus grand que moi, ses jambes étaient plus longues, et si ça avait été une course, il m'aurait semé en un rien de temps.

Mais il ne l'a pas fait, il est resté à ma hauteur, et quand nous avons atteint un tournant au bout de la rue, il a ralenti et m'a laissé tourner en premier pour éviter une collision.

S'il n'avait pas fait ça, il n'aurait pas été touché.

La pierre l'a atteint à la joue, et aujourd'hui encore je me rappelle le bruit aussi clairement que si ça s'était produit il y a cinq secondes. Un bruit sourd, comme quelqu'un donnant un coup de poing dans un quartier de bœuf accroché dans une remise. Et tandis qu'il hurlait, j'ai vu le sang, et alors tout a changé.

Du sang sur les dents. J'ai entendu cette expression, un jour. Une fois que l'animal a du sang sur les dents, il n'oublie jamais ce goût. Il en a besoin. Il vit pour.

Les garçons qui couraient derrière nous sont devenus fous.

Ce qui n'était qu'une simple petite course dans notre direction est devenue une véritable poursuite, et tandis qu'ils nous poursuivaient, je sentais les pierres qui filaient tout près de ma tête, j'entendais le bruit qu'elles faisaient lorsqu'elles heurtaient le trottoir ou la devanture en bois d'une boutique.

Quelque part, une fenêtre a volé en éclats.

J'ai regardé Nathan. Il écarquillait de grands yeux effrayés, le côté gauche de son visage était en sang, et j'ai trouvé quelque part en moi suffisamment de passion, de force et de vigueur pour détaler comme une fusée et le semer brièvement.

Je ne me souviens plus combien de temps nous avons couru, mais soudain il y a eu quelqu'un devant nous. Nous sommes passés devant à toute vitesse, et j'ai entendu la personne crier.

J'ai ralenti, me suis arrêté, Nathan à mes côtés, et quand nous nous sommes retournés, nous avons vu une chose que je n'oublierai jamais.

Mme Chantry se tenait au milieu de la rue, résolue, inamovible.

Elle brandissait au-dessus de sa tête une canne visiblement lourde, et quand elle a parlé, sa voix a semblé jaillir de la terre et emplir toute la rue ainsi que les bâtiments qui la bordaient.

« Arrêtez-vous là ! » a-t-elle hurlé.

J'ai regardé Nathan.

Le marteau et l'enclume, disaient ses yeux.

Les garçons qui nous poursuivaient se sont arrêtés maladroitement, surpris, butant les uns contre les autres, se bousculant pour voir qui se tenait devant eux.

« Les garçons, arrêtez-vous là ! Vous voyez ce que vous avez fait ? Vous voyez ce qui se passe ? Retournez d'où vous venez ou je vous transforme en lézards ! »

La voix de Mme Chantry était impérieuse, comme si elle dirigeait les forces dans un affrontement entre unionistes et confédérés.

Les adolescents derrière nous étaient abasourdis.

Stupéfaits.

Silencieux.

Et ils s'en sont allés.

Sans poser de questions.

Sans hésitation.

L'un après l'autre, ils se sont éloignés, longeant la rue en gémissant comme une meute de chiens fouettés.

Même à seize ou dix-sept ans, on se souvenait des histoires, du mari dévoré, de l'entrée des Enfers qui se trouvait juste derrière la porte de sa maison.

Je me rappelle le visage de Larry James à cet instant. Il a lancé un dernier regard dans notre direction avant de tourner au bout de la rue. Il ne savait pas s'il devait être en colère d'avoir été privé de la mise à mort, ou compatissant parce qu'un destin en apparence bien pire nous attendait.

Et alors, c'est *elle* qui s'est retournée.

Je me suis revu à onze ans, debout dans son allée avec un poisson entre les mains enveloppé dans un torchon qui avait auparavant renfermé un sandwich au jambon, un sand-wich au jambon semblable à celui que Nathan Verney et moi avions partagé un million d'années plus tôt.

C'était comme si c'était la veille, une heure plus tôt, comme si une simple seconde fugace s'était écoulée.

Peut-être la dernière seconde de ma vie.

Et alors, elle a parlé, et tout ce dont je me souviens, c'est de son ton chaleureux, du timbre et de la profondeur de sa voix.

« Vous savez, les garçons, a-t-elle dit. J'ai réellement mangé ce poisson. »

Nous sommes restés chez elle près de deux heures.

Mme Chantry a nettoyé le visage de Nathan, puis elle l'a pansé avec de la gaze maintenue par du sparadrap.

Elle avait de la limonade faite maison, et une sorte de bis-cuits secs qui avaient le goût de muscade, de cerise, et d'un ingrédient mystérieux qui donnait envie d'en manger deux ou trois de plus.

Les murs de sa maison n'étaient pas badigeonnés de sang. Le crâne de son mari n'était pas posé sur le manteau de la cheminée au-dessus du feu. Elle avait toutes ses dents, qui étaient blanches, pas noires, et elle dégageait une légère odeur de violette et de menthe poivrée.

Elle nous a même montré une photo de son mari, et quand nous lui avons répété les histoires que nous avions entendues durant notre enfance, elle nous a expliqué que c'était elle qui avait lancé la plupart des rumeurs.

« Quand vous arrivez à mon âge, a-t-elle dit, vous avez besoin d'un peu de paix. Je n'ai jamais eu l'intention d'effrayer qui que ce soit, surtout pas les enfants, mais vous savez comment sont les gens. Ils embellissent tout, ils transforment et exagèrent tout, et quand vous réentendez votre propre histoire, elle est deux fois plus énorme et vous la reconnaissez à peine. Voilà ce qui s'est passé, et maintenant je regrette un peu que les gens aient cru ces choses. »

Elle a souri à Nathan.

« Comme toi, a-t-elle poursuivi. Tu as vu quelque chose aujourd'hui que tu vas devoir affronter à un moment ou à un autre. Tu sais de quoi je parle, n'est-ce pas ?

— De ces Blancs bêtes comme des ânes, voilà de quoi vous parlez », a répondu Nathan.

Mme Chantry a souri.

« Ces Blancs bêtes comme des ânes, tout à fait.

— Des péquenauds, a enchaîné Nathan. Tous mariés à leur sœur et mangeant des restes vieux de trois jours à même la poêle.

— Nathan ! » ai-je sifflé entre mes dents, et il m'a regardé avec de grands yeux innocents.

Mme Chantry a levé la main.

« Ce n'est pas si éloigné de la vérité, Daniel. » Elle s'est retournée vers Nathan. « Je connais ton père. Je sais qu'il sait tout ce qui se passe en Alabama et en Géorgie. J'imagine que ça finira par infecter tout le pays au bout d'un moment. Je suppose qu'il y aura encore des fusillades, des émeutes, des manifestations, des cris, avant que les gens reviennent à la raison, tu sais ? »

Elle m'a regardé et a souri, puis s'est de nouveau tournée vers Nathan.

«On dirait que tu as un bon ami, Nathan Verney. Un garçon blanc qui prend la défense d'un Noir de nos jours est une personne courageuse.» Elle a éclaté d'un rire bruyant et contagieux. «Mais bon, tous les deux vous n'avez jamais eu besoin de personne pour vous attirer des ennuis, n'est-ce pas?»

Nathan a souri pour la première fois depuis la poursuite dans la rue.

«Si j'avais été seul, on n'aurait pas été deux, et j'aurais eu beaucoup moins d'ennuis», a-t-il répliqué. J'ai ri avec lui, et l'espace d'un bref instant ce qui venait de se passer n'a plus eu d'importance.

J'avais l'impression que nous étions en train de rire du monde depuis l'entrée des Enfers, et c'était ça le plus drôle.

Plus tard, après être repartis avec une invitation à revenir quand bon nous semblerait, Nathan et moi avons marché vers le lac. Nous allions toujours dans cette direction côte à côte, calant notre pas l'un sur l'autre, puis, à l'endroit où nos chemins se séparaient, à cinquante mètres de l'eau, nous partions chacun de notre côté.

«On va s'en sortir ensemble, Nathan», ai-je dit.

Il n'a pas répondu. Il savait de quoi je parlais.

Il s'est arrêté au bout du chemin et s'est tourné vers moi.

Il a tendu la main.

Je l'ai serrée, et pendant une éternité nous nous sommes tenus là sans un mot.

«C'est toi qui vois, Danny Ford», a-t-il finalement déclaré.

Et je me souviens d'avoir répondu : «C'est tout vu, Nathan Verney.»

Puis nous nous sommes séparés, chacun partant en direction de chez soi. Plus tard, je me suis assis à la fenêtre de ma chambre et j'ai regardé la ligne d'horizon bleue se fondre lentement et sans un bruit dans le lac Marion.

À seize ans, je n'avais pas besoin de comprendre pourquoi.

C'était du moins ce que je croyais.

Si je m'étais enfui avec Nathan, c'était parce que j'avais peur, parce que j'avais été incapable de me défendre seul, parce qu'il s'était interposé pour me protéger et que je devais lui rendre la pareille.

Dix années s'étaient écoulées depuis le jour où nous avions partagé un sandwich près du lac.

Encore un peu plus de la moitié de ce temps, et Nathan Verney serait mort.

Mais ça, c'était l'avenir, l'inconnu, et de la même manière que JFK tomberait l'année suivante, nous n'avions aucune idée de ce qui nous attendait.

Nous vivions pour le moment présent, un peu pour le passé, mais surtout il semblait que nous vivions l'un pour l'autre.

Et ça, de toutes les choses qui surviendraient, ce serait peut-être le plus dur.

4

À Sumter, l'année qui a précédé mon transfert dans le couloir de la mort, j'ai rencontré un homme nommé Robert Schembri. C'était en août 1972, et lorsque nos chemins se sont croisés, Robert avait près de soixante-dix ans. Il marchait voûté et boitait, et il avait la mine d'un homme vaincu. Mais vaincu, il ne l'était pas, car Robert Schembri possédait un courage à toute épreuve. Apparemment, il avait passé treize années à l'isolement, dans une cellule étroite de deux mètres quarante sur deux mètres quarante, avec un lit à cadre d'acier, un trou dans le sol, et cinquante minutes de lumière du soleil tous les trois jours. Il avait atterri là-bas à cause de ses histoires, des histoires extravagantes, incroyables, et étrangement fascinantes. Les gens étaient dérangés par ses histoires, par ses affirmations, par les théories qu'il présentait, et même si n'importe quelle personne saine d'esprit aurait considéré qu'il n'avait pas inventé le fil à couper le beurre, mes souvenirs de Robert Schembri demeurent parfaitement clairs. C'était un homme dangereusement intelligent.

Je suis la seule personne à qui il ait expliqué les raisons de son emprisonnement. Pourquoi il m'a choisi, je ne l'ai jamais su, car Schembri est mort d'une crise cardiaque, l'une de ces attaques caractéristiques des pénitentiaires fédéraux, un mois avant mon transfert dans le couloir de la mort. Et c'est lui qui m'a aidé à comprendre ce qui m'était arrivé et, surtout, pourquoi. C'est lui qui m'a mis en garde contre un certain M. West, un homme qui joignait le geste à la parole et qui dirigeait le bloc D comme s'il était le dernier dieu américain. Je ne savais pas à l'époque que M. West serait une figure aussi marquante des dernières années de ma vie, et si je l'avais su, j'aurais prêté beaucoup plus attention à ce que Robert Schembri me disait de lui. Mais je l'ignorais, à l'époque ça semblait sans importance, et Schembri avait le don de vous faire sentir ce que vous deviez ou non écouter.

Il m'a parlé pendant trois jours d'affilée. Nous ne nous rencontrions que durant les repas, et après le premier jour, je me revois me tenant dans la file, tendant le cou, passant en revue les visages tandis que je le cherchais parmi la foule. Mon procès et les querelles judiciaires qui l'ont suivi étaient complexes et s'éternisaient depuis des mois. Mais c'est une autre histoire, une tout autre histoire. Tant que mon cas n'était pas réglé et la condamnation à mort définitive, j'étais là avec les détenus ordinaires.

J'ai trouvé Robert Schembri dans le coin du réfectoire, au fond à gauche. Apparemment, il s'asseyait toujours seul. Les gens l'évitaient comme la peste, comme un danger mortel. Il semblait qu'il était resté seul durant toutes les années où il avait été là, et hormis les quelques heures que j'ai passées avec lui, il est resté seul pour le restant de sa vie.

Il y avait quelque chose d'étrange en lui. Sa façon de me regarder me donnait l'impression d'être invisible, mais cette sensation ne me perturbait pas, elle me faisait simplement sentir que j'étais là pour écouter, pour être le réceptacle de ce qui franchirait ses lèvres. Schembri se décrivait lui-même comme un canal des dieux. Peu importait ce qu'il entendait par là.

« J'vais t'dire un truc, gamin. »

Il disait ça chaque fois qu'il commençait. *J'vais t'dire un truc.*

« Tout ça, c'était un acte prémédité. Le meurtre du roi. C'était la troisième partie nécessaire de la trilogie. Ils avaient trois objectifs pour provoquer le pourrissement complet de la matière, la dissolution totale de la société. »

Schembri a esquissé un sourire sardonique.

« Dis-moi que tu vois pas que la société tombe en morceaux, que tout part à vau-l'eau.

— Si, je le vois », ai-je répondu.

Il a acquiescé.

« Ce qui t'est arrivé est un symptôme de la maladie.

— Un symptôme ? Un symptôme de quoi ? »

Je me suis penché en avant.

« Tout le merdier et toutes les manigances dans lesquels tu t'es fourré ici. » Il a souri d'un air ironique et m'a fait un clin d'œil. « Je connais un peu de ceci et un peu de cela, tu vois. »

J'ai secoué la tête.

« Tu sais ce qui m'est arrivé ? »

Schembri a écarté ma question d'un geste de la main.

« J'ai quelque chose à te demander, a-t-il dit. Tu sais pourquoi ils ont tué John Fitzgerald Kennedy ? »

Il n'a pas attendu ma réponse. Il ne semblait pas vraiment avoir besoin que je l'écoute, seulement que je sois là.

« La première partie, ils l'ont appelée la Création et la Destruction de la Matière Primordiale. Fallait que ça ait l'air complexe, pour que les gens les prennent au sérieux. Ils voulaient que les gens d'en haut soient impliqués, toute la fraternité des francs-maçons, pour provoquer ce traumatisme de masse, ce contrôle spirituel du corps politique des États-Unis. Ils avaient un type nommé Peter Kern, lui-même franc-maçon, et ils lui ont demandé de construire une porte. Le site de la porte s'appelait Trinity, au Nouveau-Mexique, sur le trente-troisième parallèle nord. Il y avait une vieille route là-bas qui s'appelait la Jornada del Muerto, le Voyage du Mort. Alors Kern a construit la porte, et ils l'ont appelée la Porte aux Mille Portes, et une fois qu'elle a été achevée, ils ont décapité Kern lors d'une cérémonie. Ils ont aussi fait d'autres trucs, des trucs occultes, tout au long du trente-troisième parallèle, jusqu'à la ville de Truth or Consequences, au Nouveau-Mexique. »

Schembri a souri et fait un clin d'œil. Il savait de quoi il parlait, même si moi, je l'ignorais.

« J'vais t'dire autre chose. Ces cinglés croient en une chose nommée le serpent de feu Kundalini. Ils disent qu'il vit dans le corps des hommes, et qu'il s'enroule autour des trente-trois segments de la colonne vertébrale, qu'ils considèrent comme le véhicule de l'ascension du feu. Trente-trois est aussi le plus haut degré dans la franc-maçonnerie. »

Il a acquiescé et fait un nouveau clin d'œil comme si tout devenait clair.

« La deuxième étape de la Création et de la Destruction de la Matière Primordiale a aussi eu lieu à Trinity, l'Endroit de Feu, avec la détonation de la première bombe atomique. »

Schembri s'est penché en arrière et a souri. Il a levé sa cuiller.

« Ils savaient exactement ce qu'ils faisaient, tu vois ? Ils savaient exactement où ils allaient. »

Il a abaissé sa cuiller et s'en est servi pour remuer la bouillie sur son plateau.

Je voulais lui demander ce qu'il voulait dire, ce qu'il savait de ce qui m'était arrivé.

« La troisième étape a été le meurtre du roi, a-t-il poursuivi, interrompant mes pensées. À quinze kilomètres au sud du trente-troisième parallèle nord, entre la rivière Trinity et le triple passage souterrain de Dallas... et c'était Dealey Plaza, le site du premier temple maçonnique de Dallas. Avant, cet endroit s'appelait Bloody Elm Street, et c'est là qu'ils ont amené le roi de Camelot, John Fitzgerald Kennedy, et qu'ils l'ont sacrifié. »

Schembri regardait en direction de la foule qui nous entourait. Il a lentement hoché la tête.

« Ils ont tué le roi, tu vois ? Ils l'ont tué devant le monde entier. Et ça a été leur coup le plus génial. »

Schembri m'a de nouveau fixé.

« Y a cette photo qu'a été prise le même jour à Dallas. Tu l'as vue, trois clochards, trois vagabonds en garde à vue. Des clochards avec des coupes de cheveux soignées et des chaussures propres. Ces trois types venaient d'être relâchés sans avoir été identifiés, mais les personnes qui s'intéressent à ce qui s'est réellement passé ont toujours cru que la présence de ces hommes avait un sens. J'vais t'dire qui c'était. C'étaient des symboles, des symboles maçonniques, parce que chaque fois que les francs-maçons tuent quelqu'un, trois petits ouvriers sont présents, Jubela, Jubelo et Jubelum. C'étaient eux. Ils devaient être là. Ils faisaient autant partie de l'histoire que tout le reste. »

Schembri a une fois de plus souri, avec la même expression ironique qui en disait plus que des mots.

« Kennedy a pas été assassiné pour des motifs politiques. Ils l'ont pas tué parce qu'il essayait d'arrêter la guerre du Vietnam ou de fermer Bell Helicopters. C'était même pas parce qu'il tentait de faire cesser la ségrégation des Noirs. Ils l'ont tué parce qu'ils pouvaient le faire. Ils voulaient que le monde sache qu'ils pouvaient abattre l'homme le plus puissant du monde et lui faire exploser la tête à la télé... et que personne pourrait rien y faire. On saura jamais qui l'a réellement tué. Ces détails disparaîtront avec les gens qu'ont appuyé sur la détente et les personnes qu'ont organisé le coup. Je suppose que les tireurs eux-mêmes sont morts dans l'heure qu'a suivi l'incident. Oswald n'était pas plus responsable que toi. Kennedy s'est retrouvé pris dans un triangle de coups de feu, une stratégie classique de la CIA. Tout le flot de désinformation qu'a suivi, les théories sur la CIA, la mafia, les anti-Castro, Castro, le KGB, l'extrême droite texane... tout ça était planifié un an avant l'assassinat. Les gens qu'ont mis Kennedy en place se sont aussi débarrassés de lui. »

Schembri a détourné le regard. Une expression de tristesse est brièvement apparue dans ses yeux.

« Tu vois, tout a changé après novembre 1963. Le monde entier a changé. L'Amérique a commencé à se casser la gueule. La qualité de vie s'est détériorée. La musique est devenue plus forte, les drogues ont envahi la culture populaire, même les vêtements que les gens portaient ont changé. Plus de coton ni d'étoffes naturelles, mais d'affreuses matières artificielles aux couleurs criardes. L'Amérique s'est aperçue que ceux qui pouvaient tuer son président en plein jour pouvaient faire tout ce qu'ils voulaient. Il n'y avait plus un homme seul, le meneur de la nation, mais une fraternité invisible non élue. Et cette même fraternité nous a donné le LSD et la psychiatrie, l'amour libre, la pornographie, la violence à la télé, tout ce qui faisait qu'il était acceptable d'être dingue. »

Schembri a hoché la tête.

« Ils ont abattu le roi de Camelot et nous ont donné le magicien d'Oz. Nous existons dans un lieu d'irréalité, nous sommes manipulés par des mains invisibles, et y a toujours au fond de nous la conscience que quelque part des gens savent qui nous sommes, ce que nous faisons, ce que nous ferons ensuite, et quand c'est nécessaire, ils enfoncent les boutons, tirent les ficelles et tout reprend la place qui lui a été assignée. »

J'ai ouvert la bouche pour parler, mais Schembri a poursuivi.

Ma nourriture était déjà froide.

« Kennedy était un meneur visuel, un homme qui gagnait les cœurs et les esprits de la nation à travers le poste de télé. Il a souvent été dit que Kennedy avait été élu grâce à son apparence – l'Américain typique, le type droit, le soldat propre sur lui. Il était le fils idéal dont rêvaient nos mères, le garçon que nos pères voulaient qu'on soit, et on s'est identifiés à lui. Ils l'ont tué, ils nous ont tués, et par ce simple geste ils nous ont pris notre identité et notre vision. Ils ont réussi à faire à toute une nation ce qu'ils faisaient à des individus depuis des années. C'était leur plus grand coup, un moment de pur génie, et il les a rendus audacieux et courageux, et bien déterminés à poursuivre leur plan afin d'établir un nouvel ordre mondial. Ils faisaient même de la pub au dos des billets de banque. L'œil dans la pyramide, le symbole de la conscience enclose, et en dessous, ces mêmes mots en latin, Nouvel Ordre Mondial. Même George Washington savait que ces gens existaient, et quand on l'a interrogé à leur sujet, il a répondu qu'ils avaient des doctrines diaboliques, et que leur objectif était de séparer le peuple de son gouvernement. Eh bien, ils ont réussi, réussi au-delà de leurs rêves les plus fous, et le gouvernement derrière le gouvernement ne s'est jamais aussi bien porté. »

Schembri s'est penché en avant, a baissé la voix.

« Le Ku Klux Klan, la merde dans laquelle tu t'es fourré, gamin… ils sont dedans, ils sont partout. »

J'ai senti mes yeux s'écarquiller. J'ai tenté de poser une question, de lui soutirer d'autres informations, mais il a continué de parler comme si je n'étais pas là.

« Et ils détestaient Kennedy, ils détestaient qu'il parle à Martin Luther King et à Ralph Abernathy, qu'il ait envoyé des forces fédérales à l'université du Mississippi en septembre 1962. Un homme nommé Prescott Bush, sénateur du Connecticut, grand pote du directeur de la Sécurité nationale Gordon Gray, il sortait tout droit de l'ordre du Crâne et des Os de Yale, et ils jouaient tous les deux au golf avec Eisenhower. Et l'avocat de Prescott, John Foster Dulles, était secrétaire d'État. Quant au frère de Dulles, Allen, il était à la tête de la CIA. Gray a été nommé chef du Conseil de stratégie psychologique en 1951, puis il a été l'assistant d'Eisenhower pour les questions de sécurité nationale. Gray se tenait entre Ike[1], la CIA et toutes les forces armées américaines. Gray était chargé de protéger Eisenhower de toute répercussion liée aux opérations clandestines de la CIA. Les liens de Nixon avec Bush remontent à 1946. »

Schembri a soupiré et secoué la tête avec résignation.

« Prescott Bush a passé une annonce dans un journal de Los Angeles pour le Parti républicain du comté d'Orange. Ils voulaient un homme jeune pour briguer un siège au Congrès. Nixon a postulé. Il est devenu vice-président en 1952. En 1960, notre ami Nixon levait des fonds pour sa candidature à l'élection présidentielle. À côté de lui y avait le fils de Prescott, George Bush. Quand Nixon a été élu en 1968, il a dû rembourser sa dette. Il a nommé le fils de Prescott, George, président du Comité national républicain et ambassadeur en Chine. »

Schembri a froncé les sourcils, s'est penché en avant.

« Et nous voilà une poignée d'années plus tard, et de toute évidence M. Richard Milhous Nixon a sérieusement contrarié quelqu'un, car ils se sont débarrassés de lui aussi. Le Watergate bidon. Ils ont toujours été les uns sur les autres. Ils enregistrent tout, ils échangent leurs cassettes à Noël, nom de Dieu, la communauté du renseignement est la *communauté* du renseignement... Sécurité nationale, CIA,

---

1. Ike est le surnom de Dwight O. Eisenhower. *(N.d.T.)*

division cinq du FBI, département de la Justice, bureau du procureur général, bureau de l'intelligence navale, tout ça, c'est la même chose. Nixon a foutu quelqu'un en rogne, alors ils l'ont fait sauter; Gerald Ford arrive, fait ce que Nixon refusait de faire, et tout revient dans l'ordre. »

Schembri a hoché la tête, comme s'il était d'accord avec lui-même, et il a mangé pendant environ une minute.

Je voulais demander quelque chose... n'importe quoi. Que savait-il du Ku Klux Klan? Qu'avait-il entendu sur moi et la raison pour laquelle j'étais ici? Connaissait-il Nathan? Comprenait-il ce qui s'était passé? J'avais tant de questions qui m'encombraient l'esprit que c'était comme un embouteillage dans ma tête. J'ai ouvert la bouche et rien n'est sorti.

« Tu t'souviens de Kennedy? » a-t-il demandé.

J'ai fait un signe de tête.

« Quel âge t'avais? »

Un bref calcul mental.

« Dix-sept ans. »

Schembri a souri.

« Bon Dieu, t'étais qu'un gamin. »

J'ai acquiescé.

« Et tu t'rappelles où t'étais, ce que tu faisais quand t'as appris la nouvelle? »

J'ai de nouveau acquiescé. Je m'en souvenais comme si c'était hier. Tout le monde se rappelle où il était et ce qu'il faisait ce jour-là.

« Un sacré truc, a-t-il dit doucement. Vraiment un sacré truc. »

Il est resté un moment silencieux.

J'ai serré les poings.

« Qu'est-ce que tu sais ? ai-je interrogé. Qu'est-ce que tu allais dire sur la raison pour laquelle je suis ici ? »

Il a fait un clin d'œil.

« Même heure… même canal », a-t-il murmuré en se penchant vers moi par-dessus la table. Il s'est levé. « À demain, hein ? »

Je l'ai regardé partir, la bouche ouverte, les yeux écarquillés. Je me sentais maladroit, ignorant, sans substance. Il a disparu parmi la foule qui se dirigeait vers les portes et je ne ressentais rien.

Janvier 1963. L'année a débuté par cinquante morts quand les guérilleros du Viêt-công ont abattu cinq hélicoptères dans le delta du Mékong. En février, Kennedy mettait une fois de plus Cuba en garde, après que des roquettes avaient été tirées en direction de navires américains. Côté positif, la Cour suprême faisait libérer cent quatre-vingt-sept Noirs emprisonnés à la suite d'une manifestation en Caroline du Sud. Martin Luther King se faisait arrêter une fois de plus en Alabama. Castro allait voir Khrouchtchev.

C'était une époque importante, une époque de changements et de soulèvements, mais aussi importants qu'aient pu paraître ces événements, ils seraient effacés en un battement de cœur par ce qui était sur le point de nous arriver.

En juin, Medgar Evers, l'activiste de la lutte pour les droits civils, était abattu, et avec le gouverneur d'Alabama George Wallace qui continuait de s'opposer à Kennedy et d'ignorer l'injonction d'ouvrir l'université aux Noirs, on avait l'impression que ces guerres dureraient éternellement, que quand un progrès était accompli, un autre événement se produisait qui nous ramenait en arrière.

En août 1963, Kennedy était un homme las. Il avait perdu son second fils seulement trente-six heures après sa naissance. Une foule de deux cent mille personnes marchait sur Washington, et dans la masse se trouvaient Marlon Brando, Burt Lancaster, Judy Garland et Bob Dylan. Le monde regardait et écoutait, attendant de voir ce qui se produirait, et Kennedy le savait.

En septembre, le gouverneur Wallace ordonnait à ses agents de boucler le lycée de Tuskegee, et cent quatre-vingt-neuf Noirs étaient arrêtés pour avoir protesté.

Tandis que la commission du Sénat écoutait Joseph Valachi vider son sac sur le crime organisé, tandis que les États-Unis reconnaissaient officiellement le gouvernement du Sud-Vietnam, des discussions relatives à un incident qui devait se produire au Texas occupaient les esprits de quelques hommes derrière des portes closes, et le monde changerait de manière irrévocable.

Nathan Verney et moi, cependant, étions obnubilés par les *filles*.

Difficile de comprendre comment un unique sujet peut tant occuper l'esprit humain qu'il exclut presque tout le reste. Et pourtant, c'était le cas.

J'étais en première, et au lieu de travailler pour obtenir mon diplôme, j'élaborais des stratégies pour attirer l'attention de Caroline Lanafeuille ou de Linny Goldbourne. Peut-être Linny avait-elle dans une certaine mesure remplacé Sheryl Rose Bogazzi dans mes rêves. Linny n'était que lumière, vie et rires. Personne ne savait grand-chose d'elle, sauf que son père était un type important dans le milieu de la politique. Elle était toujours au centre des choses, toujours celle qui racontait les histoires les plus folles et les plaisanteries les plus drôles, et si Caroline représentait tout ce que je voulais chez une fille, Linny symbolisait tout ce que je pourrais vouloir sans jamais l'avoir. Elle avait les cheveux bruns, les yeux noisette, ses lèvres étaient pleines et expressives, et quand elle riait le son qui franchissait ses lèvres aurait pu faire chavirer des marins. Elle appartenait autant au monde auquel je voulais appartenir que Sheryl Rose, mais Linny avait de la substance, quelque chose de tangible, je suppose, et pourtant quelque chose d'inatteignable. Si j'avais su qu'elle et Caroline joueraient un rôle important dans mon avenir, je me serais peut-être efforcé de regarder ailleurs. Mais je l'ignorais. Et donc je regardais. J'étais enchanté, envoûté, mystifié. J'étais suffisamment âgé pour croire que tout ce qu'on pouvait désirer avait des hanches, des cuisses et une poitrine, et suffisamment jeune pour ne pas tenter le sort. Elles existaient en bordure de mon univers, et même si j'imaginais que je pourrais peut-être un jour toucher Caroline, je pensais également que mes doigts seraient éternellement tendus vers Linny.

Pendant une brève période, j'ai même cru qu'elles étaient devenues amies. Peut-être pas amies à proprement parler, plutôt des connaissances, car elles étaient si différentes. Je me rappelle le jour où je les ai vues ensemble chez Benny's. Ça a été un moment incroyablement perturbant, car je me retrouvais face à la possibilité qu'elles deviennent proches, qu'elles partagent tout ensemble, et ça me terrifiait. J'étais assis à une table dans un coin, elles étaient assises au comptoir, Linny vivace, effrontée, pleine d'elle-même, et Caroline silencieuse, peut-être un peu pensive. Chacune belle et envoûtante à sa manière, et pourtant, dans un sens, très différentes. Ce n'est que des années plus tard – quand j'aurais plus qu'amplement le temps de retourner dans mon esprit la signification de ces événements – que je ferais remonter cette image et y verrais quelque chose d'à la fois obsédant et d'un peu ironique. Le papillon et le papillon de nuit. Voilà comment je les verrais – le papillon et le papillon de nuit.

Nathan vivait dans un monde différent. Nathan était beau garçon. Ses oreilles comme des anses de cruche et ses yeux comme des feux de signalisation avaient depuis longtemps disparu. Son visage était puissant et bien défini, plein de personnalité même à ce jeune âge, et les filles noires qui vivaient de son côté de Greenleaf passaient leur temps à élaborer des stratégies pour que Nathan s'intéresse à ce qu'elles pouvaient avoir à offrir. Mais Nathan, étrangement, ne le voyait pas. Il voyait le courroux de son père, les hurlements et les crises d'hystérie de sa mère, car s'il avait ne serait-ce que touché une fille, ça aurait été la preuve de la présence de Lucifer au sein de la famille Verney.

Peut-être était-ce la raison pour laquelle il ne semblait pas voir ces filles. Pourtant, c'étaient des filles jolies. Des filles belles. Des filles qui auraient pu ravir un cœur d'un regard, et une âme d'un baiser.

Ma situation n'était pas aussi claire. Je n'étais pas un type laid, plutôt du genre quelconque, ni trop ceci ni trop cela. Je n'étais ni trop grand ni trop petit, ni trop large ni trop étroit, ni trop gros ni trop maigre. Mes cheveux étaient châtains, mes yeux gris-bleu, et je semblais n'exceller en rien de particulier qui puisse attirer l'attention. Car j'avais compris ça très tôt. Ce n'était pas le sex-appeal, ce n'était pas la beauté d'une personne qui comptait. C'était l'*attention*. Si vous pouviez attirer l'attention, vous deveniez intéressant, et si vous étiez intéressant, alors on s'intéressait à vous.

D'où le jeu : rechercher l'attention.

Et c'est ainsi que, persuadé que Linny Goldbourne était vouée à demeurer éternellement hors de ma portée, je suis devenu obnubilé par Caroline Lanafeuille. Au premier abord, Caroline semblait calme, mais sous cette apparence douce se cachait une fille qui possédait une force et une confiance en soi qui allaient à l'encontre de tout ce que je m'étais imaginé. Elle était jolie, quels que soient vos goûts et vos préférences. Que vous ayez un penchant pour les brunes, ou les rousses, ou les blondes, vous l'auriez trouvée jolie. Ses cheveux étaient clairs, avec de multiples nuances qui allaient de l'ambre à l'ocre en passant par le jaune paille, et sa silhouette élancée, ses mains et ses doigts délicats, la manière qu'elle avait d'incliner la tête en me souriant à demi indiquaient des courants profonds s'écoulant sous une surface immobile.

Et pourtant, Caroline était une énigme pour moi, une étoile lointaine, un univers à elle seule. Elle portait des jupes courtes et des hauts moulants, un minuscule bracelet en or à son poignet gauche, et quand je m'asseyais à côté d'elle en cours, je sentais une odeur semblable à la brise autour du lac Marion – tarte à la noix de pécan et soda à la vanille, le tout enveloppé dans un parfum d'herbe fraîchement tondue. Mais il y avait autre chose, quelque chose qui relevait des hormones, ou de la passion, ou de l'amour. Une chose qui ne pouvait être décrite par des mots et que moi seul comprenais. Quand Caroline s'approchait de moi, mon pouls s'emballait, mon cœur battait plus fort, et quand elle ouvrait la bouche pour parler, je retenais mon souffle de crainte que mes poumons ne recouvrent le son qu'elle allait émettre.

Salut, Daniel, disait-elle, alors je souriais, une sensation de chaleur enveloppait mon visage, j'acquiesçais et disais en retour : *Salut*. Puis elle pouvait demander : *Comment ça va ?* et je pouvais répondre : *Très bien, Caroline, et toi, comment ça va ?* et elle pouvait faire une petite plaisanterie avant de disparaître. De telles situations se produisaient une ou deux fois par mois, et je passais les jours dans l'intervalle à attendre.

Rien d'autre.

Simplement attendre.

Malgré sa réticence apparente à partager avec moi autre chose qu'un *Salut* ou un *Comment ça va ?* mon cœur d'adolescent, gros et rouge et aussi puissant qu'une pompe à étrier, a pendant un temps exclusivement appartenu, sans possibilité de retour, à Caroline Lanafeuille.

J'avais par ailleurs un secret.

Ce secret était une photo.

Le lycée de Greenleaf publiait un journal mensuel. *Le Journal de la réussite*. Les travaux des élèves y étaient illustrées en mots et en photos. Dans le numéro d'août 1962, il y avait une photo de Caroline qui se tenait sur le terrain de football dans sa tenue à jupe courte de pom-pom girl, un pompon dans sa main droite tendue, ses jambes légèrement écartées, sa tête un peu inclinée sur la droite, son long cou exposé. Je l'avais couverte de scotch pour qu'elle ne s'abîme pas ni ne se froisse. J'avais fait du bon boulot. Du boulot de professionnel.

Le bras tendu était une invitation à franchir les portes des cieux. Le long cou gracieux était l'escalier qui menait au paradis et à tout l'or de l'Eldorado. La jupe était l'œuvre du diable.

Je désirais Caroline. Je me languissais de Caroline. J'aurais marché mille kilomètres jusqu'aux Enfers avec ses manuels scolaires si j'avais pu tenir la main qui serrait ce pompon.

Pendant un temps, elle a été toute ma vie.

Je me disais que je ne m'en remettrais peut-être jamais. Que je n'aimerais peut-être plus jamais comme ça. Même aujourd'hui, après toutes ces années, je me souviens des moments que j'ai passés auprès de filles magnifiques, des filles qu'un autre homme aurait pu aimer comme j'avais aimé Caroline, et pourtant elles n'ont pour moi jamais vraiment atteint le niveau de perfection olympienne qui se dégageait sans effort de tout ce qu'elle était.

Puis novembre est arrivé, Thanksgiving, la promesse de Noël, et tandis que j'espérais vainement que Caroline Lanafeuille trouverait dans son cœur le désir de me lancer autre chose que des regards furtifs, la nation tournait les yeux vers Dallas et le passage du roi.

J'étais à l'étage, étendu sur mon lit sous la fenêtre à peine entrouverte. À côté de moi, une petite radio diffusait les sons de la station KLMU à Augusta, Géorgie, et je pensais à Caroline. Je sais que je pensais à elle car à cette époque je ne pensais pas à grand-chose d'autre.

J'ai su que quelque chose clochait, clochait sérieusement, quand mon père est apparu à la porte. Ce n'était pas son apparence. Ce n'étaient pas ses traits tirés, ni ses yeux injectés de sang, c'était le simple fait qu'il était là. Mon père n'avait jamais manqué une journée de travail de sa vie. Malgré la grippe, un poignet cassé, des rhumes, ou une infection de l'œil qui l'avait aveuglé du côté droit pendant une semaine, il avait toujours été présent, toujours ponctuel, pour transporter les voyageurs de Caroline du Sud sur les voies ferrées.

« Ils l'ont tué », a-t-il annoncé.

Je me suis assis. Pendant une fraction de seconde, j'ai cru qu'il parlait de Nathan.

« Qui ? Tué qui ?

— M. Kennedy », a-t-il répondu, et j'ai entendu l'émotion qui lui nouait la gorge.

Il a posé la main sur le montant de la porte, puis appuyé son visage contre son bras tendu. Son corps a semblé se crisper, pas un son ne sortait de lui. Tout ce que je pouvais faire, c'était me lever et marcher vers lui, une longue marche, une marche de roi, de reine, de prince, et ce n'est qu'alors que je me suis aperçu que je mesurais au moins deux centimètres de plus que lui. Il semblait minuscule, fragile, rien que la peau sur les os, et comme je m'approchais, il s'est tourné vers moi.

Et alors, il m'a pris dans ses bras. Je ne me souvenais pas de la dernière fois que mon père m'avait pris dans ses bras, et je me suis mis à pleurer. Je me sentais plus proche de lui que je ne l'avais jamais été, ou que je ne le serais jamais.

Puis ma mère est arrivée. Elle a marqué une pause en haut de l'escalier comme si elle ne souhaitait pas interrompre ce moment. Des larmes sillonnaient son visage, ses yeux étaient ronds et gonflés, avec des marques sombres en dessous. Elle avait l'air d'un fantôme.

Elle est venue vers nous, a semblé nous envelopper tous les deux. Je sentais son odeur, la laque dans ses cheveux, et par-dessous un relent de cristaux de soude et de détergent.

Nous sommes restés ainsi une éternité.

Personne ne disait un mot.

Il n'y avait rien à dire.

Je crois que pendant un jour, peut-être deux, je n'ai pas pensé à Caroline.

Un peu plus tard, je suis sorti. Les gens erraient dans les rues, brisés comme des poupées de paille. Je crois que je ne m'étais jamais vraiment rendu compte à quel point Greenleaf était divisée. Le chemin que j'avais si souvent emprunté avec Nathan Verney pour aller au lac était en fait la ligne de démarcation entre Blancs et gens de couleur. Ils avaient pris un côté de la ville, et nous avions pris l'autre. Mais ce jour-là, c'était différent.

Kennedy avait un jour dit : *Il n'y a pas de stèles blanches ou de couleur dans les cimetières militaires.*

Et c'était l'impression qu'on avait ce 22 novembre. Aucune division entre Blancs et Noirs dans notre chagrin.

J'ai vu Mme Chantry. Elle se tenait auprès du révérend Verney. Et quand un petit garçon est arrivé en courant vers eux, ils l'ont tous deux pris dans leurs bras, réconforté et surveillé tandis que sa mère arrivait elle aussi en courant sur le trottoir.

Même maintenant, je me rappelle une image de cette journée; une unique image claire qui se détache de tout le reste.

Parmi la confusion et le chagrin, tandis que la foule était rassemblée devant la boutique de radios de Hyland Street et que Benny Amundsen était agenouillé sur le trottoir devant sa buvette comme s'il priait, il y a eu un moment si marquant qu'il ressort comme une photo en couleurs sur un fond noir et blanc : mon moment Kodak.

Une petite fille noire, pas plus de cinq ou six ans, ses cheveux attachés en nattes fines avec des rubans de couleur vive au bout, comme d'étranges fleurs exotiques avec des pétales jaune soleil et une tige noire. Elle marchait dans Nine Mile Road, des larmes coulant sur son visage, ouvrant de grands yeux désespérés. Dans ses bras elle serrait une pile de journaux trop lourde pour elle, et tandis que je la regardais, elle a perdu l'équilibre et trébuché. Elle a dérapé sur le côté, les journaux se répandant devant elle, puis elle est restée assise là, son genou écorché et en sang, elle a levé les yeux vers le ciel, peut-être vers Dieu, et ses larmes se sont mises à couler comme une rivière au printemps. Trop jeune pour comprendre l'importance de ce qui s'était passé, mais elle était prise dans le torrent d'angoisse qui déchirait l'Amérique.

C'est Nathan Verney qui lui est venu en aide.

Je l'ai vu apparaître derrière le révérend. Il s'est approché d'elle et l'a soulevée comme si elle ne pesait rien. Il a rassemblé les journaux qui étaient tombés et les a tendus à un homme blanc qui se tenait avec une mine hébétée au bord de la rue. L'homme a pris les journaux sans poser de questions.

Et alors, Nathan m'a vu.

Il m'a fait un signe de la tête, a marché vers moi, et quand il a été près de moi, j'ai tendu les bras pour saisir la fillette.

Elle a eu un mouvement de recul, je l'ai prise, et ses bras ont encerclé mon cou.

Elle a serré fort, je me suis mis à marcher en direction de Mme Chantry.

Je nous revois maintenant, nous tenant tous là, le révérend, la sorcière qui avait mangé son mari, le gamin noir qui avait mis à terre Marty Hooper chez Benny's, le Blanc emprunté, et le jeune dégingandé à la peau pâle qui portait cette minuscule fillette de couleur. Je nous revois maintenant comme si c'était une photo, et je pense à ce qui aurait dû être. Nous étions la famille universelle, il n'y avait pas de différence, nous parlions la même langue, nous respirions tous le même air, mangions la même nourriture et partagions le même chagrin.

C'est un jour qui a duré éternellement, et je crois encore, au plus profond de mon cœur, que nous porterons tous un peu de ce jour en nous pour le restant de nos vies.

En décembre 1963, mon père a eu une attaque. Il vivrait encore un peu plus d'un an, mais sans jamais parvenir à reparler convenablement. Ma mère était un point d'ancrage, un roc aussi bien pour lui que pour moi, et sans elle je crois qu'il serait mort beaucoup plus vite. La société des chemins de fer lui a accordé une pension, une pension généreuse pour toutes les années où il avait servi, et même après son décès elle a continué à la verser à ma mère. Ma mère a vécu comme un fantôme pendant une poignée d'années supplémentaires, mais elle n'a plus jamais été la même. L'esprit qui l'avait animée s'en était allé avec son mari, et même quand elle parlait, même quand elle m'a aidé à gérer les difficultés que j'ai rencontrées par la suite, je voyais très clairement sa douleur, son chagrin, son désir d'être de nouveau auprès de lui dans l'au-delà, s'il existait. C'était presque comme si elle attendait simplement mon autorisation, un signe de mon indépendance lui indiquant qu'elle pouvait lâcher prise. Lâcher prise en sachant que je pourrais prendre soin de moi.

Je crois que c'est cette année-là que j'ai cessé d'être un enfant et commencé à devenir un homme. Nathan m'a accompagné dans ce voyage délicat et douloureux vers l'âge adulte. C'était comme si je voulais me détacher du passé : ces jours d'été révolus où nous nous asseyions au bord du lac Marion avec de la ficelle et du bambou, et de la malice plein la tête. La foire du comté. Le terrain de football. L'odeur du mimosa d'été dans Nine Mile Road. Et Caroline Lanafeuille, cœur de mon cœur, âme de mon âme, lumière de ma vie et étoile de mes cieux.

J'approchais de mon dix-huitième anniversaire, on parlait de plus en plus de la *situation* au Vietnam, et Nathan Verney et moi sentions que les ennuis arrivaient.

5

Aujourd'hui, c'est mardi.

Aujourd'hui, on mange du bœuf à la crème sur du pain grillé. On appelle ça de la merde sur de la pierre, et même si je ne me rappelle pas avoir jamais mangé de la merde sur de la pierre, le bœuf à la crème sur du pain grillé en est une assez bonne approximation.

Pendant que je mange, M. Timmons me parle. Il me parle d'un prêtre qui va venir me voir aujourd'hui. Ça fait partie de la procédure. Pour apprendre à mourir, je pense.

M. Timmons me dit que sa femme a été admise à l'hôpital d'État de la Caroline du Sud. Elle a une thrombose veineuse profonde. Il m'explique qu'elle pèse trop lourd pour sa taille. Il est inquiet. Je sens son inquiétude mais ne peux pas dire grand-chose. Je vois qu'il l'aime tendrement, et de la même manière que ma mère a eu du mal à continuer sans mon père, M. Timmons aura du mal si sa femme meurt. J'espère honnêtement qu'elle va se remettre. M. Timmons est suffisamment confronté à la mort comme ça.

Le prêtre, je le rencontrerai. Je lui parlerai. J'écouterai ce qu'il aura à dire. Personnellement, je crois que nous revenons sans cesse jusqu'à ce que nous soyons capables de vivre convenablement. Je ne crois pas au paradis, et l'enfer serait tellement peuplé que je ne vois pas comment un tel endroit pourrait exister. Le prêtre me mettra au défi, il me dira que je dois avoir la *foi*, ce qui impliquera que je ne l'ai pas.

Mais j'ai la foi.

J'ai foi en la vérité.

J'ai foi dans le fait que le soleil se lève et se couche.

J'ai foi dans le fait que l'esprit de Nathan Verney vit, respire et arpente le monde, et qu'un jour je le rencontrerai.

J'ai foi dans le fait que je vais mourir.

Je me rappelle alors une chose, une chose qui s'est produite peu après la mort de Kennedy, et alors que M. Timmons retourne vaquer à ses occupations, je vois une fois de plus le visage de Nathan.

Je ferme les yeux.

Curieusement, je me sens calme.

Le monde semble silencieux, patient peut-être, comme s'il m'accordait le temps de me souvenir, de songer à ma vie, de tirer un sens de tout ça avant qu'elle s'achève.

Soit, me dis-je.

Reconnaissant pour les petites grâces.

En mars 1964, Jack Ruby s'est retrouvé dans le couloir de la mort. Il avait été déclaré coupable de l'assassinat de Lee Harvey Oswald, l'homme mystique et impressionnant qui, sans entraînement ni expérience, avait tiré trois fois sur le cortège de JFK et tué le roi. Bien que cet exploit ait été impossible à reproduire, même par les agents du FBI les mieux entraînés et les tireurs d'élite de l'armée, la commission Warren, dirigée par un homme qui avait auparavant été viré par Kennedy, achèverait son rapport, son magnifique écran de fumée, et annoncerait que ce n'était jamais que l'œuvre d'un seul tireur.

Je n'y ai jamais cru. Dès le début, je n'y croyais pas.

En avril, Sidney Poitier est devenu le premier Noir à remporter un Oscar. Pour un film intitulé *Le Lys des champs*. Au début, c'était comme si un progrès avait été accompli, mais deux mois plus tard, Martin Luther King était de nouveau en taule pour avoir tenté de mettre en application l'intégration dans un restaurant de Floride.

Plus tard le même mois, trois activistes pour les droits civils disparaissaient. On les retrouverait bientôt morts.

En juillet, Lyndon B. Johnson, le nouveau président des États-Unis, signait la loi sur les droits civils, une condamnation radicale de la ségrégation dans les restaurants, les bus, les gares et les hôtels, une loi qui interdisait de choisir la couleur comme critère pour l'attribution d'un emploi ou d'un poste.

Nathan et le révérend Verney ont dirigé une assemblée de centaines de fidèles ce jour-là, mais Nathan m'a par la suite avoué qu'il ne pensait pas que les changements promis se produiraient de son vivant.

Il ne savait pas à quel point il avait raison, mais pas de la manière dont il l'entendait.

J'ai eu dix-huit ans. J'étais toujours vierge. Ça provoquait en moi une inquiétude profonde. Au fil de l'automne 1964, j'ai senti l'état physique de mon père se dégrader, ce qui m'a permis de penser à autre chose qu'à mon absence de conquêtes sexuelles.

Je l'ai ainsi regardé mourir, durant la fin octobre et le début novembre. Alors même que le Viêt-công lançait des attaques à Biên Hòa et que la loi martiale était proclamée à Saigon, mon père, le conducteur de train, l'homme juste et honnête, s'est éteint en silence.

Je voulais l'enterrer dans le cimetière de l'église du révérend Verney. Mais ma compréhensive et compatissante mère m'a expliqué que c'était impossible. La loi sur les droits civils de 1964 n'avait pas encore atteint Greenleaf, en Caroline du Sud.

En février 1965, Malcolm X était abattu et les États-Unis commençaient à bombarder le Nord-Vietnam. En mars, Johnson envoyait les marines, et bientôt c'étaient trente-cinq mille recrues qui étaient enrôlées chaque mois. Warren Myers, le fils de Max, était l'un de ceux qui étaient partis, de son plein gré et avec le sens du devoir dans son cœur; le fils d'un homme que je ne rencontrerais pas avant près d'une décennie. On parlait de conscription, et Nathan et moi nous retrouvions pour discuter de tout ça – de la guerre, de l'avenir qui nous était promis, et du fait que nous n'étions pas prêts à mourir.

Je ne crois pas être un lâche. Je ne crois pas avoir jamais été un lâche. Mais l'idée d'être étendu mort dans un champ, gonflé par la pluie, au milieu de nulle part, me hantait.

Je me rappelle une chose du printemps de cette année-là. Un homme est revenu, un soldat. Il était plus âgé que nous, peut-être vingt-trois ou vingt-quatre ans, mais son visage était celui d'un homme d'une quarantaine d'années. Sa jambe gauche était amputée sous son genou, et il marchait appuyé sur une épaule, s'aidant d'une canne visiblement lourde. Il avait en permanence l'air triste, comme s'il était au bord des larmes. Il était allé là-bas, là-bas au Vietnam, et il était venu à Greenleaf pour voir son cousin, qui l'avait amené chez Benny's.

Il n'arrêtait pas de parler de ce qu'ils avaient dû faire là-bas. Comme si cela avait défini qui ils étaient.

Il a parlé de choses que je ne comprenais pas, cet homme jeune au visage de quarante ans.

De tablettes combustibles, de Kool-Aid, et de rations C.

Il a parlé d'un casque d'acier avec une doublure et un revêtement de camouflage ; d'un gilet pare-balles recouvert de nylon avec de l'acier au milieu ; de compresses et d'un poncho en plastique. Il a décrit un M16, la cartouchière en tissu remplie de nombreux chargeurs. Il a parlé de baguettes et de brosses en acier, d'huile pour nettoyer les armes, de grenades à fragmentation et au phosphore, de mines antipersonnel Claymore, et aussi de moustiquaires et de bâches en toile. Et puis, il nous a dit qu'il y avait des articles recherchés, comme les rasoirs et les chewing-gums, le papier pour écrire des lettres à sa famille, les cartes à jouer et les dés. Il a parlé d'un jeune homme de Myrtle Beach – à moins de vingt kilomètres de l'endroit où nous nous trouvions – qui portait une patte de lapin accrochée à une ficelle autour de son cou. Il l'avait portée jusqu'au moment où il était mort dans les bras d'un lieutenant de vingt et un ans nommé Shelby White.

Nous écoutions, Nathan, moi et d'autres dont je ne me souviens pas, et nous nous regardions de temps à autre avec la même expression.

Je savais déjà alors ce qui allait arriver, et la peur que j'avais éprouvée mille ans plus tôt quand je m'étais tenu dans une allée avec un poisson dans mes mains n'était rien comparée à ce que j'éprouvais désormais.

Nathan Verney ressentait la même chose.

Nous étions semblables, lui et moi, et je crois désormais que nous savions ce qui allait se passer.

Et ça s'est passé. Pas avant quelque temps, mais ça s'est passé.

Comme une vague déferlant sur le rivage qui, une fois qu'elle est lancée, ne peut ni ralentir, ni s'arrêter, ni changer de direction.

Et elle était grosse, suffisamment grosse pour nous noyer tous les deux.

De la mort de mon père à l'été 1965, j'ai passé plus de temps hors de la maison, comme si je pouvais voir le fardeau que ma mère portait et n'avais pas la force de le partager. Je traînais chez Benny's, j'écoutais les mêmes disques cabossés et rayés, et j'attendais Caroline.

Elle venait peut-être une ou deux fois par semaine, et elle s'asseyait avec ses amies, buvant du soda et racontant des histoires de filles. J'étais en règle générale assis seul, je percevais sa présence, de même que la distance qui nous séparait, et je repensais à la photo couverte de scotch que j'avais gardée sur moi si longtemps. Où elle était désormais, je n'en savais rien, mais je sentais toujours sa surface lisse sous mes doigts, je me rappelais encore le désir qui m'emplissait chaque fois que je la regardais.

C'est à la fin du mois de juillet qu'elle m'a parlé pour la première fois. Qu'elle s'est directement adressée à moi. Ses amies s'étaient réunies comme à leur habitude, puis elles avaient semblé disparaître l'une après l'autre. Je n'aurais su dire comment elles étaient parties, ni quand, mais c'est ce qui s'est passé, et quand je me suis finalement retourné, j'ai vu Caroline assise seule à sa table.

Je me suis crispé. Je crois avoir un peu prié. Puis je me suis levé de mon tabouret au comptoir et j'ai marché nonchalamment vers elle.

Elle s'est retournée à mon approche, et elle a souri – Seigneur, quel sourire. Cette même inclinaison de la tête, la façon dont ses cheveux tombaient de chaque côté de son visage, et la tension furtive autour de ses lèvres avant qu'elle libère un sourire si radieux que j'ai senti le soleil percer à travers.

«Daniel Ford», a-t-elle dit.

J'ai acquiescé.

«Tu veux venir t'asseoir?»

J'ai de nouveau acquiescé.

Elle a ri.

«Vous avez perdu votre langue, monsieur Ford?

— Non, ai-je répondu, et je me suis glissé sur la banquette qui lui faisait face.

— Vous avez juste perdu les mots de plus d'une syllabe, c'est ça?»

J'ai ri.

«Désolé, ai-je lâché.

— Pourquoi?»

J'ai haussé les épaules. Je ne savais pas pourquoi j'étais désolé. Désolé d'être un abruti, peut-être.

« J'allais commander un autre soda, a-t-elle dit. Tu en veux un ? »

J'ai hoché la tête.

« Oui, Caroline, qu'elle a fait.

— Oui, Caroline », ai-je répété en souriant.

Elle s'est retournée et a agité la main. Benny a acquiescé derrière le comptoir et s'est affairé.

« Alors, comment ça va ? a-t-elle demandé.

— Ça va. Mon père est mort, tu sais ? »

J'ai rougi. Je ne savais pas pourquoi j'avais dit ça. Ça semblait idiot, comme si j'essayais de m'attirer sa compassion.

« Je sais », a-t-elle répondu.

Elle a tendu la main. Je l'ai vue approcher au ralenti. Elle a tendu sa main fine et délicate et a touché mon affreuse main courtaude aux doigts épais.

« J'ai appris ça, a-t-elle poursuivi doucement. Toutes mes condoléances.

— Merci. »

J'étais sincèrement reconnaissant. Une personne importante pour moi, une personne autre que ma mère avait exprimé sa tristesse par rapport à un événement qui, à sa manière, me torturait en silence.

« Ta mère va bien ? a-t-elle interrogé.

— Elle fait aller. »

Caroline a souri d'un air compréhensif et a ôté sa main.

Benny a apporté les sodas. Nous avons bu en silence, et en nous voyant, n'importe qui aurait pu croire que nous nous connaissions depuis mille ans.

C'était un moment important, un moment profond, un moment que je me rappellerais dans les années à venir.

Caroline Lanafeuille a été la première et, dans un sens, elle serait la dernière, même si je ne comprendrais ce que ça signifiait qu'au moment où je saurais que j'allais mourir.

« Je t'ai beaucoup vu ici, a-t-elle repris. Tu es toujours assis tout seul. »

J'ai haussé les épaules d'un air évasif.

« Où est Nathan ? »

J'ai froncé les sourcils. Je ne me rendais pas compte que notre amitié était si notoire.

« Avec sa famille, je suppose.

— Alors, quand tu viens ici, tu devrais venir nous parler », a-t-elle dit.

J'ai souri et secoué la tête.

« Je ne vois pas comment je pourrais m'intégrer à une demi-douzaine de filles. »

Elle a acquiescé.

« Alors peut-être que tu pourrais juste venir me parler à moi. »

Je me suis senti rougir. Ça a semblé lui faire plaisir. Elle a souri.

« Donc, c'est entendu… quand tu es ici et que j'y suis aussi, tu viens me parler, OK ?

— OK. »

À cet instant, j'aurais voulu tout lui dire – la photo, le journal du lycée, combien j'avais attendu et espéré et prié pour qu'elle me parle ne serait-ce qu'une fois. Et maintenant, elle me disait que c'était OK.

C'était réellement OK.

Elle est restée un peu – dix, peut-être quinze minutes –, puis elle s'est levée lentement, gracieusement, et a annoncé qu'elle devait rentrer.

« Je vais t'accompagner, ai-je proposé.

— Merci, Daniel. »

Je l'ai raccompagnée jusqu'à chez elle, et même si ça nous a pris près de vingt minutes, même si je ne crois pas que nous ayons échangé plus d'une douzaine de mots, ça a été la promenade la plus mémorable de ma vie.

Quand nous sommes arrivés devant chez elle, elle m'a remercié d'être un gentleman, et m'a rappelé qu'elle serait chez Benny's le mercredi suivant.

« Alors, viens me parler, OK ?

— D'accord. »

Elle a tendu la main. Je l'ai serrée.

« D'accord », a-t-elle répété, et elle a franchi le portail puis longé l'allée qui menait à sa maison.

À la porte, elle a marqué une pause, s'est retournée, et a incliné la tête en esquissant un demi-sourire.

J'ai levé la main. Souri. Elle a disparu.

Je flottais en rentrant chez moi ce soir-là, je flottais un mètre au-dessus de la terre ferme, avec ma tête dans les nuages.

J'avais dix-neuf ans, et je l'ai revue la semaine suivante, et encore deux jours après, et aussi le lendemain.

Quand elle était près de moi, je sentais une odeur de chewing-gum et de dentifrice. Quand elle me tenait la main, je sentais quelque chose remuer en moi. Quelque chose de frais, de doux, et d'unique.

Elle avait un accent du Sud – prononcé et lyrique –, et quand elle parlait, c'était comme si elle chantait une chanson.

Elle était si différente des autres filles que je connaissais. Elle lisait beaucoup, des choses de Hemingway et de Robert Frost, et récitait des vers d'un poème intitulé *Chant de moi-même*, par Walt Whitman.

Je l'avais regardée de loin pendant si longtemps, mais ne lui avais jamais *réellement* parlé. Deux semaines en sont devenues trois, et j'avais le sentiment qu'elle était la seule fille avec qui j'avais vraiment partagé mes pensées et mes rêves, la seule qui m'avait donné l'impression qu'elle comprenait un peu qui j'étais.

Et puis est arrivé un jour d'août. Elle est venue à moi ce jour-là, marchant dans ma direction tandis que je traversais Nine Mile Road, et quelque chose dans son expression m'a indiqué qu'elle me cherchait. Le soleil était haut et chaud, et je distinguais une fine pellicule de sueur sur sa lèvre supérieure. J'aurais voulu l'ôter d'un baiser. Je me rappelle avoir pensé ça, et curieusement cette idée ne m'embarrassait pas. Je sentais que dans un sens notre relation était légitime, et quand elle marchait à côté de moi, je n'étais pas gêné qu'elle soit là, qu'elle soit une fille, qu'elle soit jolie, ou drôle, ou intéressante. Elle était simplement là.

Je me souviens que j'éprouvais un sentiment d'accomplissement, mais il n'y avait ni vanité, ni fierté, ni autoglorification. J'avais l'impression de pouvoir être moi-même.

Et même si nous avions passé beaucoup de temps ensemble, même si nous avions partagé des choses que je n'aurais jamais révélées à d'autres, elle n'aurait jamais pu deviner la profondeur de mon amour pour elle… ni le fait qu'il durait depuis si longtemps.

Ce jour d'août, Caroline Lanafeuille est venue me trouver car c'était ce qu'*elle* voulait.

C'était ça, le plus important.

«Daniel», a-t-elle commencé, et elle a tendu la main et touché la mienne.

J'ai souri.

«Caroline... comment ça va?

— Ça va, a-t-elle répondu d'une voix qui n'était qu'un murmure.

— Qu'est-ce que tu fais?

— Je te cherchais.

— Alors, tu m'as trouvé.

— En effet.»

Elle m'a de nouveau touché la main, et cette fois elle l'a tenue, et nous avons marché un moment sans dire grand-chose.

Malgré mon sentiment d'être arrivé quelque part, je ne songeais pas à la toucher. Je ne pensais pas à sa peau, à l'arc de son cou, à la chute et à la courbure de ses hanches ou de ses cuisses. Je ne pensais pas à la peau douce et bronzée de son dos, à ses chevilles fines, à ses socquettes blanches ni à ses escarpins couleur crème. Je ne pensais pas à un rendez-vous nocturne à l'arrière d'une Chevrolet Impala, à me mettre à transpirer, à me débattre dans la semi-pénombre avec des boutons, ou des rubans, ou des agrafes de soutien-gorge.

Caroline Lanafeuille marchait simplement à mes côtés dans Nine Mile Road, et tout était parfait.

Je souriais, sans penser à rien.

Nous avons marché pendant une heure, peut-être un peu plus, puis elle a ralenti et s'est arrêtée.

J'ai ralenti en même temps qu'elle. Elle m'a fait face, a tenu mes deux mains, et la façon dont elle m'a regardé m'a fait comprendre que quelque chose m'attendait. Quelque chose aux angles coupants et aux bords âpres.

« Je dois y aller, a-t-elle annoncé.

— Mais…

— Je viendrai te voir plus tard. Je passerai chez toi, d'accord ? »

Ses yeux m'intimaient de ne pas poser de questions. J'ai acquiescé, souri du mieux que j'ai pu, et je l'ai regardée s'éloigner une fois de plus.

J'avais l'impression d'avoir passé chaque heure de chaque jour avec elle depuis un mois. Elle avait ri à mes histoires, nous nous étions baignés nus dans le lac Marion. Elle avait même rencontré Nathan et l'avait trouvé beau, intelligent, charmant. Elle avait rencontré ma mère, qui l'avait trouvée délicieuse et pleine d'esprit, une perle rare. Et désormais, quand ma mère préparait des sandwichs au jambon, elle en préparait pour deux.

Ce simple fait faisait que Caroline Lanafeuille était presque de la famille.

Et pourtant, malgré tout ça, malgré ces moments uniques et ces heures magiques, je ne pensais pas qu'elle m'aimait comme je l'aimais, comme je l'*avais* aimée.

J'essayais d'y croire, Dieu sait que j'essayais.

Mais peut-être que je ne savais pas ce que je cherchais.

C'était comme gravir une montagne extraordinairement haute, et chaque fois que j'atteignais le sommet d'un pic, j'en découvrais un autre plus élevé derrière.

Ce mois a été une bonne période, et elle s'est achevée ce soir-là… de façon soudaine, inattendue… en me laissant un goût de belle tragédie.

J'ai perdu ma virginité le 17 août 1965.

Je me tenais à l'arrière de ma maison, sur la véranda qui longeait le mur puis tournait à l'angle. La porte de derrière possédait un escalier qui descendait vers le jardin. De l'endroit où j'étais, je voyais la route qui allait au lac. Je pensais à Nathan. Je ne l'avais pas vu depuis deux ou trois jours, et je me suis alors rappelé qu'il était allé à Charleston avec son père. Le révérend Verney était parti en tournée, une série de rassemblements qu'il organisait pendant deux ou trois semaines chaque année. Les gens venaient de partout pour l'entendre parler à Charleston. C'était un bon orateur, il captivait son public, et quand vous glissiez un dollar ou deux dans son assiette de collection en argent fin, vous aviez parfois l'impression de payer pour un spectacle. Les gens d'ici appréciaient qu'un prédicateur donne de sa personne à l'église, et le révérend Verney en donnait tellement que Noé aurait pu naviguer sur sa transpiration.

J'ai repéré Caroline avant qu'elle quitte la route pour s'engager dans l'allée. Je l'ai vue à travers les arbres, sa robe d'été en coton blanc, ses cheveux qui lui descendaient jusqu'aux épaules, la brise qui les faisait voleter autour de son visage. Elle était vraiment magnifique.

Quand elle a tourné à l'angle, elle m'a vu et a agité la main.

À cet instant, j'ai éprouvé une sensation que je ne pourrai jamais espérer décrire.

C'était une conscience, une certitude que quelque chose commencerait et s'achèverait ce soir.

J'ai moi aussi agité la main.

Elle a souri, et même si elle était semblable à d'habitude, il y avait quelque chose dans son expression, quelque chose dans ses yeux qui me disait qu'un changement était survenu.

Elle m'a saisi la main tandis que je descendais les marches de derrière, m'a plus ou moins attiré vers elle, et m'a embrassé sur la joue.

J'ai demandé comment elle allait.

Elle a dit qu'elle allait bien, très bien.

Elle m'a demandé si on pouvait s'asseoir sur la balancelle de la véranda.

J'ai acquiescé, proposé d'aller chercher de la limonade.

Elle s'est retournée et a marché en direction du côté de la maison.

Je l'ai regardée s'éloigner, je ne sais pas pourquoi, mais je l'ai fait, et quand elle a atteint l'angle, elle a soudain ralenti et jeté un coup d'œil en arrière. Elle s'attendait à me voir disparaître dans la maison, ou peut-être simplement à voir la porte-écran se refermer derrière moi. Elle a été surprise de me voir planté là. Elle a souri, froncé les sourcils, puis m'a fait signe de pénétrer dans la maison comme on chasserait un chat ou un chien.

La limonade était fraîche ; des glaçons flottaient à la surface et tintaient contre les verres tandis que je repartais par où j'étais arrivé, produisant un son semblable aux délicats carillons éoliens qu'on trouve aux fenêtres des chambres.

J'ai regagné la véranda et me suis assis à côté de Caroline. Elle a saisi le verre et bu une gorgée. Elle buvait comme un oiseau, pinçant les lèvres et embrassant le bord du verre, si bien qu'on pouvait s'imaginer qu'elle ne pouvait rien boire de la sorte. Elle faisait ces choses, ces choses particulières, et c'était pour ça que j'étais amoureux d'elle.

« Je quitte Greenleaf », a-t-elle annoncé.

Elle a dit ça comme ça.

Comme si une pierre était tombée du ciel nocturne et avait atterri sur mes cuisses.

La seule chose aussi soudaine dont je me souvenais était le coup de poing chez Benny's, quand Nathan avait envoyé un crochet à Marty Hooper, qui était tombé raide par terre. Boum. Au sol.

C'était pareil.

Bam. *Je quitte Greenleaf.*

Je me rappelle avoir demandé : « Tu pars ? »

Elle a acquiescé, détourné le visage un bref instant, et quand elle s'est de nouveau tournée vers moi, elle avait les larmes aux yeux.

« Il y a eu un petit problème, a-t-elle dit. Mon père a un petit problème, Daniel. »

Elle m'appelait toujours Daniel. Jamais Danny, ou Dan, ou Danno comme le faisaient les autres. Toujours Daniel.

Elle a marqué une pause le temps de reprendre son souffle, puis a tendu la main et saisi la mienne.

Une fois encore, j'ai senti quelque chose remuer en moi, quelque chose de frais, de doux, d'unique.

« Du coup, on doit partir », a-t-elle ajouté doucement.

Je suis resté un moment silencieux.

« Quand ? » ai-je fini par demander.

Elle a détourné les yeux. Je devinais qu'elle voulait me regarder mais n'y arrivait pas.

« Demain matin », a-t-elle murmuré.

Il y avait une telle émotion dans sa voix que j'avais moi-même envie de pleurer.

« Si vite ?

— Oui, si vite », a-t-elle répondu d'un ton neutre.

Elle n'arrivait toujours pas à me regarder.

Je voulais lui demander quel était le problème, ce que son père avait fait de si terrible pour devoir quitter Greenleaf. Mais je ne l'ai pas fait. Lui poser la question aurait été injuste. Si elle avait voulu que je le sache, elle me l'aurait dit.

Nous sommes restés ainsi un peu plus longtemps, Caroline regardant à travers les arbres en direction du lac, sirotant de temps en temps sa limonade comme un oiseau. Puis elle s'est retournée, elle s'est finalement retournée, et elle a dit une chose à laquelle je repenserais tandis que je me languirais dans une cellule de prison à Sumter.

« On devrait... tu sais, *on devrait...* avant que je parte... »

J'ai de nouveau senti cette chose en moi. Mais elle n'était plus fraîche, ni douce, ni unique, elle était vivante, brûlante, comme un soleil ou une chandelle romaine dans mon ventre.

La façon dont elle avait dit ça – *on devrait* – ne nécessitait nulle explication. Je savais de quoi elle parlait, elle savait que je le savais, et quand elle s'est retournée et m'a souri, je me suis contenté de lui renvoyer son sourire.

Il y avait de l'innocence dans ce moment, de l'innocence et de la passion, et quelque chose qu'on ne ressent qu'une fois dans sa vie.

Il n'y avait pas de trompettes, pas d'effervescence, pas de pom-pom girls avec leurs pompons ni de fanfare interprétant des marches de Sousa dans la zone d'en-but.

Il y avait de la chaleur, du silence et une promesse, un moment d'une douce perfection.

Ma mère était sortie, ce soir-là.

Ma mère ne sortait jamais seule.

Le soir du 17 août 1965, elle a changé une habitude qu'elle avait eue toute sa vie.

Je crois que Dieu avait quelque chose à voir avec ça.

Nous nous sommes allongés sur le lit étroit sous la fenêtre, le lit sur lequel j'étais étendu quand mon père était venu m'annoncer que M. Kennedy était mort.

Elle sentait le genévrier et le dentifrice, et une douce sensation de beauté continuerait de flotter dans la pièce longtemps après son départ. Il faisait frais. Une brise soufflait de l'autre côté des arbres, et de temps à autre les feuilles bruissaient comme si elles se murmuraient des secrets délicats.

Je n'avais jamais fait ça, elle non plus, mais étrangement nous semblions savoir où nous allions et pourquoi.

Je me rappelle le moment où elle s'est tenue nue devant moi. J'avais chaud, je me sentais enflammé, presque étourdi, et quand mes mains se sont tendues vers elle, elles tremblaient.

« Tu peux toucher, a-t-elle murmuré. Je ne vais pas me casser. »

Elle a fait un pas en avant, mes mains se sont approchées un peu plus, elles l'ont saisie presque malgré moi, et j'ai senti sa peau, la courbe de ses cuisses. Je parvenais à peine à garder les yeux ouverts suffisamment longtemps pour regarder.

Sa peau était pâle et sans taches. Ses cheveux étaient attachés derrière sa tête par un ruban flottant. Elle a souri, a reculé d'un pas, a tendu sa main, que j'ai saisie. Je me suis levé du bord du lit où j'étais assis.

Elle m'a attiré vers elle, Caroline Lanafeuille, a refermé ses bras autour de moi et m'a serré fort. Comme on noue les lacets de ses chaussures du dimanche.

Nous sommes restés ainsi une éternité, puis elle s'est penchée vers mon oreille et a chuchoté : « Je crois que tu es censé te déshabiller aussi, Daniel. »

J'ai souri, j'ai rougi, je me sentais simplet et naïf.

Elle m'a lâché et j'ai ôté ma chemise, mon jean. Pendant un moment, je me suis tenu en caleçon devant elle, puis elle m'a attiré vers le lit et s'est assise à côté de moi.

J'ai embrassé ses cheveux, sa joue, sa gorge, ses lèvres. Je voulais embrasser le moindre centimètre de son corps, l'avaler tout entière. Je me sentais maladroit, mais étrangement ma maladresse semblait appropriée. J'ai embrassé tour à tour chacun de ses yeux clos et j'ai senti la saveur sucrée-salée de ses larmes. Et quand elle s'est étendue, je me suis étendu à côté d'elle. Elle s'est positionnée légèrement en travers de moi et j'ai senti sa poitrine contre mon épaule.

« Ça aussi, a-t-elle dit en tirant sur mon caleçon. Faire l'amour avec un caleçon, c'est comme prendre un bain avec des chaussettes. »

J'ai souri intérieurement et tenté de toutes mes forces de ne pas rire.

Sa main était douce et délicate, comme une ballerine, et quand elle a tracé de petits cercles sur mon ventre, j'ai senti l'excitation monter.

Je crois que mon cœur n'avait jamais battu aussi lentement.

Le temps n'avait plus d'importance.

Nous avions tout le temps au monde.

Un peu plus tard, elle a émis un petit son, un son qui n'exprimait ni douleur, ni pression, ni quoi que ce soit de familier. Plutôt un sentiment de *plénitude*.

Je l'ai compris, car j'éprouvais également la même chose. Je me sentais entier, et pur, et comblé.

Nos mouvements étaient à l'unisson, une danse serrée, un doux ballet de sons, d'émotions et de sentiments, et toutes les craintes que j'avais eues concernant ce moment semblaient absurdes.

Malgré mes yeux fermés, je la *voyais*, et sa beauté était plus grande encore que je l'avais jamais imaginé.

C'est à cet instant que j'ai compris l'amour.

L'amour plus que la vie elle-même.

Et même s'il m'arriverait de repenser à Sheryl Rose et à Linny Goldbourne, il n'y aurait jamais un moment comparable à celui que j'ai partagé avec Caroline Lanafeuille cette nuit d'août, alors que j'avais dix-neuf ans et que le monde ressemblait au paradis.

Plus tard, elle est partie.

Elle m'a laissé là, à moitié endormi.

Elle s'est habillée. Elle s'est penchée au-dessus de moi. Elle m'a embrassé sur le front, a posé sa main sur ma joue, et elle est partie. J'ai entendu la porte-écran au rez-de-chaussée. Je voulais me pencher vers la fenêtre pour la regarder traverser le jardin et s'éloigner en direction du lac, mais je ne l'ai pas fait.

Je n'ai pas pu.

Je ne voulais pas me rappeler son départ.

Je voulais que mon dernier souvenir éternel de Caroline Lanafeuille soit cet instant où j'avais su que je l'aimais *vraiment*.

Rien d'autre.

Je ne la reverrais pas avant de très nombreuses années, alors que nous aurions tous deux irrévocablement changé.

Je n'apprendrais jamais ce que son père avait fait pour qu'elle doive partir, et je n'ai rien dit à Nathan lorsqu'il est revenu de Charleston.

Je crois que certaines choses, juste quelques-unes, n'appartiennent qu'à soi et à Dieu.

6

En novembre 1965, l'armée est arrivée à Greenleaf. Pourquoi les militaires ont choisi Greenleaf, je n'en sais rien, mais ils ont débarqué, apportant avec eux une tente grande comme la moitié d'un terrain de football.

Les soldats sont allés chercher en bus les gens des villes avoisinantes. Ces derniers considéraient peut-être ça comme une sortie en famille, et quand ils arrivaient, ils découvraient que l'armée leur avait préparé du poulet frit et de la salade de maïs et de pommes de terre.

Les gens se sont massés dans la tente et, comme durant un rassemblement évangélique, ils se sont assis et ont attendu l'arrivée du représentant de l'armée.

Il faisait chaud pour la saison, et bientôt la tente a été comme un four. Les gens s'éventaient avec les brochures qu'ils trouvaient sur leur siège. Les enfants réunis par petits groupes en bordure de la tente discutaient, riaient, se chamaillaient.

Mais quand le représentant de l'armée est arrivé, ils se sont tus et tenus à carreau.

J'étais assis à côté de ma mère, et à ma gauche il y avait Mme Chantry. Le révérend Verney et sa femme étaient assis dans la rangée de devant, avec Nathan entre eux deux.

Le représentant de l'armée était le sergent Michael O'Donnelly, de je ne sais quel bataillon aéroporté. Il nous a dit de l'appeler sergent Mike. Un haut-parleur avait été installé, et sa voix était claire, mesurée et précise. Il avait déjà fait ça de nombreuses fois, j'en étais certain, car c'était dans des villes comme Greenleaf, Myrtle Beach et Orangeburg que Johnson allait chercher ses trente-cinq mille recrues par mois.

Ils offraient du poulet frit et de la salade de maïs et de pommes de terre aux parents d'Amérique, et en contrepartie ils leur prenaient leurs fils. Peut-être que les gens à Washington trouvaient que c'était un échange juste.

Le sergent Mike était un orateur éloquent, un homme plein de verve et de passion. Il croyait en l'Amérique. Il croyait à la Constitution. Il croyait à la liberté de parole et au droit de porter des armes, et il s'en tirait à merveille jusqu'à ce que Karl Winterson, qui tenait le magasin de radios, lui demande combien de nos *boys* étaient déjà morts là-bas.

Pendant une fraction de seconde, il y a eu un silence, une tension palpable dans la tente. Au cours de cette fraction de seconde, c'était comme si nous étions tous réunis sous une grande couverture.

Puis une voix d'enfant a retenti d'un côté de la tente. Une voix d'enfant qui a transpercé le moment de gêne et l'a coupé comme un rasoir. Coupé en deux parties distinctes telle une orange sur une planche à découper.

« Serpent Mike... est-ce que le Viêt-công, c'est telle King Kong ? »

Un silence absolu, puis une déferlante de rires.

La tension a volé en éclats.

La question de M. Winterson est restée sans réponse.

C'était une question que le sergent Mike ne voulait pas qu'on lui pose.

« Non, petit, a finalement répondu le sergent Mike. Le Viêt-công est sacrément plus réel qu'un gros singe. »

Nathan a lancé un coup d'œil dans ma direction par-dessus son épaule. À voir son expression, je n'étais pas le seul à douter de la véracité de cette affirmation.

Puis le moment est arrivé, le moment de recruter, le moment de nous vendre notre propre liberté, une liberté que je pensais que nous possédions déjà.

C'était comme un pasteur évangélique quémandant de l'argent, et les gens étaient embarrassés parce qu'ils savaient que le pasteur était un ivrogne, un menteur et un coureur de jupons.

Mais le sergent Mike avait déjà recruté par le passé, à de nombreuses reprises, et il a bombardé l'assistance de citations de Lincoln et de Robert E. Lee et du général Patton.

J'ai alors compris que le sergent Mike parlait à moi, qu'il parlait à Nathan et à moi, et à tous les autres qui traînaient encore chez Benny's et se croyaient à l'abri du monde.

Et j'ai compris autre chose. J'ai compris qu'alors que nous nous considérions encore comme des gamins, le monde nous voyait désormais comme des hommes.

Des hommes qui auraient dû être disposés à mourir dans une jungle humide et sombre à l'autre bout de la terre.

Le sergent Mike avait bafoué notre innocence et notre confiance, et la plupart d'entre nous ne nous étions rendu compte de rien.

Marty Hooper a été le premier à se lever.

Il s'est juste levé.

Soudain, il était là, dressé comme une unique fleur au milieu de ce terrain de football.

Quelqu'un a applaudi. Une paire de mains qui ont claqué comme une rafale de balles.

Puis, pour imiter Marty Hooper, Larry James s'est levé à son tour.

Puis un autre.

Et encore un autre.

Une deuxième personne s'est mise à applaudir, plus vite, plus fort, et avant que je comprenne ce qui se passait, la tente était emplie d'applaudissements frénétiques, les pères étaient debout, étreignant leurs fils, les mères pleuraient, et les enfants observaient la scène avec de grands yeux étonnés, se demandant ce qui se passait, incapables de comprendre ce que tout ça signifiait.

Nathan et moi n'avons pas bougé.

Je crois que s'il s'était levé je serais mort sur place.

J'ai senti la main de ma mère agripper la mienne, et quand j'ai baissé les yeux, j'ai vu que les jointures de ses doigts étaient blanches tant elle était crispée.

Je savais qu'elle sentait que je la regardais, mais elle ne s'est pas tournée vers moi.

Le sergent Mike était dans son élément. C'était son moment, son moment Kodak, et alors même qu'il congratulait tout le monde, d'autres soldats, hommes et femmes, déambulaient parmi la foule pour rassembler les recrues, les guider vers une rangée de tables où des hommes assis tenaient des formulaires, des stylos et des décharges.

J'étais terrifié.

L'espace d'un horrible moment, je me suis imaginé me levant malgré moi, étant entraîné sur le côté, recevant des tapes dans le dos, sentant des mains inconnues qui serraient la mienne, tandis qu'un homme au regard sévère et à la voix plus sévère encore me demandait mon nom, mon âge, ma taille, mon poids.

Mais je ne me suis pas levé.

Je suis resté assis aussi immobile qu'une statue.

Je respirais à peine.

Le vacarme a semblé durer une éternité. Une heure. Un jour. Une semaine, peut-être.

Personne ne faisait attention à moi. Il n'y avait pas de regards accusateurs. Personne ne s'est penché vers moi pour me demander quel était mon problème, si je me moquais de la liberté de ma famille, si je me moquais du mode de vie américain.

De cette petite grâce je suis éternellement reconnaissant.

Et quand le bruit est retombé et que la foule s'est calmée, j'ai levé les yeux et vu que le sergent Mike était parti.

Le *serpent Mike*, avait dit le petit garçon, et de toutes les personnes présentes – les pères et les mères, les frères, sœurs, cousins et voisins, ceux de Myrtle Beach et d'Orangeburg qui avaient peut-être cru qu'il y avait un cirque en ville, les enfants qui rentreraient chez eux et verraient le lit de leur frère vide –, j'étais persuadé que c'était ce gamin qui avait prononcé la seule vérité.

Je n'ai rien dit.

Encore une fois, il est des choses que seul soi-même et Dieu doivent savoir.

Plus tard, alors que la tente avait été démontée, que le sol était jonché d'assiettes en papier, d'os de poulet, de brochures piétinées par mille pieds, Nathan et moi avons regardé les soldats qui repliaient la vaste bâche et la rangeaient dans un camion. Les garçons qui étaient devenus des hommes étaient déjà partis dans des bus.

Quarante-six en tout.

À Noël, près d'une douzaine seraient morts.

L'un d'eux reviendrait, après avoir laissé l'essentiel de la partie inférieure de son corps à Da Nang, ou à Ky Lams ou dans quelque autre endroit paumé.

Il s'appelait Luke Schaeffer. C'était un joueur de football avant son départ, un bon, un jeune type qui aurait obtenu une bourse d'études grâce à la vitesse de son bras droit.

Il m'a raconté des histoires que je ne veux pas me rappeler, même aujourd'hui que je suis plus vieux, endurci, un peu cynique, car certaines images qu'il m'a décrites suffiraient à me rendre fou.

Je n'ai pas demandé pourquoi à l'époque, et je ne le demande pas maintenant.

Il y a des choses qui tout simplement sont.

Elles font partie de la vie.

Et ça, à défaut d'autre chose, ça n'a jamais été une question de choix.

7

Le prêtre qui est venu me voir à Sumter avait un visage plutôt honnête. J'apprendrais par la suite que c'était une nouvelle mission pour lui, et je supposerais qu'un manquement ou un comportement inapproprié l'avait amené là. Je ne pouvais imaginer quelqu'un choisir de faire un tel boulot.

Il s'appelait John Rousseau, devait avoir une petite quarantaine d'années, et il fumait comme un pompier, enchaînant cigarette sur cigarette. La salle où se tenaient ces entretiens, appelée « salon de Dieu » par ceux qui avaient suffisamment d'humour pour prendre la peine de baptiser ce genre d'endroit, était une pièce étroite qui abritait une table toute simple, deux chaises, une vitre sans tain à travers laquelle les conversations étaient filmées, et deux étagères. Au centre de celle du dessus se trouvaient deux livres. Une copie du Nouveau Testament et des Psaumes, et une Bible de Gédéon.

John Rousseau avait apporté sa propre bible, un volume en cuir complètement cabossé qu'il agrippait comme on agripperait la main d'un enfant parmi la foule d'une fête foraine.

J'aimais bien le visage de Rousseau, et même si nos brèves rencontres hebdomadaires n'étaient ni un choix ni pertinentes, j'appréciais le fait de pouvoir parler pendant une heure à quelqu'un qui semblait plus se soucier de mon salut religieux et spirituel que de l'heure à laquelle je devais retourner en cellule.

Notre première rencontre a eu lieu en août 1982. C'était un mardi, ça, je m'en souviens, et bien que j'en sois venu à apprécier le père John Rousseau, elle a commencé sur de mauvaises bases.

Il m'a reçu, m'a serré la main, m'a demandé de m'asseoir à la table toute simple, puis il m'a dit qu'il se moquait que je sois innocent ou coupable.

Un homme dans le couloir de la mort pense à peu de choses si ce n'est à son innocence ou à sa culpabilité.

Il a ensuite déclaré qu'il savait que j'allais mourir, qu'il avait parlé à Hadfield, le directeur du pénitencier, et qu'il y avait peu d'espoir que mon exécution soit repoussée ou que j'obtienne une grâce. Il m'a expliqué qu'il comprenait certains détails de mon dossier et de mon procès, que les problèmes soulevés les avaient propulsés dans la sphère politique, et qu'une fois que vous aviez atteint ce point, personne ne pouvait faire grand-chose pour renverser les décisions qui avaient été prises. Il s'agissait de ne pas perdre la face.

Je me rappelle avoir ressenti les premières envies de violence en moi. Je ne suis pas un homme violent – je ne l'ai jamais été –, mais la nonchalance presque suffisante avec laquelle il parlait de ma mort prochaine me mettait en colère. J'ai serré les poings sous la table, les jointures de mes doigts étaient comme des billes blanches, et si j'avais estimé que ça pourrait servir à quoi que ce soit, je me serais peut-être lâché. Peut-être pas physiquement, mais au moins verbalement.

Mais j'ai retenu mes mains et tenu ma langue. Je n'étais pas en position de mettre en péril mon seul contact avec un autre être humain.

Le père John Rousseau m'a alors interrogé sur ma foi.

« Ma foi ? » ai-je demandé.

Le père John a acquiescé. Il agrippait sa bible comme si c'était une corde qui le reliait au rivage.

Je me rappelle avoir regardé en direction de la vitre sans tain ; j'ai souri pour la caméra, puis j'ai haussé les épaules.

« J'ai de la foi, mon père. Mais je ne suis pas sûr d'avoir foi en les mêmes choses que vous. »

Le père John a souri. J'imaginais qu'il avait déjà entendu tout ça.

« Et en quoi croyez-vous que j'aie foi, Daniel ? » a-t-il demandé.

J'ai souri, esquissé un demi-sourire. Ce qui m'intéressait vraiment, c'était de savoir s'il m'offrirait une cigarette.

« En Dieu, ai-je répondu. Jésus-Christ, la Crucifixion, l'Immaculée Conception, Marie-Madeleine, Lazare et la transformation de l'eau en vin. Le pain et les poissons, la séparation de la mer Rouge, Moïse descendant du mont avec les dix commandements, la damnation éternelle pour moi et le paradis éternel pour vous. J'imagine que vous croyez en ces choses. »

Le père John a souri.

Et il a fait exactement ce que je voulais : il m'a offert une cigarette.

J'en ai pris une avec reconnaissance. Je ne me rappelais pas la dernière fois où j'avais fumé une cigarette entière seul.

« Je crois en certaines de ces choses, a déclaré le père John. Mais je ne crois pas à la damnation éternelle pour qui que ce soit. »

J'ai froncé les sourcils.

« Je crois que l'enfer est une allégorie, a-t-il poursuivi. Je crois que l'enfer a été vendu comme un concept afin d'obtenir l'obéissance des gens...

— Vendu ? »

Le père John a esquissé un sourire sardonique.

« L'Église doit vendre ses produits, comme tout le monde, Daniel. »

J'ai souri à mon tour, peut-être avec une once de sarcasme.

« Et le paradis ? »

Le père John a secoué la tête.

« Je ne crois pas que le paradis soit un endroit, je crois que c'est un état spirituel. »

Je n'ai rien répondu.

« Alors, en quoi croyez-vous, Daniel ? » a-t-il finalement demandé.

Il a allumé une nouvelle cigarette, sa cinquième ou sixième depuis qu'il était assis.

« En quoi je crois ? Je crois en beaucoup de choses. »

Non seulement le père John n'a pas prononcé un mot, mais il m'a regardé d'un air inquisiteur.

« Vous voulez savoir en quoi je crois ? »

Le père John a fait un signe de tête affirmatif.

Je me suis penché en arrière et j'ai réfléchi un moment.

« Je crois qu'il y a toujours des chiens soldats cheyennes dans l'Oxbow. Je crois que les Rolling Stones ont assassiné

Brian Jones. Je crois qu'Elvis est bien vivant, qu'il doit peser dans les quatre-vingts ou quatre-vingt-dix kilos, et qu'il vit quelque part dans l'Ouest dans un ranch. Je crois que l'homme n'a jamais vraiment marché sur la Lune, que toutes les images ont été tournées en studio par la NASA. Je crois que Gus Grissom allait tout balancer et qu'il a été éliminé... »

J'ai regardé en direction du père John. Il semblait attentif.

« Vous voulez que je continue ? »

Il a acquiescé.

« Je crois que Kennedy a été assassiné par une fraternité politique et financière super-élitiste comme le groupe Bildeberg parce qu'il était trop populaire, parce qu'il s'intéressait à l'intégration des Noirs, parce qu'il était imprévisible. Je crois que Joe Kennedy a fait un pacte avec la mafia, avec des gens comme Sam Giancana et son gang, pour aider son fils à devenir président, et qu'en échange il a promis que JFK foutrait la paix au crime organisé, mais qu'au bout du compte JFK a manqué à sa parole et s'est mis à dos tout le monde à Vegas, à LA, en Floride et à New York. Je crois que Marilyn Monroe a été assassinée parce qu'elle couchait avec JFK. Je crois que Sirhan Sirhan faisait partie du projet Artichoke ou du projet MK-Ultra de la CIA, et qu'on lui a lavé le cerveau pour qu'il tue Robert Kennedy parce qu'il semblait en mesure de gagner la Maison Blanche. Je crois que l'accident de Chappaquiddick était un coup monté, parce que Ted Kennedy n'aurait jamais songé à aller là-bas. Et je crois que Martin Luther King et Che Guevara ont été assassinés parce qu'ils représentaient trop de changements, de rébellion, de remises en cause. »

J'ai saisi une autre cigarette sans demander la permission. Le père John n'a fait aucun commentaire.

« Je crois que Nixon était un jeune prodige, mais qu'il est devenu fou, qu'il s'est mis à parler à sa mère morte et à croire que tout le monde le suivait, et que ceux qui contrôlaient le gouvernement savaient qu'ils ne pouvaient pas le descendre en plein jour comme JFK, alors ils ont monté le coup du Watergate. Bernstein et Woodward ont reçu toute l'aide dont ils avaient besoin d'une personne au sein de l'administration Nixon, et Haldeman, Mitchell, Porter et les autres ont juste eu la malchance d'être là au mauvais moment. Et je crois que la crise des missiles cubains, la baie des Cochons et ce qui s'est passé à Dallas étaient simplement censés rappeler aux Américains que leur vie ne signifiait rien du tout. Qu'ils puissent être pulvérisés par une bombe atomique ou atteindre les plus hautes fonctions du pays, ça n'avait aucune importance parce qu'ils pouvaient être éliminés de toute manière. Après le début des années soixante, tout est parti en couilles, et avec le Vietnam et les trente-cinq mille hommes par mois qui sont envoyés faire la guerre de quelqu'un d'autre, tout le monde a plus ou moins baissé les bras et s'est résigné à une vie de télé, de Prozac, de comptage de calories et de bardages en aluminium. »

J'ai marqué une pause.

« Voilà ce que je crois, père John. »

Le prêtre est resté un moment silencieux, puis il a déclaré : « Vous n'êtes pas allé au Vietnam, n'est-ce pas ? »

J'ai fait non de la tête.

« Qu'est-ce qui s'est passé ? a-t-il demandé.

— C'est une longue histoire », ai-je répondu, tentant faiblement de le dissuader de poursuivre sur cette voie.

Ma colère s'était dissipée et avait été remplacée par un mélange de fatigue et de frustration. Je ne comprenais pas le but de ces questions. Je ne voyais pas à quoi elles pouvaient servir.

« J'ai le temps, a déclaré le père John.

— Mais pas moi, ai-je répondu avec un sourire.

— Vous avez mieux à faire ? »

J'ai secoué la tête.

« Vous avez aujourd'hui, a-t-il poursuivi, et un aujourd'hui vaut mieux que deux demains. »

Je l'ai regardé.

« Qui a dit ça ? »

Le père John a souri.

« Benjamin Franklin.

— Un aujourd'hui vaut mieux que deux demains, ai-je répété.

— C'est exact », a acquiescé le prêtre.

J'ai esquissé un sourire un peu sarcastique.

« Il n'était pas dans le couloir de la mort quand il a dit ça, n'est-ce pas ?

— Je comprends votre amertume, Daniel. »

J'ai hoché la tête.

« Merci, mon père. »

Le père John a souri d'un air compréhensif.

« Et votre sarcasme.

— Vous croyez que je n'ai pas le droit d'éprouver un peu des deux ?

— Je crois que vous avez droit à beaucoup plus que ce qu'on vous accorde, mais je ne peux pas y faire grand-chose. Je suis ici pour vous parler, pour écouter, pour essayer de vous aider à accepter l'idée de la mort.

— Ça fait plus de dix ans que je le fais, mon père.

— Et pour essayer de vous donner l'espoir qu'il y a peut-être quelque chose de mieux après. »

Il a alors marqué une pause et m'a regardé. J'ai été troublé à cet instant, car j'avais déjà vu l'expression sur son visage. C'était celle d'un homme qui avait un secret. Ma cachait-il quelque chose ?

« Vous croyez ça ? ai-je demandé. Qu'il y a peut-être quelque chose de mieux après ça ?

— Oui. »

Je me suis penché en arrière et j'ai fermé les yeux. Je n'avais plus envie de parler. Je voyais des couleurs derrière mes paupières. La tête me tournait un peu à cause de la nicotine. J'avais un amer goût de cuivre dans la bouche, pas déplaisant, juste inhabituel. Je sentais la présence du père John face à moi, mais je n'éprouvais guère le besoin de lui faire plaisir. C'était lui qui était là pour moi, pas l'inverse.

« Vous parlerez quand vous aurez envie de parler, Daniel », a déclaré le père John.

J'ai entrouvert un œil et l'ai regardé en fronçant les sourcils. Il semblait aussi détendu et calme que moi.

« Je n'ai pas envie de grand-chose », ai-je remarqué.

Le père John a haussé les épaules.

« OK », a-t-il dit.

Il y a eu un nouveau silence d'environ une minute.

« Je me disais que vous pourriez me parler un peu de Nathan », a-t-il finalement suggéré.

J'ai rouvert les yeux et me suis penché en avant.

« Nathan ?

— Oui, Nathan.

— Qu'est-ce que vous voulez savoir sur Nathan ? »

Il a de nouveau haussé les épaules.

« Tout ce que vous voudrez.

— Nathan était comme un frère, ai-je expliqué.

— Je sais. »

J'ai plissé les yeux.

« Comment vous le savez ?

— Parce que quand j'ai mentionné son nom, vous avez semblé plus humain que le reste du temps.

— Très profond, ai-je répliqué. Qu'est-ce que c'est censé vouloir dire ?

— Ce que ça dit, a-t-il répondu. Il y a moins d'amertume, de cynisme et de frustration dans votre voix. Nous pourrions être assis côte à côte dans un bar en train de tailler une bavette.

— Nathan disait souvent ça.

— Disait souvent quoi ? a demandé le père John en fronçant les sourcils.

— Cette expression – *tailler une bavette.* »

Il a acquiescé et souri.

« Alors, vous voulez me parler un peu de lui ? »

Je suis resté un moment sans rien dire. J'étais fatigué. Je commençais à avoir mal à la tête. Je ne crois pas que j'avais autant parlé depuis un an.

« Vous voulez ? a répété le père John.

— Je suppose... si vous voulez.

— Oui, je le veux », a dit le prêtre avec une expression sincère.

Alors, je l'ai fait.

C'était comme marcher en arrière et sous l'eau en même temps.

J'étais surpris par la netteté de mes souvenirs, par les images qui me revenaient tandis que je parlais. Il y avait des choses dont je me souvenais avec une clarté cristalline, des choses auxquelles je n'avais pas pensé depuis plus de quinze ans.

Et ces choses revenaient, presque d'elles-mêmes, comme si elles avaient souffert de manque d'attention, comme si le son de ma voix leur avait manqué, parce qu'elles faisaient autant partie de moi que de Nathan.

Et je les laissais faire, non parce que j'éprouvais le besoin de parler à John Rousseau, prêtre ou non, mais parce que ça faisait si longtemps que je n'avais pas parlé de Nathan Verney que j'avais commencé à oublier comment tout s'était passé.

Et ça, je ne pouvais pas le faire, car si j'oubliais Nathan, j'oublierais aussi pourquoi l'État de Caroline du Sud allait me tuer.

Et je n'avais aucune intention de mourir sans raison.

8

1965 s'est achevée sur une mauvaise note.

Caroline Lanafeuille était partie depuis quatre mois. Personne ne parlait d'elle. Personne ne parlait de sa famille. Manifestement, ce que son père avait fait avait suffi à les excommunier non seulement de Greenleaf, mais aussi de notre mémoire collective. Ça m'attristait. Elle me manquait, et le fait qu'elle me manquait me forçait à affronter une affreuse vérité : je n'avais rien fait pour l'empêcher de partir. J'avais échoué à défendre ce que j'avais désiré – désiré pendant si longtemps, avec une telle passion. Et, dans un sens, je me sentais aussi trahi, comme si elle avait vidé mon cœur, l'avait rempli d'un sentiment puissant et en apparence permanent, puis l'avait brisé d'un seul coup. Et quand Noël est arrivé et que j'ai senti que ma mère n'avait ni l'énergie ni l'enthousiasme nécessaires pour célébrer les fêtes, je me suis senti vraiment seul. Je ne m'apitoyais pas sur mon sort, je ne recherchais pas la compassion, je voulais simplement être *avec* d'autres gens, et je ne l'étais pas.

Le révérend Verney avait emmené Nathan et sa famille voir des parents à Chicago au début du mois de décembre. Nathan voulait rester. Il avait dix-neuf ans et était férocement indépendant, mais le sens de la discipline religieuse que son père lui avait si adroitement inculquée l'avait emporté sur sa volonté et ses envies. Il était parti. Il n'avait pas eu le choix. Je me rappelle que je me tenais au bord du lac la veille de son départ. Il m'a serré la main, puis m'a étreint, ses larges mains sur mes épaules, son visage souriant face à moi, puis il m'a dit : « Relax... prends soin de toi. » Il serait parti un mois, de retour la première semaine de janvier, et je ferais bien d'en profiter pour me trouver une fille.

« Toi aussi, ai-je répondu, quelque peu rassuré et satisfait que Nathan n'ait aucune idée de ce qui s'était passé entre Caroline Lanafeuille et moi au mois d'août précédent.

— Je suis assez grand pour m'occuper de mes affaires », a répliqué Nathan.

Et il y avait quelque chose dans son expression, dans le ton de sa voix, qui rendait tout clair comme le jour. Il l'avait fait. Il l'avait *déjà* fait.

« Qui ? ai-je demandé, ma voix grimpant trois bons tons au-dessus de son timbre habituel.

— Du calme, a répondu Nathan, et il s'est mis à rire.

— Alors, qui ? Qui, nom de Dieu ? »

Il a secoué la tête et souri.

« Hors de question, monsieur le moulin à paroles.

— Cette fille qui s'occupe des fleurs à l'église... c'est quoi son nom, Melody quelque chose ? » ai-je insisté.

Nathan a secoué la tête.

« Je ne dis rien. Pas d'indices. Une promesse est une promesse.

— Hé, me suis-je exclamé. Je ne marche pas. »

Nathan a une fois de plus secoué la tête.

« Bon sang, vieux, si tu le dis à quelqu'un qui ira le répéter à la moitié du monde et que mon père l'apprend, il me fouettera pendant une semaine.

— Je ne dirai rien », ai-je déclaré, avec une mine soudain solennelle.

Nathan a secoué la tête.

« Non, a-t-il répété, j'ai dit que je ne dirais rien à personne, alors c'est comme ça. »

Elle était là, cette conviction, cette résistance obstinée que j'avais déjà vue par le passé. Il serait inébranlable. Plus tard, bien plus tard, j'ai songé qu'à n'importe quel autre moment je l'aurais harcelé, j'aurais insisté. Je crois que la seule raison pour laquelle j'ai laissé tomber était que j'avais également un secret. Un secret prénommé Caroline, que j'avais aimée, et regardée... non, que j'avais *laissée* disparaître.

Nathan a changé de sujet. Il m'a expliqué qu'ils allaient à Chicago voir la sœur de sa mère. Elle avait trois fils, qui avaient tous à peu près le même âge que Nathan. Deux d'entre eux avaient déjà été tués au Vietnam. Ils allaient là-bas pour l'aider, pour l'épauler dans son chagrin. Le troisième fils, qui n'avait pas plus de dix-huit ans, était dans un hôpital de campagne quelque part. C'était tout ce qu'ils savaient, ni plus ni moins. Il était juste *quelque part*. L'armée avait dit qu'elle le retrouverait, *promis* qu'elle le retrouverait, mais ça faisait près d'un mois qu'elle disait ça. Nathan pensait que lui aussi était mort.

Ils voulaient aller à Chicago avant que sa mère l'apprenne.

À la lueur de ce qu'il venait de me dire, je préférais qu'il parte. J'avais de la peine pour ses cousins, des gens que je ne connaissais pas et ne connaîtrais jamais. Je ne connaissais pas leur nom, je ne pouvais pas me rappeler leur visage après quelque pique-nique partagé à Myrtle Beach, ou après avoir joué à chat à proximité du champ de foire du comté, ou après avoir nagé avec eux dans le lac Marion au plus fort de l'été de Greenleaf, quand le soleil vous brûlait le dos et que les rochers étaient trop chauds pour se tenir dessus. Mais j'avais l'*impression* de les connaître. De la même manière que je connaissais ces garçons qui étaient devenus des hommes dans une tente de l'armée en novembre.

J'avais l'impression de les connaître tous.

Je l'ai regardé partir. Il a fait un détour et pris le chemin qui allait vers le quartier noir de Greenleaf.

Je l'ai regardé devenir de plus en plus petit, s'évanouissant au loin comme un souvenir, et quand il a finalement disparu, je suis resté là à regarder par-dessus la surface fraîche de l'eau.

Le lac était silencieux. Une brume grise flottait au-dessus de la rive opposée et obscurcissait la terre, de sorte que le lac ressemblait à la mer. Si vous nagiez dans cette direction sans vous arrêter, à un moment vous finiriez par tomber dans le vide au bout du monde.

Je me suis rappelé le jour où j'avais rencontré Nathan. Le sandwich au jambon cuit. Le petit gamin avec des oreilles comme des anses de cruche, des yeux comme des feux de signalisation, et une bouche qui lui fendait le visage d'une oreille à l'autre.

Je ne voulais pas que ces jours reviennent, mais je regrettais le sentiment de légèreté que j'éprouvais à l'époque. J'avais l'impression que grandir, c'était prendre les choses plus au sérieux, et je n'avais jamais trouvé ça facile.

Je suis alors rentré chez moi. Je me suis allongé sur le lit où j'étais complètement tombé amoureux de Caroline Lanafeuille, et j'ai réfléchi à ce que je ferais quand l'armée viendrait me chercher.

Une semaine après le départ de Nathan, je suis allé voir Eve Chantry.

Pourquoi j'y suis allé, je ne m'en souviens plus. Peut-être m'étais-je inventé une raison, un but à cette visite, mais ma vraie motivation était de remédier à mon manque de compagnie.

C'était le premier jour de neige. J'ai vu un cerf en chemin. Il se tenait dans un taillis près de la courbe de Nine Mile Road, et il m'a regardé. Il ne s'est pas enfui. Il est resté parfaitement immobile et m'a regardé marcher, ce qui m'a troublé. J'ai tapé des mains, hurlé à une ou deux reprises, mais ce cerf est resté immobile, sans même ciller des yeux.

Curieusement, ce bref incident sans importance m'a fait me sentir insignifiant.

Quand je suis arrivé à la maison de Mme Chantry, il y avait des ampoules suspendues d'un côté à l'autre de la véranda. J'ai gravi les marches, ouvert la porte-écran et frappé.

J'ai attendu patiemment. Je savais qu'elle marchait lentement, mais après trois ou quatre minutes j'ai frappé de nouveau.

J'ai entendu un son au-dessus de moi. J'ai redescendu les marches qui menaient à l'allée.

La neige tombait et formait une couverture.

Je me rappelle avoir levé les yeux, et le ciel a semblé tomber sur moi.

Soudain, je me suis retrouvé au sol. J'avais de la neige dans les yeux, dans les oreilles, et même dans la bouche.

Et alors, je l'ai entendue rire.

J'ai finalement refait surface et me suis levé. Au-dessus de moi, penchée à une fenêtre à l'avant de la maison, se trouvait Eve Chantry. Elle avait ouvert une fenêtre pour voir qui était là, et la neige qui se trouvait sur le toit étroit de la véranda était tombée.

J'avais reculé à sa rencontre. Le timing avait été parfait. Je me suis alors mis à rire à mon tour.

C'était étrange, presque comme si je me voyais de loin, presque comme si je me tenais dans le virage qui menait à la maison d'Eve Chantry, alors que j'étais là, à pas plus d'un mètre des marches de la véranda. Comme un fantôme.

« Tu veux voir quelque chose ? a crié Mme Chantry depuis la fenêtre à l'étage.

— D'accord ! » ai-je crié en retour.

Elle a disparu un moment, et soudain la véranda a été illuminée par des lumières multicolores. Rouges, jaunes, bleues, violettes, toutes les couleurs imaginables.

Mme Chantry est réapparue à la fenêtre.

« Ça en jette, monsieur Ford ! » a-t-elle crié.

J'ai écarté les bras comme pour étreindre le moment.

« Ça en jette, madame Chantry ! ai-je hurlé à mon tour.

— Tu en as assez d'être planté là comme un idiot ?

— Pour sûr !

— Je descends. »

Sa tête a disparu une fois de plus, la fenêtre s'est refermée avec un bruit sourd, la neige qui se trouvait sur le rebord est tombée, et je me suis redirigé vers les marches pour l'attendre.

Quel que soit le nom qu'elle donnait à son breuvage – punch de Noël, grog –, il était fort.

Derrière le goût d'amande et de muscade, derrière quelque chose de légèrement amer comme des myrtilles de saison, il y avait la promesse d'une mort lente et chaude provoquée par le bourbon ou le whiskey. Je n'arrivais pas à distinguer ce que c'était, mais je l'ai bu, et après avoir fini le premier verre, j'en ai redemandé.

Eve Chantry buvait également, et elle ne m'a même pas demandé pourquoi j'étais venu. Elle a simplement pris mon manteau, l'a accroché au portemanteau près du feu pour qu'il sèche, m'a demandé d'ôter mes bottes dans le vestibule avant d'entrer.

Peut-être qu'elle aussi manquait de compagnie.

« C'est Benny qui a installé les lumières, m'a-t-elle expliqué. Benny Amundsen, de la buvette. »

J'ai acquiescé.

« Elles sont cool, ai-je dit.

— Cool, a-t-elle répété, et elle a souri. Où est ton copain ?

— Nathan ? »

Elle a hoché la tête.

« À Chicago, ai-je répondu.

— Parti voir sa famille ?

— Oui, la sœur de sa mère.

— Qui est mort ? »

J'ai froncé les sourcils, l'ai regardée d'un air interrogateur.

« Qu'est-ce qui vous fait croire que quelqu'un est mort ?

— Le révérend Verney ne part jamais à Noël. Noël est un moment sérieux pour les prédicateurs. Il y a de nombreuses âmes à sauver. Il y a une guerre à livrer, à cette période de l'année, entre la naissance du petit Jésus et le centre commercial. »

J'ai souri. Mme Chantry était presque aussi cynique que moi.

« Les enfants de la sœur de la mère de Nathan, deux d'entre eux, et un troisième a disparu quelque part, l'armée n'arrive pas à le retrouver.

— Vietnam, a déclaré Eve Chantry d'un ton neutre.

— Oui, Vietnam. »

Elle a lentement secoué la tête et s'est tournée vers le feu qui brûlait dans l'âtre.

Il y a eu quelques minutes de silence.

« Tu as déjà été appelé ? a-t-elle finalement demandé.

— Non. »

Elle m'a alors regardé.

« Tu le seras, tu sais, et Nathan Verney aussi, et la plupart des autres jeunes.

— Je sais.

— Tu es disposé à y aller ?

— Disposé ? Non, je ne suis pas disposé, ai-je répondu. Qui serait disposé à y aller ? »

Elle a souri d'un air entendu.

« Mon mari était disposé à y aller. Il savait ce qu'il faisait, il le savait parfaitement. Il savait aussi qu'il allait mourir, mais il y est allé tout de même.

— Il savait qu'il allait mourir ? »

Eve Chantry a souri. Il y avait quelque chose de beau et de nostalgique dans son visage.

« Oui, a-t-elle répondu d'une voix douce et mesurée. Il savait qu'il allait mourir parce qu'il aurait dû mourir vers 1938, et il n'était pas mort, et à partir de ce moment il avait le sentiment d'utiliser le temps d'un autre.

— Je ne comprends pas », ai-je dit en la regardant d'un air interrogateur.

Mme Chantry s'est enfoncée dans sa chaise.

« Je suis née dans la région, a-t-elle commencé. Je suis née en 1898. C'était un monde différent à l'époque, un monde totalement différent. J'ai grandi à Charleston, les gens avaient de l'argent, l'argent ne manquait pas, et j'ai été éduquée dans une véritable école avec de vrais livres et un tableau noir et tout. Mon père n'était pas croyant, mais il allait à l'église et traitait bien les gens, il les traitait avec respect, et il n'a jamais envisagé que j'aie autre chose que ce qu'il y avait de mieux. »

Eve Chantry a attrapé la bouteille de punch de Noël et rempli son verre. Elle me l'a tendue et j'ai fait de même.

« J'ai rencontré l'homme qui deviendrait mon mari en 1922. J'avais vingt-quatre ans, il en avait dix-huit. Ce n'était même pas un homme, juste un grand enfant, mais je savais, je savais *vraiment*, que c'était la personne avec qui je voulais passer le reste de ma vie. Et il le savait aussi. Son nom était

Jack Chantry. Son père était pêcheur près de Myrtle Beach, et il ne savait ni lire, ni écrire, ni même épeler son nom. Ils étaient pauvres, d'une pauvreté inimaginable, mais Jack Chantry était plein d'une énergie et d'une soif de vivre telles que je n'en avais jamais vu. »

Elle a marqué une pause ; elle feuilletait mentalement des photos, des clichés de Jack et de son père, des images qui illustraient l'élan et la vitalité dont elle parlait, et même si je ne les voyais pas, j'entendais l'émotion dans sa voix. Elle parlait de quelque chose de puissant, et j'avais pleinement conscience que cette magie et ce pouvoir étaient précisément ce qui manquait à ma vie. C'était peut-être ce que j'aurais pu avoir avec Caroline si j'avais été assez fort pour la retenir.

Peut-être le savait-elle, peut-être était-ce la raison pour laquelle elle parlait.

« Nous nous sommes fréquentés en secret pendant plus d'un an, a-t-elle poursuivi. Nous nous retrouvions près du lac Marion, et en d'autres endroits, et j'ai décidé de lui apprendre à lire, à écrire son nom, de lui enseigner l'alphabet, et jamais dans ma vie je n'ai rencontré quelqu'un avec une telle soif de comprendre. Il apprenait à une vitesse incroyable, et il n'a pas tardé à m'écrire des lettres, et aussi des poèmes. »

Mme Chantry a souri.

« L'ironie du sort, c'est que si je ne lui avais pas appris à lire et à écrire, peut-être que les choses se seraient passées autrement. »

Je me suis penché en avant. Il y avait quelque chose dans sa façon de parler qui me donnait envie d'en savoir plus sur ce qui était arrivé.

« Jack m'a écrit une lettre pour me dire qu'il m'aimait, il a même suggéré que nous nous enfuyions, et c'est cette lettre que mon père a trouvée. C'était un homme juste, un homme honnête, mais il croyait fermement que les gens appartenaient à une classe, et qu'ils devaient se marier au sein de leur classe. S'il était si furieux après moi, c'est qu'il estimait que je l'avais trahi. Que j'avais eu une liaison avec cet homme dans son dos, que je lui avais menti pendant un an ou plus sur ce que je faisais, et avec qui je le faisais. C'était une chose qu'il ne pouvait ni comprendre ni pardonner. »

Eve Chantry a souri.

« Mon père m'a donné trente dollars, et il m'a dit de faire ma valise et de partir. Si je tenais tellement à cet homme, ce fils de pêcheur ignorant, alors je pouvais emporter mes mensonges et mes sales tromperies et me débrouiller toute seule. J'avais vingt-cinq ans, Jack un peu plus de dix-neuf, et nous avons commencé à vivre ensemble. »

J'ai secoué la tête.

« Bon sang, ai-je dit. C'était cruel.

— C'était un monde différent, Daniel, un monde que nous ne reverrons jamais. Les rues étaient en terre, les gens vivaient et mouraient à l'endroit où ils étaient nés. Nous sommes arrivés dans une ville et avons fait comme si nous étions de jeunes mariés. Je suis devenue Eve Chantry, il s'est fait passer pour plus vieux que moi, il a commencé à travailler dans une ferme, moi comme blanchisseuse, et nous nous sommes trouvé une petite chambre à louer. C'était bien, je ne peux pas te dire à quel point c'était bien, et nous étions heureux, Daniel, peut-être les deux personnes les plus heureuses du monde. »

Elle souriait, un rouge intense colorait ses joues, ses yeux brillaient d'un éclat qui n'était pas présent quand elle avait commencé à parler, et je la regardais avec un certain étonnement.

« C'était le début du XXe siècle, une période de changements, d'inventions, d'automobiles et d'avions. Tout allait si vite et tout le monde était si émerveillé par ce qui se passait que ça ne posait de problème à personne si deux jeunes gens arrivaient en ville et se rendaient utiles. On se faisait beaucoup plus confiance à l'époque. On commençait par croire que les autres disaient la vérité, et il fallait qu'ils fassent des efforts pour nous convaincre du contraire. Maintenant, c'est l'inverse. On suppose que les autres nous baratinent, et c'est à eux de nous prouver qu'ils sont sincères. »

Elle a ri doucement, silencieusement.

« Donc, nous nous sommes installés, nous sommes restés là, et je n'ai jamais écrit à ma mère ni à mon père, et pour autant que je sache, ils n'ont jamais essayé de me retrouver. Le père de Jack était différent, il se fichait de savoir qui son fils épousait tant qu'il était heureux, et même s'il était triste que Jack ne travaille pas avec lui sur son bateau, il savait reconnaître le véritable amour. »

Eve a souri, bu une gorgée de punch.

« Nous allions à Myrtle Beach de temps en temps pour voir les parents de Jack, et pour eux tout était parfait.

— Est-ce que vous avez eu des enfants ? »

Elle a acquiescé.

« J'y arrive, Daniel Ford. Tu reveux du punch ? »

J'ai secoué la tête.

« Tu veux fumer un cigare ? »

J'ai froncé les sourcils.

« J'aime fumer un cigare de temps en temps », a-t-elle expliqué.

Elle s'est levée, a marché jusqu'à la cheminée et a tiré deux cigares fins et sombres d'une boîte incrustée de nacre.

Elle a allumé les deux cigares à une bougie qui se trouvait à l'autre bout de la cheminée et m'en a tendu un. Ils avaient une odeur riche, presque épicée, et quand j'ai porté le mien à ma bouche, c'était presque comme si le fantôme de son arôme était absorbé à travers mes lèvres.

J'avais déjà fumé des cigarettes à de nombreuses reprises. Fumer des cigarettes faisait partie du passage à l'âge adulte. Mais un cigare, c'était une nouvelle expérience, de même que le punch de Noël d'Eve Chantry. Alors, je l'ai fumé lentement, avec soin, il y avait quelque chose de magique dans son parfum et son goût, et la manière dont sa fumée formait des volutes et des arabesques autour de nos têtes ajoutait à l'ambiance mystérieuse du moment.

Cette journée avait quelque chose de particulier.

Je savais que je m'en souviendrais longtemps, peut-être pour le restant de mes jours. Ma seule déception était que Nathan ne soit pas là. Il aurait *dû* être là, mais il se trouvait à Chicago, confronté à la brutalité de la guerre et à la dissolution d'une famille.

Mme Chantry s'est rassise.

« Notre fille est née en 1926. J'avais vingt-huit ans, Jack vingt-deux, mais pour des questions de convenances sociales, nous inversions toujours nos âges. Nous n'étions même pas mariés, nous ne l'avons jamais été, mais tout le monde nous connaissait comme M. et Mme Chantry, sans jamais avoir de raison de soupçonner qu'il pouvait en être autrement. Notre fille était un ange, intelligente et belle, l'enfant la plus heureuse que j'aie jamais connue. Elle s'appelait Jennifer, et Jack, le fils de pêcheur, s'est avéré être le meilleur père qu'un enfant puisse désirer. »

Eve Chantry s'est interrompue un petit moment pour tirer sur son cigare. La fumée obscurcissait son visage, et l'espace d'un instant elle a semblé disparaître complètement. J'ai lancé un coup d'œil sur ma gauche, et j'ai vu à travers la fenêtre les fantômes multicolores des lumières sur la véranda qui se réfléchissaient sur la neige et venaient heurter le verre.

« Nous sommes restés près de Wilmington, juste de l'autre côté de la frontière de l'État, pendant dix ans, et puis quand mon père est mort, nous avons décidé de retourner à Charleston. Ma mère voyait les choses du même œil que le père de Jack, beaucoup de temps était passé, et elle comprenait que parfois, quand on aimait quelqu'un, ce que pensaient les autres n'avait aucune importance. Vous savez ce que vous savez, vous savez ce que vous avez dans le cœur, et parfois vous devez juste faire ce qu'il vous dicte. »

Eve a marqué une nouvelle pause, les souvenirs ont adouci son regard, et je l'ai regardée attentivement.

« À l'été 1938, nous sommes venus ici. J'ai réappris à connaître ma mère. Jack a acheté un petit bateau, et il a appris à Jennifer à pêcher sur le lac Marion. Elle adorait être avec son père, son monde tournait autour de lui, et tout ce qu'il savait faire, elle voulait le faire aussi. Nous sommes restés ici tout l'été dans une maison de location, et chaque jour ils allaient sur le lac et elle s'entraînait à pêcher. Au bout de deux semaines, elle n'avait toujours rien attrapé. Jack était la patience incarnée, mais Jennifer était frustrée. Peu importait qu'elle sache pêcher ou non, elle le savait pertinemment, mais comme ça rendait son père heureux, elle voulait y arriver. Du coup, elle y est allée seule, elle est partie sur le lac dans ce petit bateau un matin avant que Jack ou moi soyons réveillés… »

Eve Chantry m'a regardé, et j'ai vu la suite dans ses yeux.

« Elle a bien attrapé quelque chose, nous avons retrouvé sa canne qui flottait parmi les herbes, et au bout de la ligne il y avait un poisson. Mais elle était morte, noyée… »

Les yeux d'Eve se sont emplis de larmes, et sur la petite table qui se trouvait à côté d'elle, elle a saisi un mouchoir en soie qu'elle a porté à son visage.

« Jack a couru vers le lac dès qu'il a trouvé son lit vide. Il savait. Il savait ce qui s'était passé. Il hurlait et pleurait avant même d'avoir atteint le rivage. »

Eve s'est une nouvelle fois interrompue. Son cigare s'était éteint. Elle l'a rallumé, ayant besoin d'une petite pause dans le récit de cette tragédie.

« Je me rappelle avoir regardé par la fenêtre de la maison… » Elle a levé la main et plus ou moins indiqué la direction du lac. « Je l'ai vu qui se tenait là. Puis il s'est baissé, et il a soulevé le corps inerte de Jennifer. Ses longs cheveux mouillés traînaient par terre. Il était à genoux, elle avait la tête rejetée en arrière, et de toute ma vie je n'ai jamais entendu un son semblable au cri qu'il a poussé. C'était comme si on avait arraché son âme à son corps... »

Eve a de nouveau approché son mouchoir et s'est essuyé les yeux.

« Elle avait douze ans... c'était en 1938, et pendant les quelques années qui ont séparé la mort de Jennifer de celle de Jack, il a été le fantôme de lui-même. Il est parti à la guerre en 1944, et apparemment il a sauvé plusieurs garçons. C'étaient vraiment rien de plus que des garçons. Trois jeunes originaires de Boise, dans l'Idaho, qui ne le connaissaient ni d'Ève ni d'Adam. Il a donné sa vie pour les sauver. Mais ce n'était pas eux qu'il sauvait, c'était Jennifer... »

Je me suis appuyé au dossier de ma chaise.

J'étais accablé, épuisé, mais j'avais néanmoins la tête claire, en dépit de la quantité de punch que j'avais bue, du cigare que j'avais fumé et de la chaleur du feu dans la cheminée.

J'ai regardé Eve Chantry, elle semblait sans âge et parfaite, une île de sérénité au milieu d'une mer déchaînée.

Je compatissais avec elle, pour ce que ça valait, et la perte de Caroline Lanafeuille, le départ de Nathan, et même la mort de mon père, ne signifiaient rien à cet instant.

Jack Chantry avait tout perdu au lac Marion, il avait sur-vécu pendant quelques années, puis il avait décidé de mourir car il ne supportait plus le fardeau.

Eve Chantry avait perdu sa fille, puis son mari, et depuis elle vivait seule ici à Greenleaf.

Je me rappelle avoir dit : « C'est trop », d'une voix qui sem-blait fluette et faible. Je ne voyais pas ce que j'aurais pu dire qui aurait été approprié ou pertinent dans cette situation.

« Ou pas assez, a observé Mme Chantry. Ça dépend de la façon dont on voit les choses. »

Au cours de ce mois, alors que Nathan était à Chicago, j'ai passé beaucoup de temps avec Eve Chantry. Je l'ai invitée à la maison pour Noël, mais elle n'est pas venue. Je me rappelle m'être tenu sur la véranda, scrutant la route, puis ma mère m'a crié de fermer la porte à cause du vent, alors je l'ai fait, mais je suis resté dehors près d'une heure. Des gens allaient et venaient, mais aucun d'entre eux n'était Mme Chantry.

Plus tard, après le dîner, j'ai marché jusqu'au rivage du lac Marion et j'ai regardé la surface de l'eau.

Je me suis imaginé Jack Chantry titubant vers moi, portant dans ses bras le corps inerte de sa fille de douze ans, un hurlement déchirant jaillissant de ses poumons. J'ai senti l'émotion comme un poing serré dans ma poitrine, dans ma gorge, et ce poing s'est retourné sur lui-même et a agrippé mon cœur. J'ai senti les veines et les artères se gonfler entre ses doigts implacables.

Je me suis mis à pleurer. Je pleurais pour quelqu'un que je ne connaissais pas ni n'avais jamais vu, mais dans ces larmes il y avait peut-être aussi la perte de Caroline, de Nathan, de mon père.

Après quoi, je suis reparti et me suis tenu au bout de la route près de la maison d'Eve Chantry. Les lumières étaient toujours allumées, leur éclat multicolore se reflétant sur la neige.

Je ne suis pas allé frapper à la porte. Je supposais que si elle n'était pas sortie, c'était qu'elle voulait être seule.

Peut-être voulait-elle passer Noël avec le souvenir de sa fille et de son mari.

Peut-être voulait-elle partager des souvenirs qui n'appartenaient qu'à elle et à Dieu.

Certaines choses sont ainsi.

Je le comprends désormais.

Je le comprends mieux que tout.

9

Deux heures après le départ du père John Rousseau ce jour d'août, Max Myers est venu me voir. De sa salopette il a sorti quatre paquets de Lucky Strike et les a glissés à travers les barreaux. Ils provenaient du prêtre.

J'en ai rendu un à Max et lui ai demandé d'en donner un autre à Lyman Greeve. Lyman Greeve ne fumait pas, mais il gardait des articles à échanger contre un harmonica. Il voulait apprendre à jouer *My Darling Clementine* avant de mourir. Il avait vu un type le faire dans un vieux western avec Audie Murphy ou Randolph Scott. C'était devenu le but de sa vie.

Les autres paquets, je les ai gardés, et même si j'aurais voulu tout fumer, j'ai prélevé quatre cigarettes, les ai enveloppées dans du papier, et les ai enfoncées dans un interstice entre le mur et le bord de mon lavabo. Elles y seraient à l'abri.

Quand je saurais que tout est fini, quand j'aurais une heure et une date définitives, je les récupérerais et je les fumerais.

Deux pour moi et deux pour Nathan, parce que nous avions toujours tout partagé.

Ça avait commencé avec un sandwich au jambon cuit, le meilleur de Caroline du Sud, et ça s'achèverait avec une Lucky Strike et une promesse de mort inévitable.

Ça me semblait faire sens.

Simple, comme tout devrait l'être, mais, ironiquement, comme la plupart des choses ne le sont jamais.

Mon heure approchait, rampant implacablement à reculons vers moi. Et M. West aussi savait que mon heure approchait, et plus elle approchait, plus il me semblait le voir souvent. Je le regardais, et il me regardait. J'essayais de me situer derrière ses yeux et de voir le monde de son point de vue.

Je me disais que M. West voyait des visages, pas uniquement ceux qui peuplaient le bloc D.

Et que quand il rêvait, ses rêves étaient monochromes et hantés par ces visages.

La plupart du temps, ils étaient silencieux, mais parfois, seulement *parfois*, ils parlaient, et alors ils disaient des choses terribles.

Lui écoutait, mais ne répondait pas. Car si vous répondez à vos souvenirs, vous devenez fou.

Et M. West n'était pas fou.

Il était simplement *nécessaire*.

Il estimait que chaque homme servait un but. Certains étaient là pour faire des enfants. D'autres pour construire des gratte-ciel qui se dressaient au-dessus de la terre. D'autres pour planter des arbres, du maïs et des grenadiers.

Certains hommes étaient nés pour mourir, et d'autres étaient nés pour les tuer.

Telle était sa croyance, et nul plaisir, nulle émotion n'entrait en ligne de compte. Ce qu'il faisait était fonctionnel et précis.

Et surtout, c'était *nécessaire*.

Et c'est ainsi qu'il me regardait, et qu'à d'autres moments il regardait Max Myers tandis que celui-ci s'éloignait de ma cellule en poussant son chariot. Il comprenait que pour le moment il était simplement ici pour s'assurer que nous rencontrerions tous la mort que nous méritions. Ce n'était pas à lui de remettre les choses en cause, de décider de l'innocence ou de la culpabilité des condamnés, car tous les hommes étaient coupables – s'ils ne l'étaient pas des choses dont ils étaient accusés, alors ils l'étaient d'autres péchés.

Des péchés que M. West connaissait parfaitement.

Trente ans qu'il était au service d'autres hommes, des hommes avec des ambitions politiques ou judiciaires, des hommes sans nom et sans visage, et il avait pris soin d'accomplir son devoir avec professionnalisme et fierté.

Et au cours des dernières années, il avait arpenté ces couloirs et ces passerelles, écoutant les coupables qui pleuraient et priaient dans la noirceur de la nuit, et il avait rempli son rôle : les accompagner le moment venu dans ces mêmes couloirs vers la mort qu'ils méritaient.

Pour M. West, j'étais un de ces hommes, et même si je ne pleurais pas ni ne priais, il se disait que je le ferais.

Le moment viendrait où je le ferais.

J'étais allé là où je n'aurais pas dû aller, et même si je ne semblais pas plus capable qu'une scoute de tuer un homme, j'avais néanmoins franchi la ligne.

La loi était la loi, qu'elle soit écrite ou non, la Bible disait ce qu'elle disait, et les gens comme Richard Goldbourne – un homme que M. West ne connaissait pas, mais dont il avait

un peu entendu parler – n'auraient pas toléré une telle violation de leur morale, aussi tordue soit-elle.

Et donc le cauchemar devait avoir lieu – aussi lent qu'une
partie d'échecs, aussi tragique qu'un suicide d'enfant.

Les détails de ce qui s'était passé, j'en étais certain,
n'étaient pas connus de M. West. Il n'était pas impliqué,
n'avait pas voulu s'impliquer, mais il connaissait des gens qui
connaissaient des gens qui s'étaient occupés de ces détails.

Je paierais le prix de mon silence.

Ma sentence s'accomplissait, elle s'accomplirait jusqu'au
bout, et viendrait le jour où je serais agité par des soubresauts et
où je me consumerais, viendrait le jour où mon sang bouillirait
sous ma peau, et un déséquilibre de la nature serait rectifié.

Telles étaient la vie, la mort et la justice dans ma patrie,
ces bons vieux États-Unis.

Un jour, j'ai vu M. West sourire tandis que Max Myers
disparaissait à l'angle à l'autre bout du couloir.

Puis il s'est retourné, en silence, car il estimait que la
moitié du châtiment ici tenait à sa façon rapide et furtive
d'apparaître et de disparaître, à sa promptitude à tordre le nerf
dès qu'il était mis à nu, à sa capacité à braquer la lumière de la
vérité sur ces tristes victimes pour les aider à voir la laideur
brute et sanglante de leur propre cœur sombre et torturé.

Il a de nouveau souri.

Mon temps viendrait, et M. West – avec sa chemise plus
blanche qu'un ange et ses chaussures noires aussi brillantes
que du verre – serait là pour mon dernier voyage.

Dans un sens, j'aurais voulu lui parler, lui dire comment
tout s'était passé. Même si je savais qu'il n'aurait pas

écouté. Néanmoins, une petite partie de moi voulait être comprise, par n'importe qui, je crois. Je voulais qu'il sache qu'entre ces murs résidait un être humain, une *vraie personne*, pas simplement un nom, un visage, un numéro. Je voulais qu'il sache que derrière ces yeux il y avait des souvenirs, que chacun d'entre eux était un fil, et que si on tirait sur ce fil un monde entier se déroulerait derrière. Je voulais lui parler de Jack et d'Eve Chantry, des événements de ce Noël, de choses que j'avais dites et faites qui auraient peut-être pu rétablir l'équilibre de mon humanité à ses yeux. Mais le problème n'a jamais été mon humanité. C'était la sienne. Il n'en avait pas, et n'aurait pas compris de toute manière.

Je le regardais aller et venir, ses mouvements calmes, ses pensées sombres, et je voyais le nuage de haine qui l'enveloppait constamment comme un manteau. Je détournais les yeux, je les fermais peut-être, et ce faisant j'attaquais une autre ligne, un autre chapitre de mes pensées.

Elles étaient tout ce qui me restait, et en tant que telles, elles étaient ce que j'avais de plus précieux.

Je songeais à Nathan, au fait qu'il n'était pas rentré de Chicago avant la deuxième semaine de janvier.

On était en 1966, j'aurais bientôt vingt ans, et l'âge adulte, ses menaces et ses promesses, approchait avec plus de vigueur et de ténacité à chaque jour qui passait.

Le troisième cousin était mort. Ils avaient appris la nouvelle le 2 janvier, et les Verney étaient restés une semaine supplémentaire pour réceptionner le corps et l'enterrer.

Nathan avait changé. Ça m'a frappé dès l'instant où je l'ai vu au bout de mon allée, mains dans les poches, tête baissée, comme hésitant.

Enfants, nous aurions crié et couru l'un vers l'autre. Nous aurions discuté à n'en plus finir, chacun interrompant l'autre jusqu'à ce que nous soyons épuisés à force de rire.

Mais ce jour de janvier, l'ambiance était celle d'un enterrement. Et pas un enterrement à la manière des méthodistes noirs, mais un silencieux mélodrame blanc de banlieue, adouci par l'aspirine et le whiskey.

Nous avons passé un peu de temps au lac, mais il faisait froid, et nous n'avions pas grand-chose à dire. Je me rappelle lui avoir demandé s'il avait pensé à la guerre, à son avis d'incorporation, et il s'est contenté de hausser les épaules. Il n'a rien répondu. Il en avait déjà sa claque de la guerre.

Quand nous sommes repartis, Nathan m'a raccompagné jusqu'au bout de mon allée, puis, alors qu'il était sur le point de tourner, il m'a étreint comme le frère que j'étais, et avant de me lâcher, il m'a regardé dans les yeux et a dit : « On va s'en sortir ensemble, Danny. »

Les mêmes mots que ceux que j'avais prononcés après notre fuite de chez Benny's, quand Nathan avait mis Marty Hooper à terre.

Marty Hooper était mort, de même que Larry James et les autres garçons de Myrtle Beach. Leurs corps étaient probablement encore là-bas, enterrés sous la boue ou la végétation calcinée, ou éparpillés en cent morceaux sur un champ saturé d'eau sous de grands arbres et des cieux azur et dégagés.

Tandis que nous étions ici, Nathan Verney et moi, et que la menace de cet autre monde se rapprochait à chaque battement de cœur.

J'ai alors pensé à Jack Chantry, à sa certitude qu'après la mort de sa fille il n'en avait plus pour longtemps. Il avait cru que c'était lui qui aurait dû mourir à sa place.

En allait-il de même pour nous ?

Aurions-nous dû nous lever devant le sergent Mike et prêter serment d'allégeance au drapeau, à la Constitution, au mode de vie américain ?

Aurions-nous dû aller là-bas, équipés de ces tablettes combustibles, de Kool-Aid et de rations C, de ces casques d'acier avec une doublure et un revêtement de camouflage, de ces compresses, de ces brosses en acier, de cette huile à pistolet et de ces grenades à fragmentation, emportant nos propres chewing-gums et nos dés ? Aurions-nous dû aller là-bas portant le poids de nos cœurs brisés et de notre peur ?

Était-ce ce que nous aurions dû faire ?

Et devrions-nous maintenant être morts à Da Nang, ou à Ky Lam, ou à Saigon ?

La guerre, bien qu'à un million de kilomètres, semblait se dérouler juste là, de l'autre côté de la frontière de l'État. Mais c'étaient les frontières intérieures qui comptaient, et à chaque révolution de la Terre je sentais l'invasion arriver.

Pour la première fois de ma vie, j'éprouvais une *véritable* peur.

Et ça, en plus de tout ce que nous avions partagé depuis notre rencontre au bord du lac Marion, Nathan Verney le partageait avec moi.

En mars 1966, j'ai pris un emploi à mi-temps dans le magasin de radios de Karl Winterson. Ce n'était pas tant que nous avions besoin de cet argent – la pension de la société des chemins de fer de Caroline du Sud continuait de tomber mois après mois –, mais je voulais quelque chose pour occuper mon temps. Peu importait quoi, n'importe quel job aurait fait l'affaire, simplement c'était l'occasion d'écouter tous les disques que je n'aurais pas entendus chez moi.

Nathan venait me voir quand M. Winterson était sorti, et ensemble nous trouvions de petites stations de radio qui émettaient depuis Memphis ou La Nouvelle-Orléans. La réception était affreuse, mais nous entendions néanmoins des gens comme Howlin' Wolf et Sonny Boy Williamson. Il y avait tout un tas de musiques géniales, et le fait que nous vivions dans un petit bled de Caroline du Sud ne signifiait pas que nous devions passer à côté.

Ces moments passés ensemble ont été parmi ceux où nous avons été le plus proches, car des heures s'écoulaient sans qu'une âme vienne troubler l'atmosphère à l'intérieur de la boutique. Ce qui me poussait parfois à me demander comment M. Winterson gagnait sa vie. Avec les larges vitrines et la porte ouverte, le soleil qui cognait sur le trottoir comme un beau-père tyrannique, Nathan et moi nous prélassions sur nos chaises et partagions les silences entre les chansons. Parfois nous discutions – de la direction que nous prenions, de nos rêves, et d'autres choses encore –, mais la plupart du temps nous parlions de sujets sans la moindre importance. Nathan inventait des histoires, son imagination débordait de l'espace délimité par les murs, et je m'émerveillais de la quantité d'idées qu'il pouvait y avoir dans une seule tête.

« En fait, la plupart des gens sont des extraterrestres, m'a-t-il dit un jour. La plupart des gens que nous connaissons sont des extraterrestres. »

Il a marqué une pause et m'a regardé avec une expression assurée, presque indignée, parfaitement crédible.

« Ta mère est une extraterrestre, a-t-il poursuivi. Elle vient d'Arcturus 7, une petite étoile satellite qui tourne en orbite autour de Jupiter... et elle a deux peaux. Elle enlève sa peau externe la nuit, et à l'intérieur elle est toute gluante. Un de ces jours, quand tu t'y attendras le moins, elle se glissera dans ta chambre pendant ton sommeil et elle t'arrachera le kiki avec les dents.

— Ferme ta gueule, Nathan. »

Son expression n'a pas changé.

« Je te jure que c'est la vérité... et Eve Chantry est pareille, tu sais ?

— T'es cinglé. T'as complètement perdu la boule. »

Nathan a acquiescé. Il m'a regardé comme un professeur condescendant.

« Alors, dis-moi, a-t-il repris, comment ça se fait, si ta mère n'est pas une extraterrestre, que tes deux yeux puissent regarder de deux côtés différents ? »

J'ai froncé les sourcils.

« Ils ne peuvent pas.

— Ouais, c'est ça, a fait Nathan d'un air sarcastique. Tu veux savoir comment les gens t'appellent dans ton dos ? »

Je l'ai regardé d'un air interrogateur.

«Tête d'insecte.

— Qu'est-ce que tu me chantes?

— Tête d'insecte... c'est comme ça que les gens t'appellent dans ton dos.

— Conneries.

— Va chercher un miroir... va chercher un miroir et vois ce qui se passe quand tu regardes quelque chose. Ton œil droit va d'un côté, et ton œil gauche de l'autre.

— C'est vraiment que des conneries. »

Nathan a haussé les épaules.

«Comme tu veux... tête d'insecte. »

Alors, évidemment, je suis allé chercher un miroir, et je jure que je l'ai fixé pendant cinq bonnes minutes. J'ai seulement arrêté quand j'ai aperçu le reflet de Nathan derrière moi. Il riait comme une baleine, se tenait même l'entrejambe comme s'il allait pisser dans son froc, là, sur le lino à carreaux de Karl Winterson.

Quand il s'est arrêté de rire, il m'a dit que j'étais bête comme un âne, que j'avais vraiment cru que ma mère était une extraterrestre.

«Mon cul, ai-je rétorqué, sur la défensive.

— Alors, pourquoi t'es allé chercher le miroir? »

Je l'ai regardé.

«Connard, ai-je dit.

— Tête d'insecte », a-t-il répliqué, et il s'est remis à rigoler.

De telles conversations étaient trop nombreuses pour que je me souvienne de toutes. Des échanges stupides, absurdes, mais qui sembleraient importants par la suite. Nous étions ainsi, Nathan Verney et moi, avant que le monde réel ne se rappelle à nous.

C'est au cours d'une de ces journées de juin que nous avons appris pour James Meredith, lors d'un flash spécial diffusé par KLMU, la station d'Augusta que j'écoutais quand mon père m'avait annoncé que JFK avait été assassiné. James Meredith était le premier étudiant noir à s'être s'inscrit à l'université du Mississippi en 1962, et tout ce que nous savions était qu'on lui avait tiré dans le dos et les jambes lors d'une marche quelque part.

Nathan était muet de stupéfaction. Il croyait que les problèmes entre Blancs et Noirs étaient en train de se résoudre, d'ailleurs les choses étaient plus calmes depuis un moment. Mais, de toute évidence, la situation était toujours aussi explosive qu'avant ; nous n'y avions juste pas prêté attention.

Contrairement à ce à quoi je m'attendais, il n'a rien dit. Il est rentré chez lui, est allé voir son père, et je ne l'ai pas revu pendant deux ou trois jours.

J'avais l'impression que plus l'été s'écoulait, moins nous passions de temps ensemble, et même si je n'ai jamais eu le sentiment que nous perdions le contact, je me disais que les sujets sur lesquels nous partagions un même point de vue diminuaient en nombre.

Je me sentais perdu, attendant la lettre qui m'annoncerait que ma présence était exigée dans quelque camp d'entraînement du Sud, tout en priant pour que la guerre s'achève avant que celle-ci arrive. C'était comme si l'attente était devenue mon quotidien ces temps-ci, comme si tous ceux d'entre nous qui ne s'étaient pas portés volontaires dans cette tente avec le poulet frit et la salade de pommes de terre ne pouvaient que rester silencieux en attendant que ça passe. Il était inutile de faire des projets. Absolument inutile. Qu'auraient signifié des projets tant que nous ne savions pas si nous serions appelés ? Autrefois, j'avais songé à l'université, à apprendre un métier, quelque chose du genre, mais la guerre avait tout changé. Ma mère le savait, et elle me fichait la paix. Elle était heureuse que je fasse quelque chose de mon temps au lieu de rester dans ma chambre à lire des bandes dessinées en essayant de cacher le fait que je fumais des Lucky Strike.

À la fin du mois de juin, nous avons commencé à bombarder Hanoï. Je dis « nous », même si j'avais le sentiment que le bombardement d'Hanoï n'était pas mon affaire. Je n'avais aucun désir de bombarder qui que ce soit. J'étais toujours naïf, et j'espérais que les responsables croyaient au moins du fond du cœur qu'un tel acte était nécessaire. Nous ne savions rien des atrocités qui étaient perpétrées là-bas, et nous n'en saurions rien avant encore quelque temps.

J'ai travaillé tout l'été dans le magasin de radios, et même si je voyais Nathan moins que je ne l'aurais aimé, nous étions toujours sur la même longueur d'onde. Nous ne parlions jamais directement de la conscription, le faire aurait été lui accorder de l'importance, mais nous évoquions la « chose », et notre réaction si la « chose » arrivait, si nous descendions un matin à moitié endormis et trouvions la convocation.

Ainsi s'est écoulée 1966, année durant laquelle j'ai eu plus de temps et j'ai accompli moins de choses que durant toutes les précédentes. C'est du moins l'impression que j'avais. Peut-être était-ce simplement que je n'avais plus le sentiment d'être un enfant, changement dont je croyais qu'il surviendrait à seize ou dix-sept ans. Mais je m'étais trompé. Le fragment d'enfant en moi est resté bien vivant jusqu'à ce que Noël soit passé et que commence 1967. Je crois que je me suis accroché à cet enfant, à l'innocence émerveillée, à la foi en l'humanité, à la certitude que les gens étaient fondamentalement bien intentionnés, et qu'au bout du compte ils opteraient toujours pour le bien, la justice et l'équité.

En février, j'ai appris que ce n'était pas le cas.

Sa façon d'être et de parler indiquait clairement qu'Eve Chantry n'allait pas bien. Elle sortait de sa maison de moins en moins souvent, et j'avais parfois l'impression d'être son dernier lien avec le monde. J'allais la voir deux ou trois fois par semaine, et la plupart du temps je la trouvais alitée au beau milieu de l'après-midi. J'avais pris l'habitude d'entrer sans frapper, et un mercredi après-midi, au milieu du mois, je suis arrivé comme à l'accoutumée. J'avais apporté du lait frais, des œufs, des pancakes que ma mère avait préparés. J'ai trouvé Eve endormie, son plateau-repas de la veille toujours intact sur son lit. J'en savais assez pour comprendre que tant qu'elle continuait de manger régulièrement, tout irait bien. Mais à partir de cet instant, la sonnette d'alarme a commencé à retentir dans ma tête.

Elle s'est réveillée sans problème, mais alors même qu'elle reprenait lentement conscience, j'ai deviné que quelque chose clochait. Son visage semblait différent, elle butait sur les mots, et j'ai reconnu les signes d'une attaque, que j'avais déjà vus chez mon père.

J'ai insisté pour qu'elle voie un médecin, et après de nombreuses protestations elle a cédé. C'était une femme fière, une combattante tenace et férocement indépendante, et l'éventualité de ne plus pouvoir se débrouiller seule était peut-être plus néfaste que toute autre menace.

Le Dr Backermann est venu sans hésitation. Il a examiné, questionné, testé, griffonné d'abondantes notes dans un petit carnet crasseux, puis il m'a pris à l'écart et m'a scruté d'un air légèrement soupçonneux par-dessus ses demi-lunes à bordure dorée.

« Vous n'êtes pas un parent, Daniel Ford, a-t-il déclaré avec autorité, comme si c'était une révélation malheureuse et brutale.

— Non, monsieur.

— Alors, je ne comprends pas ce que vous faites ici. »

J'ai souri, comme si je faisais plaisir à un enfant.

« Eve... Mme Chantry et moi sommes amis.

— Amis ?

— Oui. Je viens la voir deux ou trois fois par semaine, je lui apporte à manger, je lui tiens compagnie.

— Hum », a grogné Backermann d'un ton toujours aussi soupçonneux.

Il m'a une fois de plus regardé d'un air inquisiteur par-dessus ses lunettes.

« Vous comprenez que je ne peux rien vous dire de son état », a-t-il dit sèchement.

J'ai acquiescé.

« Mais elle va s'en sortir ? »

Je me suis entendu poser cette question, et j'y ai perçu un espoir forcé. On aurait dit une supplication.

« S'en sortir ? s'est interrogé Backermann, presque à part lui. Elle a eu une attaque, un peu comme votre père... »

Backermann m'a regardé pour voir si je réagissais. La dernière chose qu'il voulait, c'était se retrouver avec un gamin trop émotif sur les bras.

« C'est comme ça avec les attaques, a-t-il poursuivi. Vous avez un corps qui est usé, c'est le point de départ, et quand le corps commence à s'user, vous ne pouvez pas faire grand-chose. Parfois, les choses s'améliorent toutes seules de manière significative, et parfois non.

— Et l'hôpital ? ai-je demandé.

— L'hôpital ? a répété Backermann en écho. Il y a des endroits où on peut envoyer les personnes dans son état, des endroits où des spécialistes dans ce domaine s'efforcent d'améliorer leur état, mais ça coûte cher, et malheureusement Eve Chantry n'a jamais eu la présence d'esprit de souscrire une assurance maladie.

— Alors, vous n'allez rien faire ? ai-je insisté, confus.

— Rien faire ? Et qu'est-ce que vous voudriez que je fasse ? »

J'ai froncé les sourcils, haussé les épaules.

« Je ne sais pas, c'est vous le médecin. »

Backermann a esquissé un sourire méprisant.

« Le monde est régi par l'argent, monsieur Ford, a-t-il déclaré d'un ton condescendant. Si vous pouvez trouver quelque chose comme dix ou vingt mille dollars, je serai plus qu'heureux d'envoyer Eve Chantry à l'hôpital d'État de Charleston et de leur demander de s'occuper d'elle dès demain. »

Je suis resté immobile et silencieux.

Backermann semblait attendre que je dise quelque chose.

Ma tête était vide.

Il a soupiré avec un brin d'impatience, puis a marché jusqu'au haut de l'escalier.

« Je repasserai la voir, monsieur Ford, a-t-il dit. Quand je serai dans les parages, je repasserai la voir. S'il arrive quelque chose, vous pouvez m'appeler, moi ou mon assistant. À part ça, il faut qu'elle se repose, qu'elle absorbe beaucoup de fluides, qu'elle mange des protéines... »

Il commençait déjà à descendre les marches.

Il n'y avait pas d'argent ici, il avait fait son travail ; tout le reste n'était que platitudes.

Je suis resté planté là un moment. J'ai alors perçu le vide absolu de la maison. Sa taille m'a fait me sentir tout petit, incroyablement insignifiant, et quand j'ai traversé le palier et pénétré dans la chambre d'Eve, je me suis aperçu qu'elle aussi semblait minuscule sous sa couverture.

Elle m'a accueilli par un « Je vais mourir, tu sais ? »

Je me suis assis au bord du lit et lui ai pris la main.

Elle a souri. La raideur du côté droit de son visage semblait s'être un peu atténuée, mais il demeurait évident que l'attaque avait fait son œuvre.

« Tu ne peux pas t'attendre à ce que je sois autre chose que le papillon de nuit qui s'approche de la bougie, a-t-elle ajouté.

— Le quoi ? ai-je demandé en fronçant les sourcils.

— Le papillon de nuit qui s'approche de la bougie. »

J'avais bien entendu.

J'ai secoué la tête.

Eve Chantry s'est servie de ma main pour se redresser et s'asseoir.

« Il y a la vision biologique de la vie, et puis il y a tout le reste, a-t-elle commencé. Le papillon est fier d'être si coloré et gracieux, de déployer ses ailes au soleil. Le papillon de nuit, en revanche, son parent le plus proche, est une créature nocturne. Il n'a pas la beauté du papillon, mais il ne le voit pas... et surtout, les gens ne le voient pas parce que c'est un animal essentiellement nocturne. Et les papillons de nuit sont attirés par la lumière car ils veulent être vus, ils veulent que leur propre beauté magique soit reconnue. »

Eve Chantry a serré ma main et souri.

« Laisse une bougie sur la véranda le soir et regarde-les venir. Un biologiste te dira que la raison pour laquelle les papillons de nuit tournent en cercle autour de la flamme est qu'ils sont naturellement attirés par la lumière, que l'aile la plus proche de la source de lumière fera des mouvements plus courts afin de décrire un cercle de plus en plus petit. »

Elle a secoué la tête.

« Mais c'est faux. Ils voient la beauté de leurs ailes à la lumière, et ils veulent l'accentuer, en espérant que toutes les personnes présentes la verront, ils s'approchent de plus en plus afin de l'illuminer toujours plus. La chaleur est le prix à payer pour être un papillon. Ils gagnent en vitesse, le cercle rétrécit, et soudain, alors qu'ils ne s'y attendent pas, à la dernière fraction de seconde, au dernier battement de cette aile fragile, ils prennent feu... et psshht! Le corps en flammes, jaune vif, rouge et bleu... le papillon de nuit devient enfin un papillon. »

Eve a hoché la tête.

« C'est ça la vie du papillon de nuit. »

J'ai souri, serré sa main. Je ne comprenais pas le sens de tout ça.

« Et la raison pour laquelle je te dis ça, Daniel Ford, a-t-elle repris, interrompant mes questions à demi formées, c'est que je suis une vieille femme, et que je vais bientôt mourir, et que ni toi ni moi ne pouvons rien changer au fait que je suis une vieille femme sur le point de mourir. »

Elle a regardé un moment en direction de la fenêtre.

« Les gens changent, évidemment, a-t-elle poursuivi. Les gens changent un petit peu chaque jour, et parfois on rencontre quelqu'un dans la rue qui est complètement différent de la personne dont on se souvenait... mais bon, parfois c'est nous qui avons changé, et l'autre est resté exactement le même, mais on le voit désormais avec un point de vue différent... »

Eve a marqué une pause comme pour reprendre un peu son souffle.

« La vérité est ce qu'elle est, tu es ce que tu es, et même si ton point de vue peut changer, même si tu as peut-être une perspective nouvelle sur quelque chose, ton cœur, et ce en quoi tu crois, et qui tu es au fond de toi seront toujours toi... et tu dois écouter ce cœur, tu dois croire que ce que tu fais est juste, et qu'importe ce que peuvent dire, penser ou faire les autres, tu dois avoir foi dans tes décisions. »

Elle est restée silencieuse une minute ou deux.

La fenêtre était légèrement entrouverte. La brise qui se rafraîchissait soulevait le rideau et l'agitait à l'intérieur de la pièce comme une voile.

Toutes voiles dehors, ai-je songé. Elle vogue toutes voiles dehors vers sa mort. Mais je n'ai rien dit. Je suis resté silencieux, immobile.

Je sentais mon cœur battre.

« Alors, quand ça arrive, a-t-elle murmuré, souviens-toi que c'est ton choix, et ta foi, et ton cœur que tu écoutes. Si tu ne veux pas aller à la guerre, alors n'y va pas… mais toi seul, *toi seul* peux le décider. Tu m'entends ? »

J'ai acquiescé ; je l'entendais.

Même alors, même après avoir subi une attaque, elle demeurait la personne la plus perspicace et la plus directe que j'avais jamais connue.

Elle savait ce qui me préoccupait. Elle lisait dans mes pensées, mon cœur, mon âme, et elle savait aussi qu'au moins la moitié de ma décision dépendrait de Nathan Verney.

Mais elle me disait de décider seul.

Et je me suis demandé si j'avais déjà vraiment décidé quoi que ce soit seul.

« Et donc, à un moment, je me tournerai vers la bougie, je m'approcherai, et dans une ultime explosion lumineuse je disparaîtrai, a-t-elle chuchoté. Et toi, Daniel Ford… tu devras me laisser partir. »

Je me suis tourné vers la fenêtre. Je ne voulais pas voir ses yeux.

« Là-bas, a-t-elle dit en désignant une commode contre le mur. Le tiroir en bas à droite. Ouvre-le. »

Je me suis levé, j'ai traversé la chambre, j'ai ouvert le tiroir. Parmi des draps et des taies d'oreiller minutieusement pliés se trouvait une boîte en bois carrée.

« Sors-le », a-t-elle dit.

J'ai soulevé la boîte, et en la retournant, je me suis aperçu que ce n'était pas une boîte, mais un petit cadre en bois.

Derrière le verre, il y avait un papillon de nuit parfaitement préservé. L'empan de ses ailes ne dépassait pas les six ou sept centimètres, mais sur ces ailes toutes les nuances de doré, de brun, de roux et de Sienne avaient été capturées.

« C'est Jack qui a fait ça pour notre fille, a expliqué Eve Chantry. Et tu vas l'emporter avec toi aujourd'hui. »

Je l'ai regardée.

Elle a levé la main, un doigt tendu.

« Pas un mot, a-t-elle soufflé. Pas un mot, Daniel Ford. »

J'ai acquiescé.

Il n'y aurait pas de dispute aujourd'hui.

Ni aucun autre jour.

Car une semaine plus tard, Eve Chantry était morte.

Elle n'avait laissé aucun testament, aucune famille ne pouvait être retrouvée, et un homme gris avec de profondes ombres sous les yeux est alors apparu. Il a expliqué qu'il représentait la banque Carolina & North Eastern United Trust and Savings, que Mme Chantry devait plus de mille dollars pour la maison, que celle-ci serait donc saisie par la banque, vendue aux enchères, qu'ils recouvreraient leurs pertes et que le reliquat serait versé à un établissement nommé le Fonds communautaire.

L'homme gris aux ombres profondes ne semblait aucunement se soucier de l'organisation des funérailles et des dépenses afférentes. Il était là pour récupérer son dû, et c'était bien ce qu'il comptait faire.

Eve Chantry a donc été enterrée après une cérémonie toute simple dans l'église du révérend Verney. Elle n'a cependant pas été enterrée dans le cimetière du révérend Verney, mais dans une section blanche, anonyme et isolée, près du mur qui séparait le cimetière de l'extrémité de Nine Mile Road.

Avec l'argent que j'avais gagné pendant l'été, j'ai acheté une stèle.

Elle était en marbre blanc tout simple, et portait pour toute inscription :

Eve Chantry.

Mère.

Épouse.

Amie.

Repose en paix.

Ma mère a assisté au service et à l'enterrement. Elle était assez compréhensive pour savoir pourquoi j'avais dépensé mon argent de la sorte, et elle n'a pas posé de questions ni protesté. C'était ma façon de rendre ce qu'on m'avait donné, et elle respectait ce choix.

En perdant Eve Chantry, je perdais une bouée, un point d'ancrage à une réalité plus réelle que celle dans laquelle je vivais, et j'éprouvais un déchirement plus grand que celui que j'avais ressenti à la mort de mon père.

Je me rappellerais 1967, car ça a été le grand tournant.

Le cercle avait rétréci, me rapprochant toujours plus de la flamme.

J'ai accroché le papillon de nuit à un petit clou au-dessus de mon lit. C'était la dernière chose que je voyais avant de m'endormir, la première à mon réveil.

C'était un moyen de me rappeler que je devais être fidèle à moi-même, croire à ce en quoi je croyais, et ne jamais me compromettre.

Ce qui s'avérerait la plus dure de toutes les leçons.

10

Ça a été un hiver rigoureux. Des gens qui avaient vécu deux ou trois fois plus longtemps que moi en parlaient comme du pire qu'ils avaient connu. La neige s'amoncelait à deux mètres cinquante ou trois mètres de haut, les voitures étaient ensevelies, et en février une vache a été retrouvée gelée sur ses pattes contre une clôture. Ben Tyler et Quinn Stowell ont attaché une corde autour de son cou pour essayer de la tirer avec un GMC Jimmy, mais la tête de la vache s'est cassée comme une branche. C'est dire s'il faisait froid. Vraiment froid.

Je passais l'essentiel de mon temps à l'intérieur, soit à la maison, soit au magasin de radios. Le courrier arrivait parfois, mais la plupart du temps il avait jusqu'à une semaine de retard. Je n'étais pas sûr que ce soit une bonne ou une mauvaise chose, car l'idée de ma convocation militaire reposant au fond d'un sac quelque part du côté de Myrtle Beach sans que je sois au courant me rongeait sans cesse. Je discutais avec Nathan, et chaque conversation semblait abrupte, comme si chaque mot était forcé et non naturel. Nous comprenions ce que ça signifierait quand ces convocations arriveraient, que nous serions alors coincés, pris entre la peste et le choléra, et même si l'idée de partir me hantait comme une ombre permanente, je ne pouvais pas me résoudre à le dire. Nathan pensait la même chose. Je le voyais dans ses yeux, et la peur que cela déclenchait dépassait de loin celle que nous avions éprouvée mille ans auparavant chez Benny's. Ça n'avait rien à voir avec la race, ou la couleur, ou la religion, c'était une question de vie ou de mort. Parfois, je faisais comme si cette convocation n'arriverait jamais, mais ce n'était qu'un faux-semblant.

La maison d'Eve Chantry est restée vide, l'essentiel de la partie arrière ensevelie sous les amas de neige, et ce n'est qu'au printemps que l'homme gris avec les ombres profondes sous les yeux est revenu pour installer des pancartes et distribuer des prospectus en vue de l'enchère.

Si j'avais eu assez d'argent, j'aurais acheté cette maison. Juste pour la façon dont la lumière s'engouffrait par les fenêtres du premier étage. Juste pour son odeur. Juste parce qu'elle lui avait appartenu.

L'hiver, en dépit de lui-même, en dépit de la ténacité avec laquelle il avait tenu le monde dans sa poigne glaciale, a fini par nous libérer pour que nous puissions profiter calmement d'une nouvelle saison. Les fontes printanières ont inondé les champs, et les petits enfants, aussi bien noirs que blancs, faisaient des glissades dans la boue, usant aussi bien leurs vêtements que la patience de leurs parents, jusqu'à ce que la couleur dans laquelle ils étaient arrivés ne soit plus qu'un gris-brun uniforme. Ce n'était qu'à la longueur de leurs cheveux qu'on pouvait dire qui était blanc et qui ne l'était pas. Depuis l'endroit où je les observais derrière la vitrine du magasin de radios, je voyais la vie renaître. C'était comme un nouveau commencement, mais étrangement je savais que notre heure arrivait, et que cette heure ne serait pas un nouveau commencement, mais une fin.

En mai, le boxeur Mohamed Ali a été inculpé pour avoir refusé d'aller à l'armée. C'était un signe. Il était noir. Il était célèbre. Mais ils pouvaient toujours lui botter le cul.

Nathan Verney est venu me voir ce jour-là, et c'est alors que je lui ai raconté pour Eve Chantry. Je lui ai montré le papillon de nuit, et, comme pour valider ma décision de le mettre dans ma confidence, et celle de faire de lui mon frère de sang, il a été à la fois enchanté et exalté.

« Elle avait raison, tu sais », a-t-il déclaré ensuite.

Je l'ai regardé.

« À propos du fait que tu es le seul à pouvoir prendre ta décision. »

J'ai acquiescé.

« Moi, j'ai pris la mienne », a-t-il doucement ajouté.

Je n'ai pas relevé les yeux. Je ne voulais pas qu'il me la dise. Je voulais que ma décision soit uniquement la mienne, et entendre la sienne m'aurait influencé.

« Je ne vais pas y aller, a-t-il dit. J'ai décidé que quoi qu'il arrive je n'irais pas au Vietnam. »

Sa voix était si claire et autoritaire qu'il était impossible de se méprendre sur ses intentions.

« Ce n'est pas de la lâcheté, a-t-il poursuivi (une phrase que j'entendrais de la bouche de tous les déserteurs que je rencontrerais), c'est une question de principe. Ce n'est pas ma guerre. Je ne veux pas tuer des gens. Je ne connais même pas un seul Vietnamien... je ne connais même pas un seul communiste, d'ailleurs... alors pourquoi j'irais les tuer ? Qu'est-ce qu'ils m'ont fait ?

— Ils ont tué tes cousins », ai-je répondu.

Nathan est resté un moment silencieux, puis :

« Certes, ils se sont fait tuer, mais ils ne se seraient pas fait tuer s'ils n'y étaient pas allés, pas vrai ?

— Et si tout le monde refusait d'y aller, alors personne ne mourrait, et il n'y aurait jamais eu de guerre pour commencer... et alors il y aurait des communistes partout. »

Nathan a secoué la tête.

« Tu crois vraiment ça ? »

J'ai souri.

« Non, je ne le crois pas.

— Alors à ton avis, pourquoi il y a la guerre ?

— J'ai entendu dire que quelqu'un avait parié un dollar avec Johnson qu'on gagnerait. »

Nathan a éclaté de rire.

« Je ne sais pas, Nathan, je ne sais vraiment pas. Et je n'ai pas besoin de savoir pourquoi tu as décidé de ne pas y aller, mais j'aurais préféré que tu ne me le dises pas.

— Pourquoi ? a-t-il demandé en fronçant les sourcils.

— Parce que je dois prendre ma propre décision et je ne veux pas être influencé par qui que ce soit.

— Alors tu es passé complètement à côté de ce qu'Eve Chantry t'a dit », a-t-il déclaré avec un sourire.

Je l'ai regardé d'un air interrogateur.

« L'idée, Danno, c'est que tu dois être fidèle à ce que tu penses, sans te soucier de ce que disent les autres, que tu saches ou non ce qu'ils vont dire. »

J'ai secoué la tête.

« Mais… »

Nathan a levé la main pour m'interrompre.

« Mais rien, Danny. Tu penses ce que tu veux, tout le monde pense ce qu'il veut, et tu fais ce que tu as à faire sans te soucier des autres. »

Je n'ai pas répondu.

Il avait raison.

La plupart du temps, Nathan avait raison. Son père était pasteur, et parfois je me disais qu'il avait Dieu à ses côtés.

Nous n'avons plus abordé ce sujet ce jour-là, ni la semaine suivante, ni celle d'après. À vrai dire, je ne me rappelle pas en avoir reparlé avec lui avant bien plus tard, et alors les mots pesaient aussi lourd que la vie des gamins de dix-neuf ans qui allaient au Vietnam.

Nathan avait son transistor avec lui. Il a trouvé KLMU sur le cadran et nous avons écouté Johnny Burnette et Willie Nelson.

L'humeur entre nous a changé, le défi avait disparu, et j'en étais pour ma part reconnaissant. C'était un sujet qui me touchait tant que je ne pensais pas pouvoir être défié et garder ma raison intacte.

Des temps sombres approchaient, je le savais, et pourtant je n'arrivais pas à prendre ma décision. Peut-être croyais-je au fond de moi que la guerre ne ferait que m'effleurer, qu'elle m'oublierait dans sa hâte d'attraper la jeunesse américaine et de la massacrer en masse. Quelqu'un fauchait les enfants, à peine des enfants, et sous le grand arc de sa faux je me baisserais et disparaîtrais l'espace d'un battement de cœur.

Peut-être ce bref instant suffirait-il pour que je sois épargné.

À peu près aussi le temps qu'il fallait pour mourir.

En octobre, la plus grande manifestation contre la guerre de tous les temps a marché sur le Pentagone. Deux cent cinquante personnes ont été arrêtées, parmi lesquelles Norman Mailer. En réponse, le gouvernement a intensifié les bombardements au Vietnam.

Je me rappelle avoir regardé la manifestation à la télé, dans la boutique. Je crois que je n'avais jamais vu de ma vie autant de personnes criant d'une seule et même voix. Quand JFK était mort, nous avions pleuré en tant que peuple, mais ce jour-là nous avons ouvert nos cœurs, levé la voix, brandi nos poings de colère. C'était une libération, une supplication passionnée et désespérée pour que quelqu'un nous écoute, nous comprenne, nous entende. Mais notre cri n'a pas été entendu. Trente-cinq mille recrues supplémentaires ont silencieusement fait la queue sur une passerelle avant de pénétrer dans un avion ou de se sangler dans un hélicoptère, ont vérifié que leur arme était opérationnelle, mâché leur chewing-gum et fermé les yeux pour se rappeler le visage de leur fiancée, prononcé une brève prière à un Dieu dont ils doutaient de l'existence, et baissé une dernière fois les yeux vers le sol américain.

Dans la plupart des cas, ils seraient morts au bout de quelques heures ; les autres auraient droit à une semaine ou deux.

L'année s'est achevée comme elle avait débuté. L'Amérique était comme un poing serré, un cœur crispé, un muscle tordu. Tant de puissance inutile.

Et ça faisait mal.

La fatigue commençait à se voir.

1968 a commencé avec l'inculpation de Benjamin Spock pour son opposition à la conscription. C'était un héros, et même si sa voix était puissante, elle n'était guère plus qu'une porte grinçante dans un ouragan. Vous ne l'entendiez que si vous vous cachiez derrière, et elle ne vous offrait aucune protection.

En février, Richard Milhous Nixon a annoncé qu'il briguerait la présidence. Ce visage, ce geste expressif, tout ce qui deviendrait peut-être plus reconnaissable que chez n'importe quel autre président avant lui n'était pas l'image que nous avions à l'époque.

Il y avait une photo. Elle a été reproduite à la télé, dans les journaux, dans les magazines d'actualité : le général Loan de l'armée du Sud-Vietnam pointant un revolver sur la tête d'un suspect sur une place publique de Saigon. La tête du suspect était inclinée sur la droite, son visage tordu par une grimace de terreur.

Le général Loan avait déclaré : *Bouddha comprendra*.

Certains ont demandé qui était Bouddha ; était-il responsable de la guerre ?

D'autres ont demandé pourquoi le général Loan pensait que Bouddha voulait être mêlé à un tel acte.

D'autres encore ont juste détourné les yeux, écœurés, dégoûtés, incrédules.

Cette photo m'a hanté pendant des jours.

Peut-être est-ce elle qui m'a mené à ma décision.

En mars, Johnson a déclaré qu'il ne se représenterait pas à l'élection présidentielle. Et pour consoler ses partisans, il a envoyé trente-cinq mille soldats supplémentaires au Vietnam.

Robert Kennedy a annoncé qu'il se présenterait. Ça a plus ou moins remonté le moral aux gens. Il ressemblait tellement à son frère défunt.

Tout le monde s'est pris une nouvelle gifle en avril.

Comme Marty Hooper. Boum. À terre.

Martin Luther King avait été assassiné à Memphis.

Le révérend Verney, un homme aussi robuste qu'un séquoia, a ouvertement pleuré dans la rue. Il a étreint sa femme et son fils, et ils ont pleuré avec lui.

Le quartier noir de Greenleaf s'est retrouvé désert. Nous avions appris qu'en de tels moments les divisions et les quartiers n'existaient plus. Nous n'étions manifestement unis qu'en temps de guerre et de chagrin.

Je ne saisissais pas pleinement l'importance de ce qui s'était passé.

Mais je connaissais suffisamment King pour comprendre que tous les progrès accomplis avaient été portés sur ses épaules. Il n'y avait personne pour prendre sa place, personne qui *pouvait* prendre sa place. Je sentais que les Blancs ignorants étaient responsables. Les mêmes Blancs ignorants qui avaient déclenché la guerre.

Quand James Earl Ray a été accusé du meurtre de King, je me suis demandé pourquoi ils utilisaient toujours leurs noms complets. Lee Harvey Oswald. James Earl Ray. John Wilkes Booth. Pourquoi faisaient-ils ça ?

Lorsque Nathan m'a informé qu'ils allaient à Atlanta pour l'enterrement, j'ai su que j'irais avec eux.

Il ne me semblait pas nécessaire de comprendre tous les tenants et les aboutissants pour saisir le message.

Mon frère de sang était noir. Nous étions différents. Bien sûr que nous étions différents, et nous le serions toujours. Mais pas au point de justifier des rues différentes, des bars différents, des emplois, des maisons, des salaires différents. Martin Luther King avait cru en ce qu'il faisait. J'avais foi en lui. J'estimais que je lui devais bien d'aller à Atlanta.

De fait, cent cinquante mille personnes étaient de la même opinion, parmi lesquelles Jacqueline Kennedy et Hubert Humphrey, et quand je suis arrivé à Atlanta à l'arrière du break du révérend Verney – fatigué et rendu nauséeux par les cahots incessants –, j'ai senti qu'une conscience collective était née.

Je n'avais jamais rien vu ni vécu de comparable de ma vie.

Les rues étaient impraticables. J'agrippais la main de Nathan de toutes mes forces, et Nathan s'accrochait à son père comme si c'était notre dernier lien avec la terre ferme. Les gens pleuraient et hurlaient, ils chantaient, ils s'étreignaient, ils s'agenouillaient et priaient, et certains gisaient prostrés sur le trottoir sans se soucier d'être piétinés.

Le bruit, la chaleur et l'agitation mettaient ma patience et mes poumons à l'épreuve, mais j'éprouvais aussi un sentiment tangible de fraternité et d'unité. Je ne me sentais pas menacé, que ce soit par la foule ou par la police, et alors que j'avais supposé être le seul Blanc présent, j'ai été submergé par le nombre de personnes, qu'importait leur couleur. Nous étions juste des hommes, accablés de douleur, indignés.

C'était la seule chose importante.

Jusqu'au moment où j'ai vu Linny Goldbourne.

Nous nous étions arrêtés pour boire un verre dans un petit restaurant du centre-ville d'Atlanta. J'étais faible, déshydraté et épuisé, je dégoulinais de sueur. Comme un prédicateur.

Linny Goldbourne se tenait au comptoir. Ses cheveux étaient longs et sombres, et elle portait un bandeau orné de perles autour du front. Elle avait des anneaux aux oreilles, un lacet en cuir agrémenté d'une pierre autour du cou, et lorsqu'elle s'est tournée vers moi, elle m'a reconnu.

Les images de toutes celles que j'avais aimées de loin en silence ont ressurgi, et quand elle a souri – sincèrement ravie de me voir –, mon cœur a fait un bond.

« Danny ! » a-t-elle crié à travers la salle.

Elle s'est frayé un chemin à travers la foule, écartant grands les bras. Puis quand nous avons été l'un en face de l'autre, elle a passé ces mêmes bras autour de moi et m'a serré fort.

« Ouah ! s'est-elle écriée. Danny Ford ! Bon sang, vieux, qu'est-ce que tu fiches ici ? »

Je me suis retourné et j'ai jeté un coup d'œil en direction de Nathan et du révérend Verney.

Elle a secoué la tête, prenant conscience que la réponse à sa question était évidente.

« Bien sûr », a-t-elle poursuivi, tempérant un moment son enthousiasme.

Je n'avais pas parlé avec Linda Goldbourne depuis la classe de première. Je l'avais vue, bien sûr, cette fille que je croyais réservée à un homme mieux que moi, mais nous n'avions eu aucun contact. Et maintenant, à cet instant, j'avais enfin ce contact.

« Alors, tu vas rentrer à Greenleaf ? a-t-elle demandé.

— Oui, je rentre ce soir avec Nathan. »

J'ai regardé son visage, ses yeux, ses lèvres. Elle était plus belle que jamais.

« Moi aussi. Je ne suis pas rentrée à la maison depuis environ six mois.

— Tu étais où ?

— En Californie, a-t-elle répondu. San Francisco, Haight-Ashbury. Quinze jours à LA. Ici et là, tu sais ? »

Non, je ne savais pas. Je n'étais pas un voyageur. J'avais passé toute ma vie à Greenleaf.

« On devrait prendre contact quand on sera rentrés », a-t-elle ajouté.

C'est elle qui a utilisé ce mot, pas moi. Prendre *contact*.

J'ai acquiescé.

« Oui, ça me ferait vraiment plaisir, Linny. On devrait vraiment le faire. »

Elle a souri, m'a étreint une fois de plus. Elle m'a serré un peu trop longtemps pour qu'il s'agisse simplement de l'excitation due à une rencontre fortuite.

Puis elle s'est écartée, et ce faisant sa joue a effleuré la mienne pendant une fraction de seconde, et j'ai senti alors toute la chaleur du monde dans le contact avec sa peau.

Mon cœur battait à toute allure.

Je sentais mon pouls dans mes tempes.

À cet instant, j'ai cru que toutes les pertes que j'avais connues étaient oubliées. Mon père, Eve Chantry, et même

Caroline Lanafeuille – tous semblaient insignifiants tandis que je serrais Linny Goldbourne contre moi. Je sentais l'odeur de sa peau, la force de sa présence, et tout autour de moi, le vacarme de la foule au milieu de laquelle nous nous tenions s'était tu.

Et soudain, trop rapidement, elle est partie, filant à côté de moi avec sa grâce, sa beauté, le parfum automnal de ses cheveux.

Je l'ai regardée s'éloigner.

Elle ne s'est pas retournée.

Je ne voulais pas qu'elle le fasse.

Mes joues brûlaient comme si j'avais de la fièvre, mais peut-être était-ce plutôt le feu de la passion.

Je m'apercevrais par la suite que malgré la raison qui m'avait poussé à venir à Atlanta, malgré le fait que c'était la première fois que je sortais de l'État de Caroline du Sud, je n'ai plus repensé à Martin Luther King de la journée.

Je pensais à Linny Goldbourne, m'imaginant la sensation de son corps contre le mien dans la fraîcheur de la nuit.

11

Si j'avais su que des années plus tard je rencontrerais le père John Rousseau à Sumter, et qu'il me poserait tant de questions sur cette époque, j'aurais peut-être tenu un journal. Mes souvenirs des mois qui ont suivi l'assassinat de Martin Luther King sont un peu vagues. Tant de choses se sont produites, tant d'incidents importants, qu'il est devenu difficile de les situer dans un contexte précis.

Deux jours après l'enterrement de King à Atlanta, le maire de New York, John Lindsay, était accueilli par des jets de pierres lancées par une foule noire à Harlem. À Detroit, deux agents de police étaient abattus, et dans le Sud, à Tallahassee, un jeune Blanc était brûlé vif. Le même jour, Johnson signait la loi sur les droits civils qui interdisait aux propriétaires de refuser de louer leur logement pour des motifs raciaux. Le deuxième jour du mois de mai, mille personnes participaient à la Marche des pauvres, de Memphis à Washington. Cinq jours plus tard, Robert Kennedy remportait la première primaire en Indiana, et une semaine plus tard la deuxième dans le Nebraska. Au même moment, des pourparlers débutaient à Paris entre Américains et Nord-Vietnamiens, à l'instigation de Johnson, accompagnés d'une promesse de cesser les bombardements sur le Nord-Vietnam au-dessus du ving-tième parallèle.

C'étaient des moments historiques, des événements qu'on continuerait de commenter pendant des années, mais ils se mêlaient les uns aux autres et ne formaient qu'une vague toile de fond comparés à Linny Goldbourne.

Elle est venue me voir deux jours après mon retour d'Atlanta.

Elle m'a trouvé dans le magasin de radios de Karl Winterson. J'étais seul. Karl était à Charleston, et Nathan était allé faire des courses pour sa mère.

Linny Goldbourne avait toujours été une fille spéciale. Sa beauté et son esprit, sa culture et son intelligence n'étaient pas les seules choses qui la plaçaient hors de portée.

Elle était la fille de l'ancien membre du Congrès Richard L. Goldbourne, un ardent sudiste, un mastodonte imposant, une force avec laquelle il fallait compter. L'essentiel des terres à l'est de Greenleaf appartenait aux Goldbourne. Ils les possédaient depuis bien avant la guerre de Sécession, et ces terres étaient synonymes de récoltes, d'esclaves, d'influence et d'argent. Goldbourne, même à soixante-dix ans ou plus, pouvait renverser une opinion d'un hochement de tête ou d'un regard. Il avait été consulté par chaque membre du Congrès, chaque sénateur, chaque représentant de l'État que comptait la Caroline du Sud. Son beau-frère possédait deux des plus grands groupes de presse de l'État, et Goldbourne Automotive était la chaîne de concession de véhicules agricoles et personnels la plus rentable depuis Charleston en Caroline du Sud jusqu'à Montgomery en Alabama.

C'était ça la famille de Linda Goldbourne, son histoire, son héritage, et le 11 mai 1968 elle est entrée dans la boutique de Karl Winterson et m'a demandé si je voulais sortir et faire la fête.

Linda, ou Linny comme nous l'appelions, avait plus de vie en elle que mille de ses contemporains. Elle n'était ni naïve ni irresponsable, ni excessivement enthousiaste ni effrontément hypocrite ; elle ne se donnait pas d'airs, n'avait pas d'affectations, elle était telle qu'elle était, et ouvrait sans honte ni inhibitions la bouche pour dire ce qu'elle pensait. Elle ne vexait ni ne contrariait personne, car ce qu'elle disait comportait suffisamment de vérité pour être aussi rassurant que c'était direct. Elle ne se faisait pas d'ennemis. Qui aurait pu se faire un ennemi de la vie ? Les enfants la recherchaient comme une oasis de bon sens dont ils partageaient la sensibilité. Les personnes de son âge trouvaient son esprit enfantin revigorant et passionné. Les habitants plus âgés de Greenleaf, ma mère comprise, disaient d'elle qu'elle était *un bol d'air frais* et *un rayon de soleil*.

Telle était Linny Goldbourne, et pendant une petite partie de l'été 1968 elle a décidé que j'étais à elle et à elle seule. Peut-être qu'elle était en manque de compagnie, mais je ne me plaignais pas ; je ne remettais pas sa décision en question ; je me réservais le droit de rester neutre dans toutes les discussions concernant ses mobiles ou ses intentions. Elle aimait être vivante, et elle avait décidé que je devais partager ce bref moment de sa vie avec elle. Ce qui me convenait parfaitement.

Le soir du 11 mai 1968, nous sommes sortis ensemble. Nous sommes allés dans un bar de Doyle Street. Elle a commandé de la tequila avec du citron et du sel et m'a montré comment la boire, et pendant que j'avais des haut-le-cœur et vomissais dans le caniveau, elle était agenouillée à côté de moi et me frottait le dos d'un mouvement circulaire à la fois doux et puissant qui semblait être une réprimande autant qu'un geste de réconfort. Puis elle m'a ramené chez moi. Ma mère dormait. Elle m'a aidé à me coucher, m'a déshabillé et m'a roulé sous la couverture. Je me rappelle qu'elle s'est penchée au-dessus de moi, m'a embrassé sur le front, puis est repartie.

J'ai dormi comme une masse.

Et quand elle m'a réveillé quelque sept ou huit heures plus tard, avec ses yeux brillants et lumineux, débordante d'énergie, elle a suggéré que je sorte ma carcasse inutile de mon lit, que je prenne un petit déjeuner, avant d'annoncer que nous irions faire un tour sur la côte.

Elle a préparé des œufs, du jambon, des pancakes, et s'est assise face à moi tandis que je mangeais péniblement.

« Qu'est-ce qui s'est passé entre toi et Caroline ? »

Ça a été la première question qu'elle m'a posée. J'ai failli m'étouffer, ai dû me cogner sur le torse pour reprendre mon souffle.

« Caroline ?

— Oui, Caroline, a-t-elle répété. Vous êtes sortis ensemble pendant un moment, non ? »

J'ai fait un geste affirmatif de la tête.

« Pendant un moment, oui.

— Et après elle est partie, a déclaré Linny d'un ton neutre.

— Oui, elle est partie.

— Parce que tu l'as mise enceinte ? »

Je me suis figé et j'ai regardé Linny en écarquillant de grands yeux, parvenant à peine à en croire mes oreilles.

« J'ai entendu dire que tu l'avais mise enceinte et que son père avait dû lui payer un avortement, et que c'était pour ça qu'elle était partie de façon si soudaine. »

J'ai secoué la tête. Je ne savais pas quoi dire.

« Alors, tu ne l'as pas mise enceinte ? a demandé Linny.

— Je ne l'ai pas mise enceinte.

— OK », a fait Linny.

Et elle a laissé tomber le sujet. Il a disparu de manière aussi brusque et inattendue qu'il était arrivé. Un peu comme Caroline.

« Et tu en as toujours un peu pincé pour moi, n'est-ce pas, Daniel Ford ? »

Ça, ça a été la question suivante. La chose que j'apprendrais très vite sur Linny, c'était qu'elle ne tournait jamais autour du pot ; elle n'était jamais incertaine ni vague. Si elle avait une idée – toujours une grande idée –, elle ouvrait la bouche et cette idée franchissait ses lèvres. Ce n'était pas Linny qui la disait, c'était l'idée qui sortait toute seule. Après un moment, un moment très court, c'est devenu l'une de ses qualités les plus précieuses et les plus attachantes. Avec Linny Goldbourne, vous saviez toujours exactement où vous étiez et pourquoi. Et si vous aviez le moindre doute, vous pouviez être sûr qu'elle vous dirait sans détour ce qu'il en était.

J'ai souri à sa question. Elle ne m'embarrassait pas, ne me mettait pas mal à l'aise. L'honnêteté de Linny était contagieuse, et je me suis retrouvé pris dans cette vague sans réfléchir.

« Oui, ai-je répondu. J'en ai toujours pincé pour toi.

— C'est bien, a-t-elle acquiescé.

— Bien ?

— Évidemment. Je ne voudrais pas sortir avec quelqu'un qui n'en pincerait pas pour moi, pas vrai ? Enfin quoi, est-ce que tu aimerais être vraiment amoureux de quelqu'un tout en sentant vaguement qu'il ne t'aime pas autant que tu l'aimes ? »

J'ai pensé à Caroline. C'était exactement ce que j'avais ressenti.

« Non, je n'aimerais pas ça, ai-je répondu, songeant que c'était la réponse la plus honnête que je pouvais donner.

— Ce qui ne signifie pas que nous sommes amoureux, a poursuivi Linny, encore une fois d'un ton neutre. Mais j'ai le temps, et toi aussi, et merde, on est jeunes, intelligents et bourrés d'hormones, pas vrai ? »

Je me suis mis à rire, et quand j'ai relevé les yeux du petit déjeuner qu'elle m'avait préparé, j'ai vu son sourire radieux et communicatif, ses cheveux qui tombaient autour de son visage, ses yeux brillants, son charme irrésistible.

J'avais envie de l'embrasser.

« Tu peux m'embrasser maintenant, a-t-elle dit.

— Je peux ? ai-je demandé bêtement.

— Bien sûr. Et c'est gratuit et tout. »

Alors, je me suis penché par-dessus la table et l'ai embrassée, un contact bref et insignifiant, et pourtant si important. Imparfait et parfait à la fois. Comme Linny elle-même.

Devant la maison, au bord du trottoir, était garée la Buick Skylark de Linny Goldbourne. D'un bleu profond, intérieur en cuir couleur crème, des kilomètres de chrome étincelant, jantes à rayons, et un paquet de style.

Moins d'une heure après que j'étais sorti de mon inconscience due à la tequila, nous étions en route, Linny parlant continuellement de San Francisco, de « la scène », d'un certain Roky Erickson, des Thirteenth Floor Elevators, de Doug Sahm, du Grateful Dead, de John Cipollina et du Quicksilver Messenger Service. La capote de la voiture était baissée, le soleil était haut et chaud, et le vent faisait danser ses cheveux derrière elle dans une vague effrontée de couleur, de vie et de beauté.

Je parlais peu. Je la regardais. J'ai absorbé son énergie jusqu'à me sentir rassasié, et pourtant elle continuait de déferler – sans bornes, infinie, riche et grisante.

Nous avons roulé vers l'est en direction de l'embouchure de la rivière Santee, puis vers le sud-ouest jusqu'à Port Royal Sound, à la frontière avec la Géorgie, où la rivière Savannah se précipite à la rencontre de l'Atlantique comme si elle était en retard pour leur rendez-vous.

Quand nous sommes arrivés, je ne ressentais plus les effets de la soirée précédente, et si je les avais ressentis, je crois que Linny n'y aurait pas prêté une seconde d'attention. Elle est descendue de voiture et s'est mise à longer la rue en direction de la plage avant même que j'aie le temps de lui demander quels étaient ses projets.

Je l'ai suivie, surfant sur cette vague d'enthousiasme et d'énergie, et je l'ai vue courir devant moi jusqu'au sable exactement comme je l'avais vue courir à l'école.

Mais cette fois, c'était différent.

Cette fois, j'étais là parce qu'*elle* voulait que je sois là.

Plus tard, alors que j'étais assis dans le sable à côté d'elle, elle a méticuleusement roulé un joint d'herbe et l'a allumé. Elle a inhalé, retenu son souffle, puis elle a soudainement expiré.

Elle a tendu le joint vers moi et, délicatement, prudemment, je l'ai saisi.

J'avais peur, mais je ne pouvais pas refuser.

J'avais le sentiment que c'était ma première mise à l'épreuve, la première fois que j'étais confronté à un mode de vie différent.

J'avais l'impression qu'Eve Chantry m'observait.

Elle disait : *Ne le fais pas, Danny, ne le fais pas tant que tu n'as pas pris ta décision. Cette décision doit être à toi et à toi seul. Nathan avait raison. Son père est pasteur et parfois il a Dieu à ses côtés. C'est ce genre de moment qui compte le plus. Ici et maintenant.*

Mais je n'ai pas pris de décision.

C'est le moment qui a décidé pour moi.

J'ai porté le joint à mes lèvres et inhalé.

Au début, j'ai trouvé ça amer, puis en dessous j'ai perçu quelque chose de doux, et même si je m'imaginais déjà suffoquant, toussant, crachant sur Linny, tout s'est bien passé. J'ai inhalé et retenu mon souffle. J'ai attendu un moment et n'ai rien senti. J'ai inhalé une deuxième fois, puis une troisième. Et alors j'ai senti que ça venait, pas tout de suite, mais après quelques instants, ou quelques minutes, je ne sais plus. Mais c'est venu, c'est bel et bien venu, et c'était comme la petite couverture usée qu'on trimballe partout quand on est enfant, comme un jouet préféré, comme la sensation de chaleur et de sécurité qui nous enveloppe quand notre mère nous prend dans ses bras après un cauchemar... la voix de notre père tandis qu'il nous soulève du trottoir avec le genou écorché et la confiance en berne... l'excitation soudaine quand le soleil décline et que les lumières de la fête foraine apparaissent à l'autre bout de la ville... le tourbillon frénétique de la musique quand le manège s'ébranle... et l'odeur du pop-corn, des beignets frais, des bonbons ornés de torsades rouges et blanches...

« Tiens », a dit Linny en me tendant un autre joint.

Il était plus épais que le premier, conique comme une trompette, et quand il se consumait, il produisait des crépitements et des chuintements. La fumée m'emplissait les yeux, la bouche, les narines. J'ai tiré dessus un moment, et quand je le lui ai tendu, elle a secoué la tête.

« J'ai le mien », a-t-elle dit, et elle l'a levé pour me le montrer.

Combien j'en ai fumé, je ne m'en souviens pas, deux, peut-être trois, ou plus. Je ne comptais pas, et Linny non plus. Après un moment, elle s'est levée et éloignée. Elle est revenue un peu plus tard, tenant une bouteille de tequila et deux petits verres qu'elle avait récupérés dans la voiture.

« Prête pour toute éventualité », a-t-elle murmuré en se penchant près de moi.

Elle a rempli les deux verres, m'a poussé à boire cul sec, puis elle nous a servis une deuxième fois, et une troisième.

Elle m'a alors embrassé, puis sa langue s'est retrouvée derrière mon oreille, à l'intérieur, en dessous, et tout ce dont je me souviens, c'est que je riais.

J'avais l'impression que j'allais exploser.

J'avais l'impression que les coutures qui maintenaient mon corps allaient craquer tout à coup et que ce qu'il y avait en moi allait se répandre sur le sable et être emporté par l'Atlantique.

Et alors j'ai eu l'impression que j'étais l'Atlantique, et que la rivière Savannah était en moi, et que Greenleaf et ma mère et le magasin de Karl Winterson étaient dans ma main droite, à mille kilomètres de là... et que la guerre n'était plus mon problème, qu'ils ne me cherchaient pas... non, ils ne me cherchaient pas... ils cherchaient peut-être Nathan Verney, mais pas moi.

Plus tard, bien plus tard, j'ai rouvert les yeux. Le soleil se couchait à l'horizon.

Nous étions tous les deux nus.

Sous nous, il y avait une couverture récupérée dans la voiture de Linny, sa robe et ma chemise nous recouvraient, et sur la gauche, juste à la périphérie de mon champ de vision, je voyais ma chaussure droite qui gisait sur le côté.

Linny a remué mais n'a pas ouvert les yeux. Je sentais le poids de sa poitrine contre mon bras. Comme Caroline Lanafeuille, mais différent. Pas mieux, simplement différent.

Et c'était agréable.

J'ai refermé les yeux. Je ne voulais pas que ce moment prenne fin.

Je n'éprouvais rien. Ni culpabilité, ni douleur, ni regret, ni le moindre chagrin. Ça faisait longtemps que je n'avais rien ressenti, semblait-il, et cette absence, ce vide profond rempli d'écho était agréable.

Linny se sentait bien. Trop bien, peut-être.

Je crois m'être alors rendormi, car quand j'ai rouvert les yeux, il faisait nuit et frais, et tout ce que j'entendais, c'était le bruit de la mer qui se repliait sur le rivage pour la nuit.

Et aussi le souffle de Linny.

Et ces sons, ces échos de l'âme, je m'en souviendrais pour le restant de mes jours.

Ils me semblaient être les plus beaux sons du monde.

Et ils m'appartenaient.

Que nous ayons fumé de l'herbe, bu de la tequila et dormi sur la plage semblait fou. Du moins à mes yeux. J'aurais voulu dire à Linny Goldbourne que ça avait été un moment magique, que tout ça était tellement neuf pour moi que c'en était effrayant, mais quelque chose en elle m'a incité à ne rien dire. Non que je me sente incapable de partager mes pensées et mes sentiments avec elle, mais j'imaginais qu'une telle confidence n'aurait vraiment guère d'importance pour elle. Elle semblait tellement ancrée dans le monde, elle conduisait sa propre voiture, elle fumait de l'herbe. Bon sang, elle avait *apporté* de l'herbe. Alors que je n'aurais même pas su comment m'en procurer si j'en avais voulu.

Alors je n'ai rien dit, et c'était bien comme ça.

La deuxième fois que j'ai ouvert les yeux, j'ai entendu l'autoradio.

Linny n'était plus à côté de moi, elle était dans l'eau et, terriblement conscient de ma nudité, je me suis empressé d'enfiler mon pantalon avant de marcher à sa rencontre.

Linny Goldbourne n'avait pas ce genre d'inhibitions. Elle était nue, et l'eau atteignait à peine le haut de ses cuisses.

Elle est sortie de l'eau et, pendant un instant, alors qu'elle marchait vers moi, j'ai eu l'impression d'être invisible. Pendant un moment horrible, j'ai eu la sensation que j'aurais pu être n'importe qui. Puis elle m'a appelé par mon nom, cette sensation est passée, et j'ai laissé de côté mes doutes et mes incertitudes.

J'étais là parce qu'elle le voulait. Après tout, n'était-elle pas rentrée d'Atlanta et venue me trouver ?

« Tu veux rentrer chez toi ou aller ailleurs ? » a-t-elle demandé.

Je faisais mon possible pour ne regarder que son visage tandis qu'elle s'approchait.

« Comme tu veux », ai-je répondu en haussant les épaules.

Je voulais paraître détendu et nonchalant, mais j'ai eu l'air faible et indécis.

Elle a souri.

« Tu as faim ? »

J'ai acquiescé. Je n'avais pas trop pensé à manger, mais maintenant qu'elle en parlait, j'ai pris conscience que j'avais une faim de loup.

« On va se trouver un homard ou quelque chose », a-t-elle déclaré tandis que nous atteignions la voiture.

Elle s'est penchée par-dessus la portière pour attraper sa robe sur la banquette arrière. J'ai vu l'élégance absolue de ses formes, la façon dont sa poitrine bougeait à peine quand elle s'étirait, la manière dont elle levait les bras pour passer la robe par-dessus sa tête, et à l'instant où son visage a été dissimulé, j'ai baissé les yeux vers son ventre et, plus bas, vers le triangle de couleur qui était si magique et parfait.

J'ai regardé vers l'océan, et quand je me suis de nouveau tourné vers elle, elle me scrutait.

Elle a fait un pas vers moi, a levé les mains et, les plaçant sur mes épaules, m'a attiré à elle.

Puis elle a passé les bras autour de ma taille, j'ai senti le côté de son visage contre mon cou, et elle a levé la tête vers moi et m'a embrassé, sa langue entre mes lèvres, dans ma bouche.

J'avais l'impression qu'elle m'avalait. Qu'elle m'avalait émotionnellement. C'était puissant et enivrant. Une drogue. Je ne pouvais pas faire grand-chose à part me laisser dévorer. Dévorer en silence, avec gratitude.

C'était Linny Goldbourne. Elle ne touchait pas, elle agrippait. Elle ne caressait pas, elle entourait. Elle n'hésitait pas, elle agissait, et elle agissait avec certitude.

Et pourtant, malgré tout ça, elle n'a jamais été autre chose qu'une femme. Nathan, qui un jour apprendrait lui aussi à l'aimer, disait qu'être avec Linda c'était comme être agressé par une reine de beauté.

« Tu es bien », a-t-elle dit tandis que nous nous asseyions côte à côte dans la voiture.

Ce n'était pas une question, plus une affirmation. J'ai perçu à cet instant qu'elle avait senti un léger doute de ma part, quelque chose dans ma façon d'être qui lui disait que je ne me sentais pas sur un pied d'égalité.

« Je suis bien, ai-je approuvé.

— Je sais que tu aimais Caroline, a-t-elle repris, presque dans un murmure. Je vous ai vus deux fois ensemble, et ça se voit toujours. »

J'ai regardé Linny. Il y avait quelque chose dans ses yeux, quelque chose dans son expression qui me disait qu'elle comprenait peut-être mieux ce que je ressentais que moi-même.

« On peut perdre quelqu'un, Danny, perdre quelqu'un sans jamais le perdre vraiment. Tu dois admettre qu'il y a des époques et des endroits que tu ne pourras jamais retrouver... »

La main de Linny s'est refermée sur la mienne.

Sa peau était chaude et douce, comme une pêche d'été.

« Tu gardes tranquillement tes émotions en toi, pour qu'elles ne puissent être réveillées, et quand tu es seul tu peux y réfléchir, les apprécier comme si rien ne s'était passé... mais quand tu n'es *pas* seul, tu dois comprendre qu'il n'y a aucune place pour ces émotions. Tu dois être là où tu es, et être *avec* la personne qui est avec toi... et si tu n'y arrives pas, alors où que tu sois, et quelle que soit la personne qui est avec toi, tu seras toujours seul... »

Elle m'a doucement serré la main.

« Tu comprends ce que je dis ? »

J'ai souri, acquiescé, et je me suis penché vers elle.

Elle a refermé sa main sur ma nuque et appuyé sa joue contre la mienne.

Nous sommes restés longtemps ainsi, jusqu'à ce qu'elle s'écarte légèrement et m'embrasse, pendant une éternité, avant de me relâcher.

« Homard », a-t-elle déclaré, et elle a démarré.

Et nous avons bien mangé du homard. Frais, pêché juste là au large de la baie. Nous étions assis sur des chaises en bois, sur une jetée, avec le bruit de la mer en contrebas. Nous avons bu du vin, rouge et puissant, et nous sommes restés là à discuter, fumant des cigarettes, regardant le monde vaquer à ses occupations sans aucun désir d'y prendre part.

Des bateaux passaient, des chalutiers et des crevettiers, et les visages âpres des marins nous observaient avec un détachement ironique et curieux : des gamins de la ville venus ici pour voir la vraie vie. J'avais toujours eu le sentiment que les gens comme eux avaient plus de vies en une seule journée, en une seule heure, que je n'en aurais en toute une vie.

Mais mon point de vue était en train de changer. J'allais sur mes vingt-deux ans, j'avais perdu mon père, j'avais appris la mort de Kennedy le jour où elle s'était produite, j'étais tombé amoureux de Catherine Lanafeuille, au début de loin, puis de près, et maintenant j'allais perdre la tête et mon cœur pour une fille nommée Linny Goldbourne dont le père était peut-être le troisième ou le quatrième homme le plus important de l'État. J'étais allé à Atlanta pour pleurer Martin Luther King. J'avais grandi avec des garçons qui étaient désormais morts dans une vaste jungle à l'autre bout du monde. J'avais fumé de l'herbe, fait l'amour dans le sable près de Port Royal Sound, bu de la tequila avec du sel et du citron jusqu'au moment où j'avais cru que j'allais cracher mon estomac dans le caniveau. J'avais partagé du temps avec une femme nommée Eve Chantry, et elle avait partagé avec moi le papillon de nuit…

Et bientôt… très bientôt, on m'écrirait pour me dire que je devais aller au Vietnam.

Et alors je me suis imaginé les noms, les endroits, les choses qui m'attendaient là-bas. Une ombre est passée au-dessus de moi, et durant son passage je me suis senti frissonner. La guerre était là-bas, elle m'appelait, et même si je plaquais mes mains sur mes oreilles et fredonnais intérieurement une mélodie, je l'entendais qui résonnait à travers tout.

J'ai fermé les yeux.

Ceci ne constituait-il pas une vie?

Si, sûrement.

J'ai senti la brise s'élever de la mer ce jour-là, je sentais presque le goût du sel dans l'air, et tandis que la journée touchait à sa fin, je me suis étendu sur la banquette arrière d'une Buick Skylark avec une fille que j'aurais si aisément pu aimer pendant le restant de ma vie, et elle m'a murmuré des secrets qui signifiaient à la fois tout et rien.

J'avais le sentiment que les choses étaient étrangement devenues plus simples.

C'était la seule façon pour moi de décrire ça.

Comme si elles avaient désormais un sens, et pouvaient donc être alignées et se voir accorder l'importance qu'elles méritaient.

Et pour le moment, Linny Goldbourne était la chose la plus importante de ma vie.

12

J e ne me rappelle pas un jour de mai 1968 où je n'ai pas vu
Linny.

Quand j'y repense aujourd'hui, je m'aperçois clairement
que j'ai écarté Nathan. Le recul, notre conseiller le plus
cruel et le plus perspicace, éclaire si facilement nos erreurs
de jugement. Au fil de la vie, on s'arrête sur des choses qui
semblent tellement significatives, mais en y repensant, on
se dit qu'elles n'ont pas pu avoir plus de sens que ce qui s'est
passé avant ou après. Sinon, eh bien, elles seraient toujours là.

Si j'avais su que ma liaison avec Linny durerait moins d'un
mois, si j'avais su comment elle s'achèverait et pourquoi, j'aurais
conservé mes distances, mais, comme toujours – le papillon
de nuit et la flamme –, j'ai trouvé son tourbillon de passion et
d'enthousiasme si envoûtant que je n'ai pas pu m'éloigner.

Tout au long de ce mois, j'ai bu de la tequila et du Crown
Royal, du vin rouge et de la bière ; j'ai fumé du haschich
colombien et de la marijuana ; j'ai lu des livres de William
Burroughs et de Jack Kerouac ; j'ai écouté *Subterranean
Homesick Blues* un millier de fois en croyant que toutes les
réponses étaient contenues dans les silences entre les mots…
et tout ça pour Linny Goldbourne, fille d'un ancien membre
du Congrès, ma Svengali, ma sauveuse, ma Némésis.

Je l'aimais, je le sais, et elle m'a aimé en retour. Linny englobait tout dans le monde qu'elle s'était créé, et à ce moment j'étais le centre de son attention, le pivot. Je le sentais à sa façon de me sourire quand elle me voyait, à sa façon de me prendre la main quand nous marchions, et ses sentiments étaient si puissants que mon souvenir de Caroline s'est dissipé. Dissipé doucement, mais dissipé tout de même. J'avais aimé Caroline, certes, mais j'étais alors un adolescent, avec un cœur et un esprit d'adolescent. Quand j'ai aimé Linny, je suis devenu un homme. C'est du moins ce que je croyais à l'époque. C'était différent, pas nécessairement mieux, mais différent. Mon amour pour Caroline était désormais entaché d'un sentiment de trahison, comme si elle m'avait repoussé au profit d'une chose qui ne pouvait pas être si valable que ça. Elle avait été ma première. Ça signifiait quelque chose, et pourtant quand je me rappelais son départ, j'éprouvais de l'amertume et de la douleur. Ces émotions – ma passion mêlée à mon chagrin – avaient été comme un bleu qui ferait toujours mal et ne guérirait jamais. Pourtant Linny l'avait guéri, du moins à l'intérieur, si bien que même si le bleu colorait toujours ma peau, il ne me rongeait plus comme autrefois.

Linny m'a emporté dans son tourbillon, et elle est devenue une partie de moi que je ne voudrais ni ne pourrais jamais perdre.

Si je n'avais pas perdu Caroline, peut-être que ce qui s'est passé alors ne m'aurait pas affecté autant. Mais je l'avais perdue, et mon sentiment de trahison n'en est devenu que plus pertinent, pressant et réel. C'était l'impression que j'avais, et le temps n'y ferait rien... car au cours des années suivantes j'en viendrais à les voir toutes deux sous le même jour, comme si – malgré leurs différences inévitables et évidentes – elles étaient nées pour me punir de la même manière. Ce ne serait que plus tard, bien plus tard, que je comprendrais l'importance de ce qui avait pu se passer au sein de la famille de Linny, et ainsi commencer à accepter pourquoi elle avait fait ce qu'elle avait fait. Mais sur le coup, elle était devenue tout, et puis soudain plus rien.

J'ai vu Linny Goldbourne pour la dernière fois le jour où Bobby Kennedy a été assassiné à Los Angeles.

Il venait de remporter la primaire de Californie et prononçait un discours à l'hôtel Ambassador.

Un certain Sirhan Sirhan, qui affirmerait par la suite ne même pas se rappeler avoir tiré sur le candidat à la présidence, a marché vers lui dans la foule et l'a abattu.

Cinq coups de feu.

Comment peut-on tirer cinq coups de feu et ne pas s'en souvenir ?

Ils l'ont descendu, de la même manière qu'*ils* avaient descendu son frère.

Et qui étaient ces *ils* ? Les mêmes que ceux qui avaient parié un dollar qu'on pouvait gagner au Vietnam.

J'étais avec Linny quand nous avons appris la nouvelle. Je venais de fermer le magasin de radios pour l'après-midi, et nous avions prévu d'aller voir une de ses amies à Orangeburg.

Linny a démarré la voiture, la radio était déjà allumée, et nous avons entendu la nouvelle.

Elle a coupé le contact. Elle m'a regardé avec une expression que je n'avais jamais vue jusqu'alors, et que je ne reverrais jamais.

Elle m'a regardé, et il n'y avait rien.

Elle était vide.

Elle a secoué la tête, baissé les yeux, et quand elle les a relevés, ils étaient pleins de larmes.

« Il faut que je rentre, a-t-elle déclaré doucement. Il faut que je rentre maintenant, Danny. Tu comprends, n'est-ce pas ? »

Je lui ai retourné son regard sans rien trouver à dire.

Elle s'est penchée par-dessus moi et a soulevé le levier de la portière.

La portière s'est ouverte.

« Je t'aime, Danny, a-t-elle dit, mais sans me regarder. Je t'aime... mais je dois partir maintenant. »

Elle a remis le contact. Elle est restée assise là, fixant droit devant elle. Elle attendait que je sorte.

J'aurais voulu dire quelque chose, n'importe quoi, mais quand j'ai ouvert la bouche, je me suis moi aussi senti vide.

Jamais je ne m'étais senti aussi vide.

Je me suis glissé sur le côté. J'avais un pied sur le trottoir. Je suis descendu de voiture et me suis tenu là un moment, la portière toujours ouverte, Linny aussi immobile qu'une pierre, regardant droit devant elle la route à travers le pare-brise, puis j'ai refermé la portière.

Elle a fait vrombir le moteur, a relâché le frein à main, enfoncé l'accélérateur, et elle est partie.

Elle roulait plus lentement que d'habitude, et alors que je l'observais, j'espérais qu'elle se retournerait, qu'elle me ferait peut-être un signe de la main, n'importe quoi pour m'indiquer qu'elle avait changé d'avis, qu'elle avait changé ses plans, *nos* plans. Même si Bobby Kennedy était mort, ça signifiait toujours quelque chose que je sois planté là sur le trottoir à la regarder disparaître.

Mais elle ne s'est pas retournée.

Elle ne m'a pas fait de signe de la main.

J'éprouvais la même chose qu'au moment où elle était sortie de l'océan et avait marché vers moi à Port Royal Sound.

Je me sentais invisible.

Je suis resté là quelques minutes.

J'ai aperçu le visage de Caroline pendant un instant fugace, sa façon d'incliner la tête, ses cheveux qui tombaient en cascade en travers de son visage. J'avais l'impression d'avoir de nouveau dix-neuf ans. Je me sentais honteux, confus, naïf.

Mon cœur battait lentement, ça, je m'en souviens, mais ce qui se passait dans ma tête, je l'ai oublié.

Je me suis alors mis à marcher vers le lac Marion pour trouver Nathan Verney.

Curieusement, pour une raison inconnue, quelque chose avait changé.

Je ne soupçonnais pas un instant que je ne la reverrais pas.

Le *contact* avait temporairement été coupé.

Mais nous ne nous sommes plus soûlés ensemble. Nous n'avons plus fumé d'herbe, ni écouté Dylan, ni lu des passages d'Albert Camus ou de *Tortilla Flat*. Nous ne sommes pas allés à Myrtle Beach dans la Buick Skylark pour regarder le coucher de soleil nus.

S'il y avait eu une fois de plus, peut-être aurais-je su ce qui s'était passé. Si tout n'était pas si rapidement allé de travers, plus que je n'aurais pu l'imaginer, peut-être me serais-je accordé un peu de temps pour être triste, pour me demander pourquoi, pour chercher à comprendre les raisons de Linny.

Mais nous n'avions plus de temps – tout était si rapide, si soudain, et pourtant dans une certaine mesure tellement *attendu*. Aimer, vivre, perdre : ces choses sont simplement humaines, et peut-être disent-elles quelque chose du monde. Mais les faire deux fois dit quelque chose de soi.

Le 8 juin 1968 était un samedi.

Si ça avait été un jour de semaine, j'aurais été dans la boutique de Karl Winterson quand Nathan Verney est venu me voir.

Mais je dormais, et quand il est arrivé, il portait un fardeau du genre de ceux qui peuvent broyer un homme.

Pourtant, ce fardeau ne pesait que trois grammes. Il était en papier brun clair et portait un sceau officiel en haut et une signature imprimée en bas. Mais il était plus lourd que les tablettes combustibles, le Kool-Aid, les rations C, les casques en acier avec une doublure et un revêtement de camouflage, plus lourd que les brosses en acier, l'huile pour nettoyer les armes et les grenades à fragmentation, plus lourd que le cœur brisé de nos mères et les espoirs perdus de nos pères…

Ce fardeau s'est présenté sous la forme d'une lettre sur laquelle était inscrit le nom de Nathan Verney.

Il en appelait à son sens du devoir et à son honneur. À son allégeance à la nation. À son sens de la justice et de l'équité. À sa fidélité à la Constitution et au mode de vie américain.

Il en appelait à *lui*.

Mais plus que tout, le fardeau en appelait à sa peur.

Nathan est arrivé préparé. Il portait un sac en bandou-lière et un fourre-tout en polyéthylène qui contenait des chaussettes propres et une savonnette, une brosse à dents, un rasoir et un couteau de cuisine. Dans les poches de son manteau, il avait un paquet de Kool, un briquet Zippo, un peigne, de la menue monnaie, et un petit rouleau de billets d'un et de cinq qui ne devait pas dépasser les trente ou qua-rante dollars en tout. Dans son cœur, il portait sa culpabilité et sa peur, mais aussi un indescriptible sentiment de vide et de dissociation.

Et dans sa main, il tenait le fardeau.

Ma mère était partie faire des courses.

Le bruit de ses pas dans l'allée m'a réveillé, et je me suis penché à la fenêtre pour voir qui était là.

Au même instant, il a levé les yeux, et dans ce simple regard, dans l'expression de son visage tourné vers moi, j'ai lu tout ce qu'il y avait à dire.

Mon sang s'est glacé, et pourtant je tremblais comme si j'avais de la fièvre.

Mes mains transpiraient tellement que je n'arrivais pas à serrer ma ceinture, et quand je suis descendu, j'ai failli manquer une marche et tomber.

Quand j'ai atteint la porte, Nathan gravissait les marches. Il s'est arrêté, et à cet instant a regardé par-dessus son épaule en direction de la route et, plus loin, du lac Marion. Dans ce regard, j'ai perçu sa nostalgie et son chagrin, et peut-être la certitude qu'il ne reverrait jamais cet endroit.

« Ça va ? » ai-je demandé.

Une question stupide, maladroite.

Nathan n'a pas répondu. Il ne pouvait pas répondre. Qu'y avait-il à dire ?

Il est passé devant moi et a longé le couloir jusqu'à la cuisine. Il a hésité à la porte, puis a traversé la pièce et s'est assis à sa place habituelle, le dos tourné à la fenêtre, les mains sur les cuisses, les yeux baissés vers le sol.

Nous nous étions rencontrés à l'âge de six ans, soit seize ans plus tôt, et Nathan avait dû s'asseoir là deux ou trois fois par semaine depuis, soit des milliers de fois, mais jamais, jamais il n'avait eu cette expression.

Il a posé le fardeau sur la table.

J'ai cru que la table ploierait sous son poids.

« Mes parents ne sont pas au courant, a-t-il commencé. Ils croient que je vais chercher du travail dans le Nord. Ça fait six mois que j'en parle. Je savais que le moment viendrait, et je voulais être prêt. »

Je me suis assis face à Nathan. À cet instant, je me suis représenté ma mère apportant du maïs frais et des pommes de terre, et le visage rond et angélique de Nathan barré d'un grand sourire tandis qu'elle déposait dans son assiette plus de nourriture qu'il ne pourrait en manger.

Je nous ai revus jouant aux cartes, le soleil déclinant de l'autre côté de la fenêtre derrière lui, avec, lorsqu'il atteignait l'horizon, une dernière petite explosion orange qui formait un halo dans ses cheveux courts et crépus.

J'ai revu Nathan avec un coude en sang, les larmes aux yeux, regardant sa blessure avec la tentation d'y toucher.

Je me suis revu riant tandis que nous essayions de chasser un oiseau par la porte de derrière.

J'ai revu toutes ces choses.

Et j'ai regardé Nathan une fois de plus.

« Et toi ? » a-t-il demandé.

J'ai détourné les yeux. Je ne pouvais pas lui faire face. Mon cœur cognait dans ma poitrine. Je serrais et desserrais les poings. Mon pouls s'emballait comme un train de marchandises sur le point de dérailler.

J'ai ouvert la bouche pour parler, mais je ne savais pas quoi dire.

« Ta décision ? » a poursuivi Nathan d'une voix douce.

J'ai refermé la bouche.

J'ai pensé à ma mère et à mon père. J'ai pensé à Eve Chantry, au Dr Backermann. J'ai pensé à Marty Hooper et à Larry James gisant raides morts au milieu de nulle part. J'ai pensé à Caroline Lanafeuille, à Linny Goldbourne, à Sheryl Rose Bogazzi que je n'avais jamais touchée, jamais embrassée, mais que je continuais néanmoins d'aimer de loin malgré son ultime trahison.

Mais je n'ai pas pensé à moi.

« Je... »

Nathan a levé la main pour m'interrompre.

Je l'ai observé, et l'espace d'un instant je n'ai pas reconnu l'homme qui me faisait face. On aurait dit un étranger.

« Je ne peux pas te laisser partir seul.

— Ce n'est pas une décision, Danny », a répliqué Nathan.

J'avais envie de pleurer.

« Je n'ai même pas reçu mon avis d'incorporation », ai-je ajouté.

Ma voix semblait changée.

Nathan n'a pas répondu, il s'est contenté de me fixer avec cette expression détachée.

« Ma mère… »

Nathan a commencé à se lever de sa chaise.

« Attends. Rassieds-toi, Nathan. Parle-moi… »

Il a secoué la tête.

« Je ne veux plus parler, Danny. On a dit tout ce qu'on avait à dire. J'ai pris une décision, et ma décision tient, que tu viennes ou non.

— Je viens », ai-je aussitôt déclaré, et alors même que ces paroles franchissaient mes lèvres, je me suis aperçu que je n'avais pas pris moi-même ma décision.

Ma réaction avait été involontaire.

Je fonctionnais en pilotage automatique.

« Tu viens ? » a demandé Nathan.

J'ai hoché la tête. C'était comme si quelqu'un derrière moi actionnait mon cou.

« Je viens, ai-je répété. Je t'accompagne. »

Nathan a acquiescé. Il n'a pas souri. Il ne m'a ni étreint ni serré la main, il ne m'a pas tapé sur l'épaule ni rien.

Il a simplement acquiescé.

J'ai senti mes entrailles se glacer et se nouer.

« Alors, prépare-toi, a-t-il dit d'un ton neutre.

— Oui… j'y vais », ai-je marmonné.

Je me suis dirigé vers la porte. J'avais l'impression que mes jambes étaient en plomb, que mes pieds étaient de gros blocs de bois prêts à se détacher. Je voyais le visage de mon père, cette mine sévère qu'il arborait quand le Daniel qu'il avait élevé n'était pas le Daniel qu'il avait voulu.

J'ai vu ma mère, son expression calme et patiente tandis que mon père me réprimandait, et le réconfort qu'elle m'apportait ensuite, sa façon de me faire comprendre que tout ça, c'était pour mon bien.

Et je la croyais, je n'avais jamais douté d'elle.

J'ai commencé à monter vers ma chambre. Le poids de tout l'univers semblait me ralentir, mes pas sur les marches et les battements de mon cœur faible résonnaient à l'unisson.

Je sentais la présence de Nathan qui m'attendait en bas.

J'avais l'impression d'être écartelé, et je ne savais pas jusqu'où je pourrais le supporter.

Je me disais – peut-être pour la première fois de ma vie – que le monde réel était arrivé jusqu'à moi, apportant avec lui toutes ces choses si lourdes qu'elles m'écrasaient comme une montagne, comme un océan, comme un millier d'arbres morts.

Mais ce qui pesait le plus lourd, c'était le mensonge.

À propos de ma décision.

Car ce n'en était pas une, je le savais, et j'étais convaincu que Nathan le savait également.

J'ai refermé la porte derrière moi, et j'ai commencé à faire mon sac.

13

Clarence Timmons est venu me parler, aujourd'hui. Je lui ai demandé comment se portait sa femme. Il a semblé content que je pense à elle et m'a expliqué que son état s'arrangeait un peu, qu'on lui avait recommandé des séances de physiothérapie, et qu'il allait l'aider.

Puis il a déclaré : « Mais je ne suis pas venu pour vous parler de ma femme. »

Il a dit ça comme si c'était censé me surprendre.

« On va venir vous peser, a-t-il ajouté en hochant la tête d'un air bienveillant. On va venir vous peser toutes les semaines à partir de maintenant... On vous fera aussi un examen médical tous les mois pour s'assurer que vous êtes...

— ... en assez bonne santé pour mourir », ai-je complété, ce qui était injuste, car Clarence Timmons était un type bien, et la situation le mettait mal à l'aise.

J'avais appris qu'il y avait ceux qui choisissaient de travailler dans le bloc D, et ceux qui y étaient affectés d'office. M. Timmons était de ces derniers. Peut-être avait-il cru qu'il pourrait arranger les choses, apporter quelques changements, aider certains prisonniers à recouvrer leur amour-propre et à s'apprécier à leur juste valeur. Peut-être avait-il même cru qu'il pourrait renvoyer dans le monde des hommes qui auraient été réellement réhabilités. Mais à la place il avait été chargé de les surveiller jusqu'à ce que l'État les exécute.

« Je suis désolé, monsieur Timmons », ai-je dit.

Il a balayé mes excuses d'un geste de la main.

« On va donc venir vous peser aujourd'hui », a-t-il répété.

J'ai acquiescé, l'ai remercié de m'avoir prévenu, et quand il est reparti, je me suis penché en arrière et j'ai fermé les yeux.

Peut-être mon poids déterminerait-il le voltage.

C'était tout ce à quoi j'arrivais à penser.

À l'époque où j'étais à Charleston – pendant la première année qui a suivi la mort de Nathan –, l'Amérique se battait avec sa conscience collective.

À la fin de 1960, JFK l'avait emporté sur Richard Nixon. Et ce n'est qu'en novembre 1968, après le renoncement de Johnson à se représenter, et après la mort de Robert Kennedy, que Nixon a eu sa chance.

Quand il a été investi, Nathan Verney et moi étions partis depuis longtemps, et durant les mois qui ont suivi notre départ de Greenleaf, des événements sont survenus que nous n'avons appris que par hasard. Nixon a remporté les primaires républicaines pour l'élection présidentielle avec Spiro Agnew à ses côtés, les émeutes d'août ont éclaté à Watts, et en octobre Johnson a ordonné l'interruption des bombardements du Nord-Vietnam.

Cependant, le plus important, c'était la victoire de Nixon.

Il avait promis de mettre un terme à la guerre, mais il était cinglé. Nathan le savait. Je le savais. En même temps, nous pensions que sa folie ferait peut-être la différence, qu'il changerait peut-être la loi, qu'il se montrerait moins sévère avec ceux qui refusaient d'accomplir leur soi-disant devoir et d'aller mourir en Asie du Sud-Est.

Nous n'avons pas mis longtemps à comprendre qu'il n'en serait rien.

En septembre, Nixon a ordonné que les B-52 continuent de bombarder ces enfoirés de Jaunes pendant aussi longtemps qu'il le faudrait. Pas exactement en ces termes, mais c'était l'idée.

Un an plus tard, en novembre, le lieutenant William Calley des forces armées américaines est passé en cour martiale pour le massacre de My Lai. Un photographe de l'armée nommé Ron Haeberle, témoin du meurtre de cent neuf personnes, dont la plus jeune n'avait que deux ans, a déclaré que *les os volaient dans les airs, fragment après fragment.*

L'Amérique a entendu ces paroles, elle s'est demandé ce qui se passait au Vietnam, elle s'est demandé ce qu'étaient devenus ses fils.

Mais l'Amérique n'a rien fait.

Le père John Rousseau m'a parlé de tout ça, je lui ai raconté ce dont je me souvenais, cependant tout ce qui me reste de cette époque ne concerne ni la politique, ni la contestation, ni la prise de conscience par des millions de personnes que la guerre du Vietnam était un fiasco complet, mais Nathan Verney se tenant au bout de Nine Mile Road et regardant derrière lui en direction de Greenleaf.

Décrire ce que j'ai éprouvé à cet instant semble impossible aujourd'hui. J'avais toujours vécu à Greenleaf. Tout ce que j'étais provenait de cette ville. Tout ce que je savais, toutes les personnes que je connaissais appartenaient autant que moi à cet endroit.

Je ne savais pas où nous allions, et dans ma hâte de rassembler quelques affaires et de quitter la maison, j'ai presque oublié pourquoi nous partions, mais chaque vêtement, chaque carte postale, photo, lettre que j'ai feuilletée m'a rappelé qui j'étais devenu dans cette ville. Mes années d'enfance, chacune contenue dans une pensée, et dans chaque pensée une image, et dans chaque image une émotion qui m'enveloppait silencieusement et me rappelait qui j'étais. Cet endroit, c'était moi. Et je partais. Pour toujours ? Je l'ignorais.

J'avais envie de parler, je voulais demander à Nathan s'il y avait un autre moyen de s'en sortir, mais je savais que ce genre de question était inutile. Il m'aurait regardé – pas avec les yeux de l'enfant qu'il avait été, mais avec ceux de l'homme qu'il était devenu, l'homme qui assumait ses peurs et ses doutes et qui savait où il allait et pourquoi.

Alors que moi, non. Je me sentais vide et sans substance. J'avais l'impression d'être... rien.

En descendant l'escalier avec mon sac à la main, je sentais le poids et la pression de tout ce que je laissais derrière moi. Ici il y avait ma famille, ma mère et mon père, il y avait aussi Eve et Caroline et tout ce qu'elles avaient partagé avec moi. Désormais, il me manquerait toujours quelque chose. Quelque chose qu'on m'arrachait et qu'on mettait de côté. Je regarderais en arrière et je reverrais le garçon que j'avais été debout au bord de la route, avec dans les yeux du chagrin et de la douleur, et un étrange sentiment d'échec. *Tu n'es pas celui que je voulais que tu sois*, me dirait cet enfant, et je saurais qu'il disait la vérité.

J'ai écrit un mot à ma mère. Je l'ai laissé sur la table de la cuisine, et en le regardant depuis la porte, je l'ai vu pour ce qu'il était : un mensonge.

Nous sommes partis ensemble, Nathan et moi, silencieusement, apparemment sans espoir, et quand je me suis retourné sur la route, ma propre maison m'a semblé terriblement petite et fragile. Nous avons continué de marcher en silence, et j'avais beau essayer de capter le regard de Nathan, de glaner un peu de compassion ou d'empathie, il fixait les yeux droit devant lui, sans jamais sourciller, sans jamais montrer le moindre doute. Nous avons atteint Nine Mile Road, le lieu où s'étaient passés tant de moments importants, et j'avais l'impression que le jour où je m'étais tenu exactement au même endroit et avais vu cette fillette noire porter le fardeau de la mort de Kennedy et tomber sous son poids remontait à mille ans.

Je me suis rappelé la famille universelle – moi, Nathan, le révérend Verney, Eve Chantry –, et je me suis demandé comment j'avais pu croire que les choses resteraient telles qu'elles étaient.

Nathan avait pris les devants d'un pas déterminé et assuré, et je suivais dans son sillage – c'était du moins l'impression que j'avais. Balayé une fois de plus par la fureur et la passion du moment.

Je songeais au mot que j'avais laissé à ma mère, au fait que je n'avais rien dit de spécifique, simplement que j'étais parti avec Nathan, que nous allions trouver du travail, que je l'appellerais bientôt.

C'était tout.

J'avais laissé cent dollars à la maison, et j'avais dans ma poche un peu plus de trois cents dollars, tout l'argent que j'avais gagné en travaillant pour Karl Winterson.

Je savais que les gens parleraient de nous. Je me doutais qu'il serait impossible de revenir à Greenleaf, du moins pas avant la fin de la guerre, et je savais également que l'opinion générale serait que j'avais agi sous l'influence de Nathan Verney.

Pourquoi ?

Facile : parce qu'il était noir.

Les gentils garçons protestants anglo-saxons ne faisaient pas ce genre de chose.

Alors j'ai regardé Nathan marcher devant moi, et s'il avait marché jusqu'au bout du monde, je l'aurais suivi.

Je croyais ce en quoi il croyait.

C'était tout.

Et pour le moment, il faudrait bien que ça suffise.

Parfois, je suis un peu confus. J'oublie l'enchaînement des événements, les dates se brouillent.

Ce n'est que quand le père Rousseau vient me voir et me questionne sur toutes ces choses que le patchwork semble se reconstituer. Les détails reviennent, des détails auxquels je n'ai pas pensé depuis des années, et ce faisant ils entraînent une prise de conscience croissante de ce qui va m'arriver.

L'Amérique, cette même Amérique à laquelle j'ai tourné le dos, cette Amérique que j'ai trahie, va me rendre la monnaie de ma pièce.

Le père John m'a informé que la date de mon exécution serait confirmée dans la semaine.

Je songe aux cigarettes que j'ai enveloppées dans du papier et cachées à côté de mon lavabo.

Bientôt, Nathan.

Bientôt.

Ils sont bien venus pour me peser. Soixante-neuf kilos. J'ai perdu du poids sans m'en rendre compte.

J'ai lancé une plaisanterie, quelque chose comme : *Je crois qu'il vous suffirait de me brancher à la prise murale pour m'achever, avec un tel poids,* mais le type en blouse blanche n'a pas souri, il ne m'a même pas regardé. Soit il était sourd, soit il était indifférent à ce qui se passait, faisant mécaniquement son boulot sans établir de lien avec la personne qui était devant lui. Peut-être qu'il pensait comme M. West. *De la viande morte.*

Je l'ai regardé partir, toujours sans me jeter un coup d'œil. Il marchait tête baissée, comme s'il avait honte.

Parfois, je crois que je n'ai aucune envie de parler au père John. À d'autres moments, j'attends ses visites avec impatience, comme si elles étaient ma seule raison de rester en vie. Son boulot est de me sortir de moi-même, de me faire parler, me souvenir, raconter tous les détails, les choses qui n'ont pas été dites lors de ma myriade de comparutions au tribunal. Il est ma chance de me comprendre moi-même, de prendre conscience des raisons pour lesquelles je suis ici.

Le père John m'a dit que nous créons notre propre destinée. Il ne croit pas à la présence constante de la main de Dieu. Il m'a dit qu'il ne croyait pas que notre vie et notre destin étaient liés par quelque force éthérée et omnisciente. Il m'a dit qu'il voulait que je cherche, que je fouille mon âme, que j'essaie de comprendre pourquoi j'étais ici. En gros, il m'a dit que si on était dans la merde, c'était qu'on s'y était mis tout seul.

Mais ça, je ne voulais pas y croire. J'avais eu pendant si longtemps la certitude que tout était à cause de quelqu'un d'autre, que c'était politique, qu'il y avait des gens qui étaient réellement persuadés que ce qui était arrivé devait arriver, et que je ne pouvais rien y faire. Je pensais que j'aurais pu être n'importe qui, que leur but aurait été atteint de toute manière. Je croyais à la malchance. Je *voulais* croire à la malchance. Car si je pouvais y croire, alors je n'avais pas à endosser la moindre responsabilité.

Le père John Rousseau savait ce que je ressentais, et il a commencé à démontrer que je me trompais. Pendant un temps, je lui en ai voulu, je le méprisais de renier tout ce qui m'avait tenu à cœur. C'était mon système de croyances. Lui avait le sien. Quel droit avait-il de remettre le mien en cause ?

Mais il le faisait. Il le faisait avec férocité. Et plus je voyais ce Jéricho s'effriter sous l'assaut de questions, de souvenirs, de confessions, plus la mémoire me revenait ; des détails qui s'étaient enfuis en silence, des choses que je n'aurais jamais cru pouvoir me rappeler. C'était comme si tout était là, chaque seconde, chaque battement de cœur, chaque pensée, et tandis que je racontais tout ça, tandis que le père John écoutait, c'était comme si Nathan était à côté de moi, peut-être assis sur une troisième chaise quelconque dans le *salon de Dieu*, fumant des Lucky et taillant une bavette, souriant comme il le faisait autrefois dans la cuisine de ma mère, arborant la même expression que le jour où il était arrivé avec le «fardeau», ou la même expression que le gamin avec les oreilles en anses de cruche, les yeux comme des feux de signalisation, et une bouche qui lui barrait le visage d'une oreille à l'autre.

Peut-être était-ce l'unique raison qui me poussait à parler, car tant que je le faisais, j'étais vivant, et tant que j'étais vivant, je pouvais me souvenir de Nathan Verney.

Et tant que je me souvenais de Nathan, alors je pouvais peut-être croire que tout ça avait un sens.

Ça n'en avait aucun, je le savais, mais comme ne cessait de me le répéter le père John : «Vous devez continuer de croire... Vous devez simplement continuer de croire.»

«Vers le sud? ai-je demandé à Nathan. T'es cinglé ou quoi?»

Il était assis. Il n'a pas cillé, pas bougé un muscle, presque comme s'il avait exactement prévu ma réaction.

«Tu comprends ce qui se passe là-bas? ai-je insisté d'une voix incrédule. Hé! Réveille-toi, vieux! Ouvre les yeux, nom de Dieu!»

Nathan m'a regardé avec une expression froide. Rien ne justifiait le blasphème.

«Tu es noir, ai-je poursuivi, un type de couleur, un Afro-Américain... tu ne peux pas aller dans le Sud!

— Et c'est précisément la raison pour laquelle on y va, a-t-il calmement répliqué.

— Si on va dans le Sud, on va se faire tuer», ai-je déclaré d'une voix neutre.

Nathan a acquiescé.

« On doit aller dans le Sud parce que c'est le dernier endroit où ils penseront qu'on ira, exactement pour la raison que tu as exprimée. On va dans le Sud parce que n'importe quel nègre doté d'un demi-cerveau n'irait *jamais* dans le Sud, et c'est pour ça qu'ils nous chercheront dans le Nord.

— Mais bon sang, Nathan, tu dois comprendre qu'avec ce qui se passe là-bas en ce moment tu as toutes les chances de te faire tuer et d'être balancé dans un marécage. »

Nathan a levé les yeux vers moi et a souri.

« Un marécage ici, c'est toujours mieux qu'un marécage dans un pays dont je n'avais jamais entendu parler jusqu'à il y a quelques mois. »

Je me suis assis.

Il y avait une logique dans sa folie.

« Écoute, a-t-il repris. Il faut tout prendre en compte. Si on va dans le Nord, on aura plus de risques d'être identifiés. Je ne sais pas comment ils traitent ce genre de cas, les déserteurs, mais tu peux être sûr qu'eux ils le savent. Ils croiront qu'on est allés dans le Nord parce qu'il faudrait être complètement barge pour aller dans le Sud, du coup, on va dans le Sud, tu saisis ? »

J'ai haussé les épaules. C'était trop énorme pour que j'abonde dans son sens.

« Laisse-moi prendre les décisions, OK ? » a-t-il demandé calmement.

C'est déjà ce que tu fais, ai-je songé. *Bon sang, Nathan, c'est déjà ce que tu fais.*

À cet instant, j'ai cédé à Nathan Verney le contrôle de ma vie. Je l'ai laissé tracer la voie, nous diriger tous les deux, presque comme s'il y avait un seul esprit pour deux corps. Je l'avais trompé, je le savais. En lui faisant croire que l'accompagner était ma décision. Je me sentais coupable de ça, de mes mensonges, de toutes mes petites tromperies, et pourtant maintenant que j'étais là, je ne pouvais pas faire grand-chose. Revenir en arrière aurait été pire, alors je l'ai suivi... silencieusement, docilement, je l'ai suivi.

Nous avons pris le bus à Greenleaf en direction d'Augusta et de Macon, puis nous sommes descendus par Cordele et Albany vers la frontière avec la Floride.

Je me souviens de ce voyage, des heures passées avec nos genoux contre le dossier du fauteuil de devant, de la route qui s'étirait infiniment devant nous, des champs et des arbres, du ciel comme un toit sur le monde. À un moment, il a plu, pendant dix ou quinze minutes, et à travers la vitre ruisselante de gouttes le monde était suffisamment distordu pour ressembler à un nouvel endroit. *Si seulement*, pensais-je, *si seulement le monde avait changé ce jour-là et était devenu totalement différent.*

Au début, Nathan parlait peu, il était subjugué et gardait tout pour lui, et j'aurais tellement aimé pouvoir lire dans ses pensées. De temps à autre, il se tournait vers moi et souriait, presque comme pour m'assurer que tout se passerait bien. Mais je n'y croyais pas un instant. Et alors, il semblait s'abandonner un peu, se détendre, et il se remémorait pendant un moment des événements de notre enfance.

« Le poisson. Tu te souviens du poisson ? »

J'ai souri ; je m'en souvenais comme si c'était hier.

Nathan a secoué la tête.

« Je me rappelle quand on s'est enfuis de chez Benny Amundsen avec ces gamins qui nous poursuivaient... Bon sang, j'ai cru que t'allais chier dans ton froc.

— Moi ? T'aurais dû te voir. Et quand Eve Chantry est apparue, t'as failli tomber dans les pommes au milieu de la rue. »

Nathan a éclaté de rire.

« C'est toi qui la prenais pour une sorcière. C'est toi qui m'avais raconté qu'elle avait mangé son foutu mari.

— Tout le monde la prenait pour une sorcière, pas seulement moi. »

Nathan a secoué la tête.

« Non, mon vieux, c'est toi qu'avais la trouille, Danny, une trouille pas possible.

— Va te faire foutre », ai-je rétorqué.

Nathan a fait une grimace, une grimace de petit gamin pleurnichard.

« Hou, la sorcière arrive, Nathan, a-t-il gémi. Attention à la sorcière qui a mangé son mari. »

Je me suis tourné vers la vitre, feignant l'indignation.

Nathan m'a donné un coup de coude dans l'épaule.

« Je t'emmerde, Nathan, ai-je dit.

— Je t'emmerde, Nathan », a-t-il imité en minaudant.

Je me suis retourné soudainement et lui ai donné un gros coup de poing dans le haut du bras.

Nathan s'est mis à rire tout en se frottant le bras.

« Merde, Danny, tu m'as fait mal !

— Oh, oh, Danny, tu m'as fait mal ! »

Et alors nous avons tellement ri que la femme devant nous s'est retournée et l'a regardé comme une maîtresse d'école acariâtre.

Quand elle a de nouveau regardé devant elle, Nathan a fait une moue d'enfant gâté, pointant le doigt en direction de la femme et murmurant en silence : *sorcière*.

Nous avons passé le voyage ainsi – riant come si nous n'avions pas le moindre souci. Peut-être était-ce un faux-semblant, un masque que nous arborions face au monde, mais ça n'avait pas d'importance. Quoi que soit le monde, nous avions l'impression de nous en éloigner, et ça me convenait parfaitement. Nous avons passé la première nuit en Géorgie, dans un motel à la périphérie de Waycross, mais je n'ai pas dormi. Je ne me rappelle ni avoir fermé les yeux, ni avoir vraiment oublié une seconde ce que je faisais là. À un moment, je me suis assis, j'ai regardé par la fenêtre en direction des champs de l'autre côté de la route, et quelque part dans ces champs j'ai vu des ombres bouger, comme des hommes, et je me suis imaginé qu'ils étaient à notre recherche, déjà au courant de notre trahison et complotant notre capture et notre retour au bercail.

Je me suis demandé si je ne ferais pas bien de retourner à Greenleaf. Je me suis demandé si j'avais moi aussi reçu le «fardeau». Cette question resterait sans réponse jusqu'à mon retour, pour autant que je rentre un jour.

Je me revois m'éloignant de la fenêtre et m'asseyant au bord du lit de Nathan. Il dormait à poings fermés. Je l'ai regardé un moment, et j'ai compris qu'il dormait si bien parce qu'il avait pris sa décision. Il avait été attentif et réaliste, il avait déterminé sa ligne de conduite, et il s'y serait tenu sans se soucier de mon approbation ou de ma présence. Il avait été fidèle à son idéal. C'était pour ça qu'il dormait. Et c'était pour ça que, moi, je n'y arrivais pas.

Pendant un moment, assis au bord du lit, je me suis senti vide, aussi dénué de substance que ces ombres là-bas dans le champ de l'autre côté de la route. Peut-être ces ombres ne voyaient-elles pas Nathan parce qu'il était réel. Et peut-être Nathan ne les aurait-il pas vues non plus.

C'étaient mes fantômes, peut-être destinés à me suivre jusqu'à ce que j'aie pris ma propre décision.

Mes fantômes personnels, ni moqueurs ni menaçants, ni interrogateurs ni désapprobateurs, simplement là.

Je me suis souvenu du papillon de nuit, du petit cadre en bois qui était toujours accroché au-dessus de mon lit à Greenleaf. C'était un cadeau approprié de la part d'Eve Chantry, un animal qui faisait tout son possible pour être autre chose et qui, échouant à reconnaître sa propre valeur, continuait d'essayer jusqu'à en mourir.

Comme en écho à cette réflexion, je me rappelle avoir regardé sur ma gauche, et là, contre la vitre, j'ai perçu un battement d'ailes. Un papillon de nuit. Il cherchait à entrer. Il voulait la lumière. Il la voulait tellement qu'il serait mort pour l'avoir.

Je n'ai pas ouvert la fenêtre. J'ai simplement appuyé mon visage contre la vitre pour regarder cette bête qui tentait infatigablement d'atteindre l'impossible.

Elle m'a retourné mon regard, j'en suis certain, et peut-être s'est-elle demandé pourquoi quelqu'un qui était si près de la lumière voulait s'en éloigner.

Je me suis alors recouché, dans ce lit inconnu, dans cette chambre inconnue, et, tout en écoutant la respiration de Nathan, j'ai essayé de m'apaiser, de réfléchir calmement, et d'oublier le tonnerre qui grondait implacablement dans ma tête.

Je savais que je ne trouverais pas la paix. Le plus ironique, c'était que cette absence de paix intérieure provenait uniquement du fait que j'essayais d'éviter une guerre.

La guerre de quelqu'un d'autre. Je devais le croire, je devais continuer de me dire qu'elle n'avait rien à voir avec moi.

Quand l'aube s'est levée, la lueur du jour pointant à l'horizon, je me suis habillé, je suis sorti, et me suis tenu au bord de la route jusqu'à ce que le dernier des fantômes ait quitté le champ.

J'ai dû rester là une heure, peut-être plus, et à mon retour, Nathan Verney dormait toujours.

Il dormait comme un mort.

Je me rappelle avoir pensé ça : *Nathan Verney dort comme un mort.*

Je me suis tenu au-dessus de lui pendant une minute ou deux, puis j'ai posé la main sur son épaule. Il a bougé, s'est retourné, a respiré profondément, enfin il a ouvert les yeux. Il était ailleurs, car quand il a roulé sur lui-même et m'a regardé, il a été un moment perplexe, avant de se rappeler où il était et ce qu'il faisait là.

« La guerre est finie, n'est-ce pas ? » a-t-il demandé, et j'ai souri sans conviction.

Pendant un moment, pendant les quelques heures durant lesquelles il avait dormi, il avait été ailleurs, la grâce de l'oubli lui avait été accordée. Il l'avait acceptée, acceptée volontiers, et il apprenait désormais ce que ça faisait de se la voir reprendre.

Il est resté un petit moment silencieux, puis il s'est levé, lavé, habillé et, sans rien me dire, il a marché jusqu'à la porte et l'a ouverte.

Je me suis levé à mon tour, j'ai pris mon sac en bandoulière, et nous sommes tous les deux partis une fois de plus à la rencontre du monde.

Le monde était là, dehors, il n'avait pas changé, et il nous attendait plus que jamais.

14

Même après mon arrivée à Sumter, même après l'échec de mon premier et de mon second appel, je continuais de croire que quelqu'un quelque part s'apercevrait qu'une terrible erreur avait été commise. Je croyais qu'il restait une guerre à livrer, et – plus important encore – je pensais avoir l'énergie de me battre. Je crois que j'ai vraiment pris conscience de la situation, et du fait que j'avais perdu cette énergie, le jour où le père John Rousseau s'est assis face à moi dans le *salon de Dieu* et m'a annoncé la date.

Le 11 novembre 1982.

Il m'a annoncé le 5 octobre que quelqu'un quelque part avait décidé qu'il me restait trente-six jours à vivre.

Le hasard voulait que ça fasse un jour pour chaque année de ma vie.

Le père John m'a ensuite expliqué qu'il me rendrait visite plus souvent, qu'il passerait désormais deux heures avec moi tous les deux jours, que nous parlerions plus, que nous aurions le temps d'aborder tous les sujets avant...

Je me rappelle lui avoir mesquinement demandé :

« Avant quoi ?

— Avant que vous ne mourriez, Daniel », a-t-il répondu.

Je me suis tourné vers lui, et il avait un regard si dur et si réaliste que je n'ai pas pu le soutenir plus d'une seconde.

Il a tendu la main par-dessus la table du *salon de Dieu*, a saisi la mienne et l'a serrée fort.

Je me suis alors aperçu que c'était mon premier contact physique avec un autre être humain depuis des semaines. Peut-être même des mois.

Une fois son message transmis, le père John est reparti.

Clarence Timmons est arrivé peu après pour me reconduire à ma cellule. Il n'a pas prononcé un mot. Il savait que la date avait été fixée. J'étais soulagé qu'il ne dise rien car je n'aurais pas su quoi répondre.

M. West, en revanche, savait exactement quoi dire. Je dormais quand il est arrivé. Il a attrapé une chaise dans le couloir, une chaise toute simple à dossier droit, et il l'a traînée sur dix mètres jusqu'à ma cellule. Il l'a traînée lentement, en faisant le plus de bruit possible, bien conscient que ça m'arracherait à mon sommeil.

Quand j'ai ouvert les yeux, j'ai vu son visage à moitié éclairé au-dessus de moi à travers les barreaux.

« Bordel ! » me suis-je écrié.

M. West a levé la main et porté un doigt à ses lèvres.

« Chut, a-t-il murmuré. Du calme... Va pas gâcher le peu de souffle qu'il te reste, Daniel. »

J'ai fermé les yeux et tenté d'oublier sa présence.

Je sentais son odeur, le cirage, le détergent, et en dessous un relent amer, âcre, pourri... comme une chose morte depuis longtemps préservée dans du formol.

« T'as ta date, hein ? » a-t-il poursuivi.

Sa voix était sifflante, insistante, pénétrante.

« Tu sais que c'est moi qui viendrai te chercher, pas vrai ? » a-t-il demandé.

C'était une question rhétorique qui n'appelait aucune réponse.

« Je viendrai te chercher et tu pisseras dans ton froc, tu pleurnicheras, tu supplieras comme tous les autres. »

Je sentais son sourire dans sa voix.

« Mais tu pourras rien y faire, Daniel, parce que personne a quoi que ce soit à foutre de ce qui va t'arriver... merde, je doute même que quiconque se souvienne que t'es ici. Ces avocats, ces juges, ces auxiliaires juridiques bénévoles à la bonne conscience, ils montent sur leurs grands chevaux pour des conneries, parce qu'ils se sentent pathétiquement coupables que tu te fasses griller le cul... mais ils se lassent sacrément vite, pas vrai ? Ils se lassent, alors ils vont faire chier le monde à cause de la couche d'ozone ou de la pollution chimique à côté des jardins d'enfants ou de Dieu sait quoi. »

West a soupiré, comme si tolérer de telles personnes était un aspect inévitable de son travail.

« Ces gens savent pas à quoi ils ont affaire... ils savent rien de la vie et de la mort, hein, Daniel ? »

J'ai rouvert les yeux.

M. West était penché encore plus près.

J'ai vu qu'il souriait.

« La vie et la mort, c'est un peu plus simple, un peu plus direct que ce qu'ils pourraient imaginer. Et c'est deux trucs qu'on connaît bien, pas vrai ? »

J'ai ouvert la bouche pour dire quelque chose, mais West m'a regardé fixement, portant une fois de plus son doigt à ses lèvres.

« Je vais partager quelque chose avec toi, Daniel, et tu ferais bien d'écouter parce que je suis pas du genre partageur, tu vois ? »

J'ai expiré silencieusement. À cet instant, je ne pouvais pas imaginer d'endroit plus terrifiant que celui où j'étais.

« Huit ans, que j'avais, tout juste huit ans, et la petite ville dont je viens était un trou paumé. Les gamins là-bas recevaient pas beaucoup d'éducation, mais il y avait une école, une banale école en bois, on y allait tous les matins et on faisait ce qu'on nous demandait... »

Une douleur soudaine dans mon épaule, comme un coup de poignard.

J'ai fait un bond.

Un soupir nerveux a franchi mes lèvres.

« Putain, réveille-toi ! a sifflé M. West. T'endors pas quand je te parle. »

J'ai secoué la tête.

« Je dors pas, bordel ! »

J'ai ouvert les yeux en grand.

« Alors on allait à l'école, et sur le chemin y avait cette maison, et sur le porche de cette maison, y avait ce gros clébard ignoble avec de grands crocs qui gueulait tout le temps, avec de la bave aux lèvres, toujours en train d'essayer de mordre, de gronder, de foutre la trouille aux petits gamins. Son propriétaire, un enfoiré de gros porc, il regardait par la fenêtre et il se marrait quand les gamins détalaient. Il adorait, mon vieux, il adorait vraiment ça... mais je le voyais, je savais ce qu'il faisait, et hors de question que je le laisse continuer de foutre la trouille aux gosses comme ça. J'ai patienté un mois, puis j'ai pris un gros steak, j'ai broyé les somnifères que ma mère prenait quand elle avait de la fièvre, et j'ai mis suffisamment de cette saloperie sur la viande pour tuer un cheval. Je suis allé là-bas un soir à vélo et j'ai balancé la viande sur le porche. Cet enfoiré de clébard n'a même pas pris le temps de renifler la barbaque, il en a fait qu'une bouchée. »

West a lâché un petit rire froid et perturbant.

« Et alors, j'ai attendu, et au bout de même pas dix minutes le clebs ronflait comme un serpent à sonnette dans une boîte de conserve. J'ai escaladé la clôture, j'avais un sac en toile, de la corde et un démonte-pneu. J'ai monté les marches comme si je marchais sur des œufs, j'ai glissé le sac sous le clebs jusqu'à ce qu'il soit bien emballé comme une dinde de Noël. Et alors j'ai saisi mon démonte-pneu et je lui ai démoli la tête, et j'ai continué de cogner sur sa bouillie de cerveau jusqu'à ce que le sac soit complètement imprégné de sang. J'ai traîné le sac sur le porche, sur les marches, et à travers le jardin jusqu'à la rue. J'ai attaché une extrémité de la corde au sac, l'autre à mon vélo, et je suis reparti, traînant cette putain de saloperie jusqu'au bout de la route. »

M. West a de nouveau éclaté de rire.

La vision d'un gamin de huit ans fou à lier avec un démonte-pneu et un sac en toile avec un chien mort à l'intérieur me donnait la nausée.

« Et alors, j'ai foutu le feu à cette putain de bestiole, et je suis resté là à la regarder brûler… et qu'on me pende si un clebs en train de rôtir ça sent pas comme un barbecue du dimanche après-midi. »

M. West est resté quelques secondes silencieux, et ces secondes se sont étirées en une sombre éternité où l'humanité, l'empathie et la compassion n'existaient pas.

« Et tu sais quoi, Daniel ? Ça sentait exactement comme tu sentiras le jour où on te fera ta putain de fête. »

Il s'est remis à rire – doucement au début, comme un train grondant au loin, puis il a semblé se prendre à son propre jeu et son rire est devenu plus sonore, plus rauque, plus affreux et menaçant.

« Mon père, il les connaissait les gens comme toi, a-t-il repris. Ceux qui sympathisent avec les nègres, les Juifs et toute la lie de l'humanité. Il se cassait le cul pour qu'y ait pas de cette racaille chez nous. Et qu'on me pende s'ils l'ont pas tué à cause de ça... »

West a marqué une pause, et pour la première et très probablement dernière fois, j'ai perçu un semblant d'émotion dans ses yeux.

« Les gens comme toi comprendront jamais la guerre qu'on livre... la guerre qu'on continuera de livrer jusqu'à ce qu'on récupère notre pays. Et mon père le savait, et son père avant lui, et pour ce qui nous concerne, tu nous as rendu service en tuant un de ces nègres de sorte qu'on n'ait pas à le faire nous-mêmes. »

West a ricané, une expression méprisante est apparue sur son visage tordu.

« Tu sais ce que ça fait de voir son père se faire tuer, mon gars ? De le voir traîné sur la route par son propre père, avec du sang qui lui dégouline de la tête à cause des coups de bâton que lui ont collés ces nègres... des nègres qu'étaient même pas dignes de lui cirer les pompes... »

Il s'est levé, a tiré la chaise jusqu'au mur.

Il a marqué une petite pause, peut-être pour reprendre son souffle, puis il a retraversé le couloir et baissé les yeux vers moi.

« Dors bien, espèce de merde », a-t-il murmuré.

Je suis resté allongé, les yeux fermés, j'ai écouté le bruit de ses pas disparaître.

Et alors, je me suis mis à pleurer.

Max Myers est venu plus tard. Il a tendu la main à travers les barreaux et m'a touché les cheveux. J'étais à la dérive, j'avais perdu tout sens des réalités, quand j'ai entendu la voix de Max dire : « Il paraît que t'as ta date, Danny boy. Tu vas nous manquer, gamin. Fais-moi savoir si t'as besoin de quelque chose, OK ? Fais-moi savoir si t'as besoin de quoi que ce soit. »

J'ai levé le bras et touché la main de Max, il a agrippé la mienne, j'ai agrippé la sienne, puis ses doigts se sont écartés des miens et je l'ai entendu marcher dans le couloir, ses chaussures à semelles souples sur le linoléum, les roues grinçantes de son chariot à magazines.

Ils viendront tous à tour de rôle, un par un, ils diront ce qu'ils ont à dire, exprimeront les émotions qu'ils seront en mesure d'exprimer à un tel moment, et j'acquiescerai, je sourirai du mieux que je pourrai, je les entendrai, je répondrai avec les mots qui me viendront, tout en sachant que personne ne pourra jamais comprendre ce que je ressens.

Sauf Nathan.

Peut-être Nathan.

Nathan savait exactement ce que ça faisait de savoir qu'on va mourir.

Mais c'est une autre histoire.

J'en parlerai au père John, je lui dirai tout, et il me reste trente-six jours pour le faire.

Nous avions quitté Greenleaf au début de la deuxième semaine de juin. C'était un samedi. Le lundi suivant, nous étions à Jacksonville, en Floride, nous avions dépensé près de cent dollars, et nous avions besoin de travailler. Nous avons logé une nuit dans un motel à proximité de la Route 36, puis nous sommes allés au bord de la mer.

Je me revois quittant le motel ce matin-là, le ciel dégagé était d'un bleu étincelant, et l'espace d'un instant je me suis senti libre. Il n'y avait aucun autre moyen de décrire ça, juste *libre*. Cette sensation n'a pas duré plus d'une ou deux secondes fugaces, car tandis que nous tournions à droite au bout de l'allée en direction de la rue, j'ai vu une voiture de patrouille garée au bord du trottoir, son moteur tournant au ralenti. À l'intérieur, un agent mangeait un sandwich, tandis que son collègue se tenait à côté du véhicule, radio à la main, et parlait à quelqu'un. Je n'entendais pas ce qu'il disait, impossible depuis l'endroit où nous nous trouvions, mais je savais, je savais avec certitude que mon nom faisait partie des mots qu'il prononçait.

J'ai lancé un coup d'œil à Nathan. Il regardait droit devant lui, comme s'il n'avait rien remarqué. J'ai songé qu'il n'avait peut-être pas vu la voiture, même si nous n'étions qu'à quinze mètres et qu'il suffisait d'un coup d'œil sur la gauche pour la voir. Quand nous sommes arrivés à leur niveau, j'ai senti que l'agent à l'intérieur nous observait attentivement. Il avait cessé de manger, son attention était tellement portée sur moi qu'il n'avait pas pris la peine d'essuyer la tache de mayonnaise sur son menton... et j'ai su que nous étions foutus.

Je l'ai su au fond de mon cœur sombre.

Mes genoux étaient faibles, mes entrailles remuaient, et j'anticipais le son de sa voix, le « Hé, vous ! » qui arriverait d'une seconde à l'autre.

J'ai continué de marcher.

Un pied devant l'autre.

J'avais l'impression de faire un pas tous les trois battements de cœur, et je savais qu'ils entendraient mon cœur, qu'ils l'entendraient hurler dans ma poitrine comme un fou apeuré frappant à la porte d'une maison en feu.

La porte cèderait d'un moment à l'autre, mon cœur jaillirait de ma poitrine et atterrirait sur le trottoir comme une boule de culpabilité rouge vif.

Je me suis retourné brusquement en entendant quelqu'un rire. Un enfant. Puis un autre. En file indienne, comme une chenille d'enfants avançant soudain dans notre direction depuis le croisement.

Un homme grand à l'allure sévère marchait à leur tête, et lorsqu'il est passé auprès de nous, il nous a dévisagés avec dédain.

J'ai regardé la voiture de patrouille derrière moi, l'agent qui était assis à l'intérieur en est sorti et a fait un, deux, trois pas dans notre direction.

J'ai songé à courir.

Hé !

Mon cœur s'est figé.

Je ne voulais pas regarder derrière moi.

Mais je n'ai pas pu m'en empêcher.

Mes yeux agissaient malgré moi, et alors que je sentais ma tête tourner maladroitement vers la gauche, j'ai vu l'homme à la tête de la chenille d'enfants saluer chaleureusement l'agent de police, lui serrer la main en souriant. Les enfants se sont brusquement arrêtés.

J'ai regardé Nathan. Il m'a retourné mon regard et a souri.

Il n'avait vraiment rien remarqué.

Une fois de plus, je me suis souvenu que nous agissions en fonction de ce que lui avait décidé, pas moi, et comme c'était sa propre décision, il avait pris la responsabilité de toutes les conséquences éventuelles sur ses épaules. Il l'avait prise sur ses épaules en même temps que son sac et ses maigres possessions.

Mais moi, pas.

J'étais seul dans cette affaire, malgré la compagnie de Nathan.

Trente, quarante mètres de l'hôtel. La voiture de police et la file d'enfants désormais invisibles. J'ai regardé en arrière.

Pas pour voir les agents ; pour regarder en direction de chez moi.

C'était l'été, il faisait déjà terriblement chaud, et au bord des jetées et des quais, des chalutiers rentraient au port. Pas besoin de diplômes pour décharger le poisson, il suffisait d'être disposé à transpirer, à empester du matin au soir, et à faire preuve d'une persévérance acharnée.

Nous gagnions à peine de quoi couvrir notre chambre et notre nourriture, mais nous étions là, nous étions inconnus, et personne ne posait de questions. C'était ça l'essentiel.

Les choses ont continué de la sorte tout au long du mois de juin et pendant la plus grande partie de juillet, jusqu'au soir où, durant la dernière semaine du mois, nous avons décidé de sortir et de nous soûler. Nous n'en avions pas les moyens, mais nous estimions le mériter. Nous avions travaillé sans interruption pendant six ou sept semaines, douze, voire quatorze, heures par jour. Nous étions tombés dans la routine, une routine tolérable, et nous avions oublié pourquoi nous étions là, ce que nous fuyions.

Alors nous sommes allés à Jacksonville, nous avons trouvé un petit bar dans Oak Street près de la gare routière, et nous avons bu de la Budweiser et du Crown Royal en écoutant Willie Nelson et Chet Atkins sur le juke-box, discutant tous les deux sans nous préoccuper des autres.

Les choses auraient dû en rester là, mais je me suis mis en tête de faire une ou deux parties de billard, et même si Nathan n'était pas intéressé, je l'ai convaincu que c'était un jeu agréable.

Il n'y avait jamais joué, et il avait beau faire de son mieux, il était mauvais. Un type au bar faisait des commentaires sur l'étendue de sa nullité, un péquenaud obèse en salopette qui empestait comme s'il était en train de pourrir sur place et qui utilisait le mot *putain* aussi souvent que possible dans chaque phrase. Du genre : *Putain, qu'est-ce que ce putain de type fout à une putain de table de billard, putain de merde ?*

Nathan s'est vexé. Il était fils de pasteur, mais quand le type qui empestait a déclaré que les Noirs ne devraient pas être autorisés à jouer au billard, que c'était un jeu de Blancs, qu'une queue de billard, ce n'était pas une lance, et qu'il ferait peut-être bien de se contenter de courir vite et de coucher avec ses sœurs, Nathan a pété les plombs.

Ça a tourné au vinaigre dès le début.

Le type qui empestait n'était pas seul. Comme par magie, trois autres sont apparus, tous aussi stupides et puants, et quand ils ont encerclé Nathan, il m'a regardé et a commencé à comprendre dans quoi il s'était fourré.

Il a frappé le premier, et a cassé la queue.

Le type n'a pas bougé. C'était comme s'il avait tapé sur un arbre. Un arbre qui sentait mauvais.

J'ai attrapé une boule sur la table, et quand j'ai levé la main pour la lancer, quelqu'un m'a saisi par-derrière et m'a mis à terre d'un coup de poing. Un coup de poing dans les reins, ça fait mal, ça fait un mal de chien, et tandis que j'essayais de me relever, agrippant mon flanc avec la sensation que j'allais vomir l'essentiel de mes organes internes, Nathan se faisait repousser à coups de pied le long du bar jusqu'à la porte.

L'homme qui m'avait frappé a estimé que c'était plus rigolo de cogner sur un Noir, et il est parti rejoindre ses acolytes.

Je me suis précipité en rugissant, l'homme s'est retourné et, instinctivement, sans réfléchir, je me suis emparé du verre de Crown Royal et lui ai jeté son contenu au visage.

L'homme a hurlé de douleur quand l'alcool a atteint ses yeux. Il s'est pris le visage à deux mains, aveuglé, et je lui ai envoyé un énorme coup de pied dans les couilles.

Le moment où je l'ai touché a entraîné une réaction des plus stupéfiantes.

L'homme est devenu silencieux, parfaitement silencieux, et il est tombé comme une masse, selon l'expression bien connue.

Comme Marty Hooper chez Benny's.

Tandis que je passais à côté de lui en courant, je lui ai asséné un coup de pied dans le creux des reins.

Pas un bruit.

J'ai atteint le bout du bar alors même que Nathan était projeté tête la première dans l'allée à l'arrière du bâtiment.

J'ai continué d'avancer en clopinant, j'avais l'impression que mon flanc avait été ouvert pour une opération et laissé tel quel.

Je les voyais, tous les trois. Nathan était à genoux, les bras croisés au-dessus de sa tête, pendant qu'ils déversaient sur lui un déluge de coups de poing.

Il ne hurlait pas, et c'était peut-être ce qui me troublait le plus. Il ne faisait pas un bruit.

Les hommes grognaient sous l'effort. Ils ne m'entendaient pas, ne me voyaient pas, alors j'ai ramassé un couvercle de poubelle par terre. De toute mes forces, je l'ai lancé comme un Frisbee. Le bruit du couvercle heurtant l'arrière de la tête de l'un des hommes m'a rappelé les jours d'église à Greenleaf. Comme une cloche. Une foutue cloche !

Le bruit s'est répercuté dans l'allée.

Le type du milieu est tombé, ses mains agrippant l'arrière de son crâne endommagé.

Les deux autres se sont retournés avec une stupéfaction évidente sur leur visage rouge et ivre, et ils sont venus vers moi, roulant des mécaniques comme des méchants de dessin animé.

J'ai cru que c'était fini. J'ai songé que j'allais mourir. Que ça allait vraiment mal tourner et qu'ils allaient me massacrer, et *Oh! Seigneur Jésus-Christ tout-puissant, Marie mère de Dieu...*

Nathan s'est approché derrière eux comme une ombre.

Il semblait invulnérable, aussi immense qu'un séquoia, et j'ai alors vu la barre dans ses mains, aussi lourde que de l'acier ou du fer, d'une longueur d'environ un mètre. Quand elle s'est abattue de biais sur les deux hommes qui s'approchaient de moi, j'ai su que ce serait plus qu'une simple bagarre dans une ruelle sombre, que ce serait une question de vie ou de mort.

J'ai su que le coup était terrible quand je l'ai entendu. Sa puissance a projeté l'homme qui était sur ma gauche contre son copain, avec une telle force qu'ils ont tous deux percuté le mur. La tête du deuxième homme a heurté les barreaux inférieurs d'une échelle à incendie suspendue, et le même bruit a retenti, un bruit de cloche dont l'écho a clairement résonné dans l'obscurité.

Ils sont tombés comme deux immeubles qui s'écroulent, l'un sur l'autre, et alors qu'ils gisaient là, alors que le silence emplissait soudain l'allée, nous avons compris que nous étions dans la pire merde imaginable.

Je me demandais si l'homme à gauche était mort.

Nous sommes alors partis. Partis en un éclair.

Nathan a rebroussé chemin jusqu'au bout de l'allée. D'un bond, il a quitté le sol et a atterri sur le mur. Perché là-haut tel l'Homme Araignée, il m'a demandé de me dépêcher. Je l'ai alors senti qui me tirait vers lui, et je suis passé par-dessus le mur. Nous sommes retombés tels des cambrioleurs de l'autre côté et nous avons marqué une brève pause. Je ne sentais que la tension, la sueur qui recouvrait mon corps, mon cœur qui voulait se carapater. Même si le lendemain je découvrirais un bleu de la couleur d'un steak cru couvrant l'essentiel du bas de mon dos, sur le coup je n'avais pas mal. La panique avait disparu, la terreur était un souvenir vague et lointain, et tout ce que j'éprouvais, c'était un sentiment nouveau d'être *vivant*.

J'ai regardé Nathan. Il ouvrait de larges yeux, avait une expression concentrée et tendue. Il s'est alors remis en marche, moi à ses côtés, et nous nous sommes hâtés de traverser Oak Street en direction de la chambre que nous partagions.

Ma naïveté a surpris Nathan.

« Partir ? lui ai-je demandé une fois que nous étions rentrés.

— Bon sang, Danny, tu comprends ce qui s'est passé ? Ce type pourrait être mort. Au mieux, il se fera recoudre la moitié de la tête aux urgences. Tu crois qu'ils vont laisser passer quelque chose comme ça ? »

J'ai secoué la tête, hésitant.

« Je ne sais pas... »

Nathan semblait stupéfait, abasourdi.

« Tu ne sais pas ? Tu ne sais pas *quoi*, Danny ? Tu comprends que nous sommes déserteurs. C'est un délit, un putain de délit, nom de Dieu ! »

J'ai alors compris que c'était sérieux. Nathan ne blasphémait absolument jamais.

« Nous commettons un acte illégal, et en plus on pourrait nous embarquer pour voies de fait, coups et blessures, Dieu sait quoi... réveille-toi, Danny, ce n'est pas une aventure, c'est la vraie vie, tu t'es jamais retrouvé dans un tel merdier.

— Alors on part ? »

Nathan a levé les mains de désespoir.

« Non, Danny, on retourne là-bas et on retrouve ces braves gars, histoire de voir si on peut boire un coup ensemble, se serrer la main et passer l'éponge. Bien sûr qu'on part. Ressaisis-toi. On est barrés dans cinq minutes. »

Nouvelle panique...

J'étais prêt au bout de quatre.

Nous sommes partis ensemble.

Je n'ai pas posé plus de questions.

Nous sommes descendus le long de la côte jusqu'à Saint Augustine et Daytona Beach, où nous sommes restés quelques semaines le temps de récupérer. J'étais certain que Nathan avait au moins deux côtes cassées, mais il a refusé d'aller à l'hôpital. S'il y était allé, on lui aurait demandé un nom, une pièce d'identité, et il aurait fallu expliquer comment on s'était fait si méchamment tabasser. Nous avions appris une leçon, c'est tout ce qu'il avait à dire sur le sujet ; nous avions appris une leçon.

Même si le bleu dans mon dos avait l'air sérieux, je ne souffrais pas beaucoup. J'avais résisté, j'avais agi efficacement pour gérer la situation l'autre soir, et ça me faisait du bien. Je n'avais pas reculé. Je ne m'étais pas enfui. Je n'étais pas un lâche.

« Merde, Danny, tu m'en devais une pour la fois où j'ai mis Marty Hooper KO », a déclaré Nathan.

Nous avons ri un peu, pas trop parce que Nathan avait salement mal au torse et que rire rendait la douleur encore pire.

Daytona Beach était calme. Nous avons pris une chambre dans un motel en bordure de la ville et personne n'a posé de questions. Nous avons décidé d'y demeurer jusqu'à ce que Nathan soit de nouveau en état de voyager, après quoi nous irions vers l'est, en direction d'Ocala et de Gainesville.

Nous restions dans notre coin, nous ne parlions qu'aux personnes à qui nous étions obligés de parler, et quand nous avions besoin de billets de bus ou de provisions, seul l'un de nous y allait. Même dans la rue, nous marchions à quelques mètres l'un de l'autre. C'était une chose que nous n'avions ni discutée ni planifiée. Ça s'est produit naturellement, nous avions tacitement convenu qu'il devait en être ainsi. Dans certains endroits, la séparation entre Noirs et Blancs était étonnamment évidente, mais nous n'y prêtions aucune attention. Nous n'avions ni le temps ni l'énergie de nous soucier de ça. Nous avions des préoccupations plus importantes.

La police semblait être partout, comme si des programmes spéciaux avaient été mis en place dans chaque ville et chaque banlieue que nous traversions et que toutes les unités du coin étaient à notre recherche. Je n'ai pas une seule fois songé au nombre d'adolescents et de jeunes hommes à travers le pays qui faisaient exactement la même chose que nous. Je n'ai pas une seule fois songé que peut-être mon imagination s'emballait, que c'était moi qui cherchais la police, et que je la voyais donc de plus en plus. Comme il a été si souvent dit : *Ce n'est pas de la paranoïa s'ils sont vraiment après vous.* J'avais l'impression qu'à chaque coin de rue et chaque carrefour, dans chaque boutique et chaque parking, dans chaque supermarché où nous entrions, les flics étaient là, attendant, observant sans rien dire, se contentant d'*absorber* ma présence. Je me sentais comme John Dillinger, comme Baby Face Nelson, et je me disais qu'après des semaines de poursuite je finirais à vingt mètres de hauteur, hurlant : « Sur le toit du monde, maman ! », perché sur un réservoir à gaz au bord de la route.

Nous avons quitté Daytona Beach le 14 septembre. Nous étions partis depuis un peu plus de deux mois. Je n'avais pas appelé ma mère, car je me sentais incapable d'entendre sa voix et de lui mentir. Je lui avais déjà menti dans une lettre, quand je lui avais dit que nous nous dirigions vers Winston-Salem, que nous avions songé à poursuivre jusqu'en Virginie, mais que nous verrions ce qui se passerait. Je lui avais raconté que Nathan était avec moi, que tout allait bien, et que même si j'étais désolé d'être parti aussi vite, j'avais eu le sentiment que c'était l'opportunité de faire quelque chose de mieux de ma vie. Je lui avais expliqué que je ne pouvais pas continuer dans le magasin de radios de Karl Winterson pour le restant de mes jours. Je savais qu'elle comprendrait. Son mari, mon père, avait été conducteur de train toute sa vie, et tout le monde savait qu'il aurait dû faire quelque chose de sa passion pour fabriquer des objets, de son habileté avec le bois, de son don artistique. Il ne l'avait jamais fait, il n'en parlait jamais, mais si vous vous approchiez suffisamment, vous le deviniez sur son visage.

Ce n'est que plus tard que je me suis aperçu que la lettre portait un cachet qui indiquait sa provenance.

Je n'en avais pas parlé à Nathan, je ne lui avais pas dit que ma lettre, et donc mon incapacité à faire face à ma mère, avait effacé toute possibilité que les gens croient que nous étions partis vers le nord.

Non, je me disais que lui en parler ferait plus de mal que de bien.

Une autre petite chose rien que pour Dieu et moi.

J'ai essayé de lui faire part de mes inquiétudes, de mes peurs, de ce pressentiment permanent qui me hantait comme mon ombre. Parfois, quand je croyais que ces angoisses étaient parties, je me retournais et les trouvais là, juste à côté de moi. Ce n'était pas le fait d'avoir déserté qui les déclenchait, c'était le sentiment de trahison. Je ne m'étais jamais considéré autrement que comme un homme honnête, droit comme un I, presque implacable dans son souci du bien, de la justice, de l'équité. Si on laissait les justifications et les explications de côté, j'estimais que ce qui se passait au Vietnam avait un sens, un sens dans le principe, pas dans les actes. Peut-être n'était-ce rien de plus que le résultat d'une longue propagande, mais je croyais à la liberté, à la liberté de parole, d'action et de croyance, et l'écrasement des territoires et des hommes par les communistes me semblait une parfaite iniquité. Je ne croyais pas un instant qu'ils s'empareraient du monde, je n'y avais même pas cru pendant l'épisode de la baie des Cochons, toutes ces années auparavant. Mais je croyais au droit des êtres humains d'être eux-mêmes, de croire ce qu'ils voulaient croire, d'exprimer leurs opinions et leurs émotions de la manière qu'ils souhaitaient. Et c'était la trahison de cette croyance qui me faisait le plus mal. Et même quand je me disais que si j'y étais allé, je n'aurais jamais survécu, je sentais néanmoins que même ceux qui étaient partis malgré eux, le cœur empli de terreur, emportant avec eux les bénédictions de leurs proches, même ceux qui, gisant dans un fossé infâme, leur vie s'échappant par des orifices sanglants et brûlants, s'étaient accrochés à un dernier souffle... même ceux-là avaient su qu'ils avaient fait ce qu'on leur avait demandé de faire, ce pour quoi ils avaient été appelés, et qu'il y avait une certaine justice et une certaine droiture dans cela et cela seul.

Je croyais alors, et je crois encore, qu'il y a un équilibre universel en tout.

J'avais peut-être trompé la mort, prolongé ma vie au-delà du temps qui lui était imparti.

Je me rappelais une histoire que mon père m'avait un jour racontée. Un marchand perse, ayant rendu visite à un devin, avait été informé que la Mort le trouverait ce jour. Le marchand, terrifié, avait demandé où la Mort le trouverait, et le devin avait répondu qu'il ne pouvait révéler une telle information. Le marchand, un homme très méthodique et routinier, savait que ce jour était celui où il se rendait toujours au marché. Alors il était rentré chez lui à la hâte et avait prévenu son serviteur qu'il ne se rendrait pas au marché comme à son habitude, mais qu'il irait à Bagdad. Il avait pris son cheval le plus rapide et s'était enfui vers la ville, espérant trouver un endroit où se cacher dans la grande capitale. Le serviteur, confus, affligé par le comportement de son maître, était lui-même allé au marché comme d'ordinaire. Il y avait vu la Mort, qui l'avait abordé. Le serviteur, horrifié et décontenancé, avait demandé à la Mort ce qu'elle lui voulait. Le moment n'était sûrement pas venu pour lui de mourir ? La Mort avait esquissé un sourire froid, et répondu qu'elle était surprise de voir le serviteur ici sans son maître, le marchand. Le serviteur avait demandé pourquoi, et la Mort – se penchant près du serviteur, son souffle balayant son visage – avait murmuré qu'elle avait rendez-vous cet après-midi même avec le marchand à Bagdad.

La Mort me cherchait, et elle arborait le visage de policiers, le visage de vieilles femmes qui nous observaient quand nous traversions la rue et nous arrêtions aux croisements, le visage d'enfants innocents qui semblaient étonnés de voir un homme blanc et un homme noir marcher si près l'un de l'autre dans la région...

Elle venait sous toutes ces formes, et je pouvais courir aussi vite que je voulais, j'étais certain qu'elle me rattraperait.

Il semble y avoir de brefs moments dans nos vies où, malgré les circonstances, l'humanité des autres transperce. C'est comme si l'esprit humain indomptable – malgré l'oppression et les assauts – se dressait néanmoins, tel le Phénix renaissant de ses cendres, et nous nous rappelons alors que les gens sont attentionnés. Ils sont *vraiment* attentionnés.

Nous avons vécu un de ces moments avec Nathan. En soi, il n'avait peut-être guère d'importance, mais il a souligné à mes yeux la différence fondamentale entre nous. Plus tard, bien des années plus tard, quand je soupèserais le poids de ma culpabilité, un tel moment ferait sans difficulté pencher la balance de la justice du côté de Nathan Verney.

En tout j'avais toujours d'abord songé à moi. En quittant Greenleaf, j'avais naturellement pensé à ce que *je* voulais, à ce que *je* deviendrais. Nathan serait parti seul. Pas moi. Je ne serais pas parti seul, par peur de la solitude, mais aussi par crainte pour ma survie si quelqu'un n'était pas là pour me protéger et m'assister. C'était en ça que nous différions.

Je considérais les événements en fonction de la manière dont ils m'affecteraient.

Nathan considérait les effets sur les autres.

Je ne me souviens plus où nous étions alors. Il y avait tant d'endroits, tant de voyages, et au bout d'un moment les villes et les banlieues ne faisaient plus qu'une.

Je me rappelle cependant une rue, quelconque, éminemment oubliable. Je me rappelle la devanture d'un magasin de graines, cette odeur de rouille reconnaissable entre mille qui émane des sacs et des boîtes.

Je me rappelle que Nathan et moi avions une discussion sans importance.

« Tu veux manger maintenant ou plus tard ? a-t-il demandé.

— Plus tard, ça ira », ai-je répondu.

Il a acquiescé, et s'est brusquement tourné vers la gauche lorsque son attention a été attirée par de l'agitation au bout de la rue.

Une fillette à vélo est apparue, âgée de huit ou neuf ans au plus, et elle pédalait comme une furie, comme si le diable était à ses basques. Derrière elle, tentant de mordre les roues du vélo, il y avait un gros chien affreux, la gueule dégoulinante de bave, qui faisait claquer ses crocs. Un homme courait derrière le chien, l'appelant par son nom, lui hurlant de s'arrêter.

La fillette était terrifiée, son visage était pâle, ses traits tirés, et elle appuyait sur les pédales de toutes ses forces comme si sa vie en dépendait.

Nathan s'est levé d'un bond du banc sur lequel nous étions assis, il a filé aussi vite que le vent, et avant que je comprenne ce qui se passait, il s'était posté entre la fillette et le chien et se tenait là, poings levés, les épaules voûtées en avant.

Le souvenir vif de Nathan faisant face à Larry James et à Marty Hooper chez Benny's un million d'années plus tôt m'est alors revenu.

Comme le chien n'était plus qu'à trois mètres de lui, Nathan a poussé un puissant rugissement et a commencé à se frapper le torse.

Le chien s'est arrêté net, tombant presque cul par-dessus tête.

Il était planté au milieu de la rue, tout d'abord confus, puis il s'est soudain assis sur son arrière-train, montrant de nouveau les dents, un grognement guttural émanant du fond de sa large gorge musclée.

« Approche, enfoiré, ai-je entendu Nathan lancer d'une voix sifflante. Approche, espèce de sale enfoiré… Viens m'attraper, viens me mordre. »

Nathan s'est alors rué en avant, subitement, et le chien, parfaitement incrédule, a émis un petit glapissement désespéré. Il a fait un pas en arrière, a de nouveau glapi, puis il s'est retourné et a détalé dans la rue.

À cet instant, j'ai revu Larry James et Marty Hooper se retournant et prenant la fuite devant Eve Chantry, il y avait tant d'années de cela.

J'étais sans voix.

Et ce n'est que dans le silence qui a suivi que je me suis aperçu que la fillette était tombée de son vélo à pas plus de cinq mètres de l'endroit où j'étais toujours assis, aussi immobile qu'une pierre.

Je me suis levé, j'ai commencé à me diriger vers elle, mais Nathan a été plus rapide que moi et il s'est agenouillé à côté d'elle, la réconfortant, ôtant des petits graviers de son genou écorché.

Je l'ai regardé sans dire un mot.

Les mots m'avaient quitté quelques minutes plus tôt, et j'avais beau chercher, impossible de les retrouver.

J'ai ouvert la bouche et un silence s'en est échappé, flottant dans l'air comme un organdi.

Nathan avait agi avant que j'aie la chance de songer à le faire.

Et une fois encore, l'espace d'un instant, je me suis senti invisible à côté de lui.

15

À la mi-septembre, nous étions sur la côte ouest de la Floride, près d'Apalachee Bay. Nous avions prévu de retravailler sur des bateaux vu que la saison se prolongerait encore un peu, après quoi nous déciderions de ce que nous ferions. Pendant la première semaine, nous avons dormi sur la plage. Il faisait encore chaud, et il y avait des gens qui traînaient là-bas, des gens avec des guitares, des gens qui fumaient de l'herbe et buvaient, des gens qui vivaient leur vie comme ils l'entendaient. Nous ne nous en doutions pas, mais ces années, la fin des années soixante, seraient celles que les gens associeraient à la révolution, une révolution de l'esprit, une révolution de la liberté sexuelle et de la paix sur terre. Les gens que nous avons rencontrés là-bas semblaient ancrés dans le monde, comme Linny Goldbourne me l'avait semblé, et nous écoutions les anecdotes qu'ils nous racontaient sur San Francisco, Haight-Ashbury, sur l'acide, Jimi Hendrix et Janis Joplin.

Nathan était pris dans le mouvement, peut-être encore plus que moi, car il semblait s'y libérer de la sévérité et de la discipline de son père. Son éducation n'avait pas été dure, il n'avait jamais manqué de rien, mais le monde dont il venait était noir et blanc, propre, révérencieux et modéré.

Nathan fumait de l'herbe avec ces gens. Moi aussi, mais pas autant que lui. Nous travaillions toute la journée, nous nous cassions le cul au soleil à attraper des poissons dans les filets pour les balancer dans des caisses pleines de glace, puis à charger ces lourdes caisses sur des camions que nous regardions partir vers Tallahassee et Orlando. Il y avait un convoi infini de véhicules, les chauffeurs s'impatientaient en attendant que leur camion soit chargé à bloc, et nous bossions comme des cinglés. Quand arrivait la fin de la journée, nous marchions jusqu'à la plage, nous nous déshabillions et nous lavions dans la mer, puis nous dormions un moment, jusqu'à ce que l'air du soir se rafraîchisse, et alors nous allumions des feux et attendions que les autres arrivent. Ils débarquaient dans des pick-up et des Combi Volkswagen, des garçons et des filles, même des enfants avec leurs longs cheveux flottants, leurs habits colorés, leurs bouteilles de whisky et leurs sachets d'herbe, et ce vieil électrophone relié à un générateur dans le coffre d'un des véhicules. Nous nous rassemblions en cercles, et les cercles s'élargissaient, les feux devenaient plus vifs, et, dans les endroits que la lumière n'atteignait pas, des couples s'envoyaient en l'air. On les entendait. Ils avaient l'air libres.

Nathan était enchanté et renforcé par tout ça. Il a appris la guitare, une demi-douzaine d'accords en tout, mais il était tellement habitué à chanter le gospel à l'église que sa voix recouvrait le bruit de l'océan. Elle portait, c'était un son surnaturel, et il prouvait une chose que j'avais comprise de nombreuses années auparavant à l'église. Ce n'était ni votre couleur ni votre apparence qui comptaient, et votre personnalité n'avait pas grande importance non plus au début : tout était une question d'attention. Et il savait obtenir leur attention, il savait vraiment le faire, et rares étaient les nuits où Nathan ne faisait pas partie de ces couples, cachés loin de la lumière.

Parfois, j'avais la sensation de le perdre, mais il revenait toujours, il venait toujours me voir pour savoir comment j'allais, et c'est lui qui a amené les sœurs Devereau, les *jumelles* Devereau, à l'endroit où j'étais assis près du feu, un soir vers la fin du mois.

Rosalind et Emily Devereau étaient originaires de quelque part en Louisiane. Je n'ai jamais su exactement d'où ; mais on devinait à leur apparence, à leurs yeux farouches, à leurs cheveux sombres et à leur fougue pleine de confiance et d'audace que ces filles avaient quelque chose qui ne ressemblait à rien de ce que j'avais connu jusqu'alors. Elles n'étaient pas identiques, mais pas loin, et chacune avait un talent mystérieux pour sentir ce que l'autre ressentait. L'une complétait les phrases de l'autre, elles interrompaient soudain ce qu'elles faisaient et se levaient pour se retrouver. Plus tard, en discutant, Nathan et moi découvrions que bien que nous ayons été à trois cents mètres les uns des autres sur la plage, elles s'étaient levées en même temps et s'étaient dirigées l'une vers l'autre. Elles faisaient ce genre de choses, et si ça n'avait pas été troublant, ça aurait été amusant.

Elles semblaient graviter vers nous, et même si je passais plus de temps avec Emily, et Nathan avec Rosalind, ça n'aurait guère eu importance si ça avait été l'inverse. Elles se ressemblaient tellement en tout qu'on aurait presque pu commencer une conversation avec l'une et la finir avec l'autre sans remarquer l'interruption au milieu.

Nous avons loué un appartement, Nathan et moi, pile là sur la plage, et même s'il était petit, même si nous partagions une unique pièce avec deux matelas, nous sentions réellement que nous avions l'opportunité de vivre quelque chose de spécial dans cet endroit. Rosalind et Emily Devereau, du mois d'octobre 1968 au début de 1969, ont fait partie de la famille. C'était l'impression que nous avions : nous étions une famille.

Je me souviens d'une soirée que nous avons passée dans cet appartement. Rosalind et Emily étaient venues à la plage comme elles le faisaient toujours, et après un moment Rosalind a suggéré de rentrer à la maison, histoire de boire du vin et de traîner un peu ensemble.

Nous y sommes allés, avec un peu trop d'enthousiasme, car à notre arrivée Nathan avait bu la moitié de la bouteille et il riait tandis que Rosalind tentait de le faire avancer en titubant sur le trottoir.

Une fois à l'intérieur, ils se sont écroulés ensemble sur un matelas, et je les ai observés, heureux de constater que Nathan s'était libéré des derniers vestiges de la Caroline du Sud et du monde de son père.

« Vous en voulez ? » a demandé Rosalind en tendant la bouteille à sa sœur.

Emily l'a saisie, m'a demandé d'aller chercher des gobelets dans la cuisine, et à mon retour ils étaient tous les trois assis par terre dos à dos, formant un triangle tourné vers l'extérieur. Je me suis joint à eux – assis en tailleur, Rosalind derrière moi, Nathan sur ma droite, Emily sur ma gauche.

Je me sentais à l'aise. Je me sentais déterminé. J'avais la sensation d'être exactement où je voulais être, de passer mon temps avec les personnes que j'avais choisies.

« Alors, combien de temps vous comptez rester ici ? a demandé Emily.

— Aussi longtemps qu'elle durera, a répondu Nathan.

— Aussi longtemps que *quoi* durera ?

— La guerre. »

Il y a eu un moment de silence.

« Vous avez déserté, a déclaré Rosalind d'un ton neutre.

— On a déserté », ai-je répondu, et tout en disant ça, j'ai songé que c'était peut-être la phrase la plus difficile que j'avais jamais prononcée.

Personne n'a parlé, pas un mot, jusqu'à ce que Nathan se penche en avant pour attraper son gobelet, et alors il a dit une chose qui m'a complètement surpris.

« Tout ça, c'est grâce à Danny. »

J'ai froncé les sourcils, me suis retourné pour le regarder, et il m'a souri.

« Il y a de nombreuses années, a poursuivi Nathan, nous étions en Caroline du Sud, dans notre ville natale. Ces histoires de Blancs et de Noirs commençaient à vraiment s'emballer, et nous étions dans une buvette où traînaient les gamins. L'un d'eux a peloté le cul d'une fille ou quelque chose du genre, une fille pour qui Danny en pinçait… »

Il y avait un sourire dans la voix de Nathan, un amusement sous-jacent qu'il était difficile de ne pas percevoir.

« Enfin bref, ce type a peloté le cul de la fille… comment elle s'appelait, Danno ?

— Sheryl Rose Bogazzi.

— C'est ça, Sheryl Rose Bogazzi...

— Oh, allez ! a coupé Emily. Personne ne s'appelle Sheryl Rose Bogazzi.

— Va dire ça à Sheryl Rose, ai-je répliqué.

— C'est comme Betty Sue Windmill ou Mary Joe Plankboard, a observé Rosalind en riant.

— Sans doute un de ces coins du Sud où en grandissant vous découvrez que votre mère est en fait votre sœur, et où quand vous avez treize ans vous devez épouser votre grand-père, a ajouté Emily.

— Ça suffit, a dit Nathan. Enfin bref, vous pouvez parler, bande de vieilles sorcières... vous sortez tout droit d'un marécage. Des cinglées des Appalaches qui ont des serpents à la maison et qui apprennent la Bible par cœur.

— L'histoire, suis-je intervenu, désirant plus que tous les autres savoir ce que Nathan allait dire.

— Oui, l'histoire... donc cette fille se fait peloter le cul par un certain Marty Hooper, et il avait avec lui son acolyte, Larry James...

— T'es sûr que c'était pas Cletus Knackerback et Billy Bob Dickweed ? a fait Rosalind.

— J'en suis sûr, a répondu Nathan. Maintenant, vous voulez bien la fermer toutes les deux et me laisser terminer ?

— Désolée, Nathan, a dit Emily.

— Moi aussi, désolée, a dit Rosalind en écho.

— Donc, Danny fait face à ces types, qui sont bien disposés à lui coller une raclée, alors je l'attire en arrière et je mets l'autre connard KO. »

Nathan s'est mis à rire.

«Il est tombé comme un château de cartes. Danny était planté là, à se demander s'il devait être furax que j'aie frappé le type ou soulagé de ne pas s'être retrouvé avec les dents qui lui sortaient par le cul, et alors quelqu'un m'a traité de nègre... comme ça. Nègre, il a dit, et un silence explosif a empli la pièce.»

Nathan a marqué une pause, et il y a eu une tension silencieuse dans la pièce. Tous les quatre assis ensemble, sans un bruit. Pas même un souffle.

«Et alors, quelqu'un d'autre a dit la même chose, a repris Nathan. Puis quelqu'un d'autre... et on a foutu le camp comme si on avait le feu au cul.

— Mais qu'est-ce que ça a à voir avec votre désertion?» a demandé Emily.

Nathan a souri et m'a regardé.

«Vous avez la moindre idée du cran qu'il faut pour prendre le parti d'un Noir, comme ça?»

Ni Emily ni Rosalind n'ont prononcé un mot.

«Vingt, trente gamins, complètement fous, déchaînés, furieux... et Danno se tire avec le seul Noir. On s'est fait la malle et ils nous ont pourchassés, ils nous ont jeté des pierres, ils étaient prêts à nous attraper et à nous lyncher... et Danno est tout le temps resté avec moi.

— Et qu'est-ce qui s'est passé? a demandé Rosalind.

— On a été sauvés par la sorcière, ai-je répondu. La sorcière qui avait mangé son mari.

— Quoi? a fait Emily.

— La sorcière, a répété Nathan.

— Il y avait une sorcière ? »

Nathan a éclaté de rire.

« En effet, il y avait une sorcière… mais c'est une tout autre histoire. Ce que je veux dire, c'est que Danno a fait une chose que personne d'autre n'a faite. Il est resté à mes côtés quand tout lui disait de faire le contraire… et ça m'a enseigné une chose. Ça m'a enseigné qu'on doit faire ce qui nous semble juste, qu'importe ce que pensent les autres. »

Nathan s'est retourné et m'a regardé. Il n'a pas souri, il m'a simplement regardé. J'avais l'impression qu'il pouvait voir à travers moi, jusqu'au mensonge qui m'encombrait comme une tumeur. Peut-être qu'à l'époque j'avais fait ce que je croyais juste, par peur, par instinct de conservation, ou simplement par pure terreur. À l'époque. Mais cette fois-ci, c'était différent. Cette fois-ci, j'étais venu parce que je n'avais pas eu le courage de dire non.

Dans les années qui ont suivi, j'ai repensé à tout ce qui avait été dit et fait en Floride, et j'ai compris que c'était là que j'avais trouvé mon aplomb, mon équilibre, mon *moi*.

Les sœurs Devereau étaient une espèce unique, elles étaient sages, profondes, mais également passionnées et irresponsables. Jamais plus dans ma vie je ne rencontrerais de personnes aussi spontanées et impulsives. Elles écrivaient des poèmes ensemble, pour nous, et elles demandaient à Nathan de jouer de la guitare pendant qu'elles nous chantaient des chansons d'amour. Des chansons d'amour pour moi et Nathan Verney. Nous faisions tout le temps l'amour. Nous restions avec la même partenaire, toujours la même, mais parfois nous nous allongions tous les quatre sur les matelas, qui avaient été rapprochés par Emily ou Rosalind, et à certains moments au milieu de nos ébats j'apercevais Nathan qui levait les yeux, tandis que les deux sœurs, malgré notre présence corporelle, se regardaient. Comme si elles étaient sur la même longueur d'onde spirituelle, se nourrissant chacune de l'excitation et de l'intimité de l'autre, et que le hasard nous avait juste placés là pour que nous puissions apprécier la proximité de ces deux filles.

Ce n'était pas pervers, ce n'était ni laid ni dégradant. Rien de tout ça. Ça transcendait le physique pour nous mener au royaume du nirvana et aux montagnes de la Lune. Et même si parfois j'étais étendu auprès d'Emily et regrettais un peu que ce ne soit pas Caroline ou Linny, je faisais de mon mieux pour ne pas y penser. Je faisais mon possible pour vivre l'instant présent, et cet instant seul. Dans mon esprit, le passé était un collage de sons, de visages, de couleurs, de l'amour que j'avais éprouvé pour Caroline et Linny, de trahison et de perte.

Je n'ai jamais oublié cette période.

Une période d'apprentissage, de découverte de moi-même, et, surtout, de promesse.

Les sœurs Devereau sont reparties à la fin janvier 1969. Il n'y a pas eu de larmes, de regrets, de récriminations, ni même de sentiment de perte. Elles étaient venues, elles nous avaient rendu visite, et maintenant elles partaient. Elles comptaient retourner en Louisiane, retrouver leur famille, leur ancienne vie peut-être, et Nathan et moi les avons regardées s'éloigner sans rien ressentir.

Je me rappelle m'être tourné vers lui tandis que le bus disparaissait dans un virage, et son visage était impassible, dénué d'expression, ni heureux, ni triste, ni quoi que ce soit d'identifiable.

« Parties, a-t-il dit doucement.

— Parties », ai-je répondu.

Nous nous sommes retournés en même temps et sommes repartis par là où nous étions arrivés.

Nous n'avons plus parlé d'elles.

Comme si ça avait été un rêve.

Plus tard le même jour, Nathan m'a demandé :

« Tu es déjà tombé amoureux, Danny ? »

J'ai souri.

« Sacrée question, Nate.

— Alors ? » a-t-il insisté.

Je me suis penché en arrière et l'ai regardé, me sentant étrangement embarrassé. Nathan était mon ami le plus proche, il l'avait toujours été, depuis le jour au bord du lac Marion avec le sandwich au jambon, mais de tout ce temps je ne me rappelais pas l'avoir jamais entendu poser une question aussi personnelle.

Nathan Verney était un roc, un point d'ancrage. Il paraissait distant, peut-être peu communicatif, et pourtant derrière ce mur battait un cœur si gros qu'il aurait pu avaler le monde.

« J'ai été amoureux, oui, ai-je répondu.

— Raconte-moi. »

J'ai haussé les épaules.

« Qu'est-ce qu'il y a à raconter ?

— Comment c'est, ce que ça fait, comment on le sait…

— T'es pas sérieux ?

— Comme jamais », a-t-il répondu.

Il y avait quelque chose dans ses yeux, quelque chose dans tout son être qui me disait qu'il était on ne peut plus sérieux et qu'il voulait vraiment une réponse à sa question.

« Je ne comprends pas…, ai-je commencé.

— Je suis ici, a-t-il dit. J'ai quitté ma maison, ma famille, tout ce que j'ai connu toute ma vie. Je suis ici parce que je ne veux pas mourir… mais vu comment les choses se sont passées récemment, je ne crois pas avoir plus de chances ici que dans quelque jungle paumée au milieu de nulle part. J'ai réfléchi à ce qui compte dans la vie, aux choses importantes, comme la famille, les amis, avoir quelqu'un en qui l'on croit. J'ai réfléchi à la foi et à Dieu, à toutes les choses que mon père m'a dites dans mon enfance… et je ne peux pas dire qu'une seule d'entre elles soit aussi importante qu'aimer quelqu'un, être aimé par quelqu'un, et savoir que quoi qu'il arrive vous serez toujours là l'un pour l'autre… »

Nathan Verney s'est retourné et m'a regardé.

J'ai cru l'espace d'une seconde qu'il avait les larmes aux yeux.

« Quand je mourrai, Daniel… quand je mourrai, je veux pouvoir dire que j'ai aimé quelqu'un… »

Je suis resté un moment silencieux, puis je me suis mis à parler, et des mots que je ne croyais pas avoir en moi sont sortis de ma bouche.

« Il y a eu Caroline. Tu te souviens de Caroline Lanafeuille ? »

Nathan a souri et acquiescé.

« Je l'ai aimée autant que je croyais qu'il était possible d'aimer. Elle a été ma première, ma toute première, et ce qu'elle me faisait ressentir était vraiment incroyable. »

Nathan a déporté son poids d'une jambe à l'autre et m'a regardé attentivement.

« Elle me faisait me sentir fort... fort et passionné. Elle riait de ce que je disais, pas parce qu'elle trouvait ça stupide, tu sais ? Mais parce qu'elle me trouvait drôle. Parfois elle se tenait à côté de moi, juste à côté de moi, elle ne disait rien, et la façon qu'elle avait de faire ça me donnait l'impression que j'étais la personne la plus importante au monde. »

J'ai marqué une pause et j'ai compris que Nathan n'avait jamais rien éprouvé de tel.

« Et ensuite, il y a eu Linny Goldbourne... et Linny était comme un feu d'artifice, un feu d'artifice de folie qui t'explosait dans la tête. »

J'ai souri, puis ri.

« Elle se jetait sur toi avec toute son énergie, et il y avait quelque chose en elle qui te donnait l'impression que quand elle était là rien d'autre au monde n'avait d'importance. Elle me faisait me sentir aimé, mais c'était différent de Caroline... pas mieux, juste différent. J'aimais Caroline, mais je ne crois pas qu'elle m'aimait de la même manière. Alors qu'avec Linny cet amour revenait multiplié par trois, c'était presque écrasant dans un sens, et c'était addictif... comme une drogue. »

J'ai hésité, et durant cette hésitation je me suis rendu compte que je parlais de choses que je ne ressentais plus. Pendant un moment, une panique étrange s'est emparée de moi, un sentiment de solitude, la peur de ne plus jamais ressentir ça de ma vie. J'ai cru, l'espace d'une seconde, que je n'aurais plus jamais la chance d'aimer ainsi de nouveau.

Un nœud me comprimait la gorge et étranglait les autres mots que j'aurais pu trouver.

« Je veux… », a dit Nathan doucement.

J'ai relevé les yeux.

« Un jour… je veux éprouver quelque chose de semblable, Danny. »

À cet instant, j'ai eu la certitude que Nathan Verney était plus important que tout le reste, plus important que n'importe qui… et je ne trouvais pas un seul mot à lui offrir.

Si j'avais su à quel point ce moment me hanterait par la suite, je lui aurais dit n'importe quoi. Mais je n'étais pas censé savoir, et donc ça m'a hanté, suivi comme un fantôme.

Ça nous a suivis tous les deux, résolument, irrévocablement, jusqu'à notre mort.

Après ça, il a semblé silencieux, distant, renfermé.

« Ça va ? » lui ai-je demandé.

Il s'est tourné vers moi, a souri d'un air résigné, et m'a posé une question.

« Qu'est-ce que tu attends, Danny ? »

J'ai un peu été pris de court.

« Ce que j'attends ? Comment ça ?

— De la vie. Qu'est-ce que tu attends de la vie ? »

J'ai secoué la tête.

« Je ne peux pas dire que j'y aie beaucoup réfléchi. »

Nathan a souri.

« Tout le monde y réfléchit, Danny... au bonheur, à ce qui rend heureux.

— Le bonheur. Qu'est-ce que c'est, au bout du compte ? »

Nathan a haussé les épaules.

« Mon père dit que c'est la foi... que la foi, c'est le bonheur.

— Mais il est pasteur... évidemment qu'il va dire ça. »

Il a secoué la tête.

« Il ne voulait pas dire dans ce sens. Pas la foi en Dieu ni rien, juste la foi. »

J'étais perplexe.

« La foi en quelque chose, a poursuivi Nathan, comme s'il parlait tout seul. Même la foi en soi. Croire fortement en une chose qui est réellement la plus importante de sa vie.

— Je ne crois pas avoir jamais cru aussi fort en quoi que ce soit », ai-je affirmé.

Nathan m'a regardé.

« Tu croyais assez en ce qu'on faisait pour partir de chez toi. »

Je croyais assez en toi, ai-je pensé intérieurement, mais je ne l'ai pas dit. À la place, j'ai déclaré :

« Oui, je croyais assez en ça.

— Et c'est quoi, ça ? En quoi on croyait ?

— En la vie ? ai-je demandé, presque pour la forme.

— Peut-être. »

Il est resté un moment silencieux.

« Mais seulement la nôtre, a-t-il ajouté après un temps. On croyait seulement en notre vie, pas en celle des autres.

— Je ne te suis pas.

— Et mes parents, ta mère... qu'est-ce qu'ils en pensent ?

— Ils pensent qu'on est partis chercher du travail. »

Nathan a secoué la tête.

« Tu te fais des idées, Danny. Ils savent pourquoi on est partis. Ils le savent exactement.

— Tu crois ?

— Je crois.

— Bon, s'ils savent qu'on n'est pas partis vers le nord, alors je ne sais pas ce qu'ils pensent. »

Nathan s'est tourné, a fermé les yeux une seconde.

« Ils pensent qu'on les a trahis, qu'on a trahi notre pays… et ils ont perdu leur foi en *nous*. »

Je ne savais pas quoi dire.

« Et donc, nous leur avons pris leur bonheur.

— Mais ils seraient plus malheureux si on était partis là-bas et qu'on s'était fait tuer.

— Vraiment ?

— Évidemment.

— T'en es sûr ? »

Je n'ai pas répondu. Nathan me perturbait. La culpabilité me gagnait.

« Les gens se remettent de la perte de leurs amis, des membres de leur famille, a-t-il déclaré. D'une manière ou d'une autre, ils finissent toujours par s'en remettre. Et ce ne sont jamais les choses qu'ils ont faites ensemble qu'ils regrettent, c'est ce qu'ils n'ont pas fait. Je sais que mon père pensera à toutes les choses qu'il ne m'a jamais dites, à toutes les fois où il aurait pu me demander ce que je pensais de la guerre, du fait d'être américain, de servir mon pays, et ça le déchirera. Si j'étais parti, si j'étais allé là-bas et si je m'étais fait tuer, au moins il aurait eu la possibilité de me pleurer, de se convaincre que j'avais fait ce qu'il fallait. Maintenant, il n'aura plus cette chance. Tout ce qu'il sait, c'est que son fils n'a pas assumé ses responsabilités. Et il ne se le pardonnera jamais.

— Tu crois vraiment ça ?

— Oui », a acquiescé Nathan.

J'ai détourné les yeux. Je ressentais une telle douleur intérieure. Je pensais à ma mère, à ce qu'aurait éprouvé mon père s'il avait été vivant.

« Donc, on leur a pris leur foi, a dit Nathan. Et ça, c'est peut-être pire que tout. »

J'ai fermé les yeux. J'avais envie de pleurer. Pas pour Nathan, ou Caroline Lanafeuille, ou Linny Goldbourne, pas pour ma mère.

J'avais envie de pleurer pour moi-même.

Parce que je n'avais pas de foi.

J'ai compris plus tard à quel point Nathan avait changé. Alors qu'il était auparavant presque trop prévenant, il est devenu déterminé et entêté. Alors qu'il avait possédé une patience à toute épreuve, il a appris à agir vite, de manière résolue, et il poussait le trait jusqu'à l'extrême. Alors qu'il acceptait que j'aie peut-être mon mot à dire concernant la direction que nous prenions, il s'est mis à considérer que tout ce que je disais était une remise en question de sa volonté à réaliser ses projets.

Et c'est ainsi qu'en mars 1969 nous sommes repartis sur les routes, pour aller plus loin vers l'est, en direction de Panama City et de Pensacola.

Je n'ai pas discuté, j'avais déjà appris que c'était inutile, et j'ai laissé Nathan montrer le chemin. Nous avions désormais un peu d'argent, acquis durant les mois où nous avions travaillé près d'Apalachee Bay, et, du moins d'un point de vue physique, je ne m'inquiétais pas pour notre survie et notre bien-être.

Mais émotionnellement, spirituellement, je n'étais pas si sûr.

Je pensais souvent à ma mère. Nous étions partis depuis sept mois, et durant tout ce temps les seules nouvelles qu'elle avait reçues de moi étaient une unique lettre truffée de mensonges. Je ne l'avais jamais traitée de la sorte auparavant, et je n'aurais certainement pas aimé être moi-même traité ainsi, mais j'avais beau dire à Nathan que je souhaitais la contacter, il demeurait ferme. Nous étions partis. Nous ne rentrions pas. Point final.

J'ai abdiqué après ma troisième ou quatrième tentative, et c'est peu après qu'il m'a informé que nous devions aller ailleurs, que nous commencions à nous installer, à être trop familiers.

« Trop de gens connaissent notre nom, a-t-il déclaré. Si quelqu'un vient nous chercher dans le coin, cent personnes au moins sauront qui on est. Tu oublies trop vite, Danny. Tu oublies qu'on est toujours en fuite. »

Et même si j'aurais pu contester et m'opposer à lui, je ne l'ai pas fait.

Il avait véritablement changé, il y avait quelque chose en lui, quelque chose de sombre que nos expériences récentes avaient libéré, et je ne voulais pas m'y confronter.

Si j'avais su ce qui se produirait, je l'aurais abandonné, je l'aurais laissé partir où il voulait aller, et peut-être que j'aurais goûté ma liberté jusqu'à la fin de la guerre. Mais Nathan était plus fort que moi, sa personnalité avait toujours dominé notre relation, et j'avais peur d'être seul. Nathan Verney était le seul homme à savoir d'où je venais, pourquoi je fuyais, et pourquoi je ne souhaitais pas être retrouvé. Et il était plus facile d'être avec quelqu'un qui partageait un tel secret – même s'il était un peu fou – que seul. C'est ce que je croyais alors, et je le crois peut-être encore. Mais ce que je crois aujourd'hui est tempéré par le recul, et je vois tout ce que j'aurais pu dire et faire pour changer l'issue. Qui sait ? Pas moi, et maintenant je ne veux plus savoir. Les choses étaient ce qu'elles étaient, je voyais ce que je voyais, et mes certitudes d'alors ne sont plus celles d'aujourd'hui. J'ai plus changé que je ne l'aurais cru possible, et une partie de ce changement provient du fait que j'étais avec Nathan, que je le suivais, que je lui faisais confiance pour prendre soin de ce que nous avions et s'assurer qu'il ne nous arriverait rien. À défaut d'autre chose, je lui faisais confiance pour ça.

Alors, nous sommes partis. Nous avons placé ce que nous pouvions porter dans des sacs à bandoulière, rendu notre appartement, et nous nous sommes mis en route, sans nous retourner, sans dire au revoir à qui que ce soit. Une fois encore, c'était le choix de Nathan. Il disait que les gens poseraient des questions, et qu'à moins de prévoir nos réponses à l'avance, ça deviendrait délicat et complexe, et il n'avait vraiment pas besoin de ces emmerdements. Alors, nous nous contenterions de partir. Je pressentais pour ma part que notre disparition soudaine éveillerait les soupçons, que quelqu'un pourrait penser que nous nous étions noyés, qu'un signalement serait effectué, et qu'alors il y aurait encore plus de questions. Mais je n'ai rien dit. Encore une fois, je n'ai rien dit, et je voyais à l'expression de Nathan, j'entendais au ton de sa voix qu'il avait pris sa décision, et que soit je m'y conformais, soit il me laissait tomber.

Alors je l'ai suivi, comme un enfant, comme un agneau, et Nathan Verney – un homme bon, un fils de pasteur – nous a menés jusqu'en enfer.

16

Quand je songe aux événements qui semblent m'avoir mené ici, je repense à Robert Schembri et aux jours où il m'a parlé, en août 1972. Je repense à un homme qui tissait les fils du complot et faisait naître un fantastique patchwork aux couleurs vives.

Je crois que j'étais l'espion en sommeil, la victime de mon propre petit complot.

Je n'étais pas Lee Harvey Oswald ni Earl Ray, mais à ma petite échelle j'avais un rôle à jouer, et je l'ai bien joué. Je suis tombé dans le panneau comme un gamin sourd, muet et aveugle.

Nathan et moi parlions de politique, et même si nous n'étions jamais vraiment en accord ou en désaccord sur quoi que ce soit de spécifique, nous estimions tous deux que Nixon était dangereux. Le 20 janvier 1969, il avait été investi en tant que président des États-Unis. Il avait finalement obtenu la fonction à laquelle il aspirait depuis le début des années quarante. Nous pensions qu'une fraternité criminelle dévouée de juges, d'avocats et de financiers internationaux avait soutenu Nixon tout au long de sa carrière politique, mais c'est Robert Schembri, l'homme qui m'avait parlé de Kennedy, qui m'a permis de bien mieux comprendre.

Schembri m'a parlé au cours de trois repas, avec toujours la même expression distante dans les yeux. J'avais la sensation que j'aurais pu être absolument n'importe qui, tout en sentant que ce que j'écoutais avait suffisamment de valeur pour que je n'en manque pas un mot. Comme Schembri l'avait lui-même dit : *un canal des dieux.*

Je crois me rappeler que c'était un mardi, le deuxième jour où je l'ai cherché dans le réfectoire à Sumter. Tendant le cou parmi les centaines d'hommes assis, je l'ai repéré à sa table habituelle dans un coin de la salle. J'ai pris mon plateau et me suis dirigé droit vers lui, je me suis assis, et j'ai attendu patiemment pendant qu'il disposait soigneusement sa nourriture en cercles concentriques. D'abord le riz, puis les petits pois, et enfin un tas de poulet bien net au milieu. Quand il a eu fini, il m'a regardé, juste un instant, comme pour me faire savoir qu'il avait remarqué ma présence, puis il a baissé les yeux et s'est mis à parler. Par moments son débit ralentissait, sa voix devenait plus basse et, ne souhaitant pas interrompre son flot de paroles, je devais me pencher de plus en plus près pour entendre chaque mot qui franchissait ses lèvres.

« En 1960, le soir qui a précédé la primaire du New Hampshire, Frank Sinatra a présenté une certaine Judith Exner à John Kennedy. Quelques semaines plus tard, Sinatra a présenté la même fille à Sam Giancana, le parrain de la mafia de Chicago. Elle a simultanément entretenu une liaison avec le mafieux le plus puissant d'Amérique et une autre avec le leader politique le plus puissant du monde. Giancana avait été embauché par un ancien agent du FBI et de la CIA nommé Robert Maheu pour monter des équipes de tueurs afin d'assassiner Castro. Maheu a dit à Giancana que de riches exilés cubains étaient derrière l'opération, que c'était de là que viendrait l'argent, mais l'argent provenait en fait directement de la CIA. Giancana a placé son lieutenant à LA, John Roselli, à la tête des commandos.

« En 1978, quand la commission d'enquête l'a interrogé, Roselli a déclaré que ces équipes avaient aussi été entraînées pour l'assassinat de Kennedy. Peu après son témoignage, son corps a été retrouvé flottant dans un baril d'essence au large de la Floride. Il avait été abattu à Chicago. Une chose que Roselli a dite est que la commission Warren n'a jamais envisagé la possibilité qu'il y ait eu plus de trois coups de feu tirés sur Kennedy. Ils ont écouté les témoins oculaires, les témoins oculaires n'ont entendu que trois coups de feu, et ils ont pris ça pour parole d'Évangile... »

Schembri a levé les yeux vers moi.

« Tu m'écoutes, gamin ? »

J'ai fait oui de la tête.

« J'espère bien... parce que t'entendras ça qu'une fois, tu saisis... et on se lancera pas dans une séance de questions-réponses à la fin, hein ? »

J'ai secoué la tête. OK.

Schembri a acquiescé, s'est enfourné une nouvelle cuillérée de riz et de petits pois dans la bouche, et il a semblé avaler sans mâcher.

« Roselli a laissé entendre qu'il y avait plus de trois équipes de tueurs à Dallas, ce jour-là, et qu'il y a eu bien plus de coups de feu, dont la majorité a été tiré avec des armes munies de silencieux. Des rapports basés sur l'inspection de la route autour du véhicule et de la carrosserie du véhicule lui-même indiquaient que JFK avait été ciblé par beaucoup plus que trois balles. »

Schembri a souri d'un air entendu, levant sa cuiller et l'agitant pour souligner chacun de ses mots.

« Et maintenant, il y a Nixon. Sa présidence a été méticuleusement planifiée. Des militaires fanatiques et des industriels en voulaient à Kennedy parce qu'il était pas parti en guerre contre l'Union soviétique. Le rédacteur en chef du *Dallas News*, un journal militant bien connu, a dit à Kennedy que l'Amérique avait besoin d'un homme à cheval pour mener la nation, que trop de gens au Texas et dans le Sud-Ouest avaient l'impression qu'il montait le tricycle de sa fille. »

Il a eu un sourire sardonique.

« Kennedy a déclaré qu'il voulait découper la CIA en mille morceaux et les jeter aux quatre vents. Peu après avoir dit ça, il a été assassiné. Après sa mort, la situation en Asie du Sud-Est s'est tendue sans provocation visible. John Foster Dulles, l'ex-secrétaire d'État, possédait toujours un pouvoir phénoménal dans cet État guerrier qu'il avait créé, et son frère Allen était à la tête du Bureau des services stratégiques. Comme ce dernier le protégeait d'éventuelles conséquences déplaisantes, Allen Dulles a satisfait les exigences militaro-industrielles de l'extrême droite. C'était aussi lui qui avait dirigé l'opération *Paperclip* vers la fin de la Seconde Guerre mondiale. Il avait été envoyé en Suisse, avec pour fonction de réunir et d'assister les spécialistes allemands dans tous les domaines de l'armement et de la production militaire. Entre 1945 et

1952, ils ont fait venir six cent quarante-deux spécialistes allemands et étrangers – des scientifiques et tout – avec leur famille aux États-Unis et ils leur ont offert de hauts postes au sein de programmes aérospatiaux, dans l'industrie de guerre, dans les usines d'armement et dans les systèmes de défense. En 1945, l'ex-général Reinhard Gehlen a uni ses forces à celles du Bureau des services stratégiques. Il a été placé à la tête du service de renseignement sur les armées étrangères de l'Est. Gehlen a rencontré les principaux types importants au Pentagone – Hoover, Dulles et d'autres. Et ce rattachement du réseau de renseignement de Gehlen au Bureau des services stratégiques a donné ce qu'on appelle désormais la CIA. »

Schembri a baissé sa cuiller et s'est penché vers moi.

« Tu savais pas tout ce bordel, pas vrai ? » a-t-il murmuré.

J'ai secoué la tête.

« Demain, je te parlerai du putain de Ku Klux Klan, les types à qui tu as eu affaire en Caroline du Sud, hein ? »

Je me suis penché en avant.

« Dis-moi… dis-moi maintenant. »

Mais mon informateur s'est légèrement penché en arrière, il a de nouveau esquissé son sourire entendu et ironique qui donnait l'impression qu'il savait tout ce qu'il y avait à savoir, et que tout était vrai.

« Et voilà… les experts nazis en assassinats clandestins et en renversements de procédures judiciaires sont devenus les tuteurs de Dulles et de Richard Helms. C'est eux qui ont inventé le conflit américano-soviétique et la guerre froide. »

J'ai éprouvé un moment de frustration, une certaine agitation.

« Et le Ku Klux Klan ? ai-je demandé. Dis-moi ce que tu sais sur le sujet. »

Schembri s'est enfourné une nouvelle cuillérée de nourriture dans la bouche et l'a avalée sans mâcher. Il m'a regardé sans me voir.

« Quant à notre ami Nixon... il a postulé au FBI après avoir obtenu son diplôme de droit. Ils ne lui ont jamais répondu. Avec le déclenchement de la Seconde Guerre mondiale, il a demandé à être envoyé en mer et a été affecté au commandement logistique du Pacifique Sud. Il y a passé quinze mois, puis a été transféré à Alameda, en Californie, dans la flotte VIII, sous les ordres du bureau aéronautique de la Navy. Son boulot, c'était de conclure des contrats avec des firmes aéronautiques comme Bell et Glenn Martin. Les six cent quarante-deux scientifiques arrivaient, à l'époque, et grâce à une généreuse donation de la Fondation Guggenheim, ils ont acquis soixante-cinq hectares et le château médiéval construit par le financier Jay Gould à Sands Point, sur Long Island.

« Ces scientifiques allemands et étrangers y ont été installés sous les auspices du bureau de recherche et de développement de la Navy. Les États américains les plus susceptibles de bénéficier de cet afflux de génie scientifique allemand étaient ceux du Sud et du Sud-Ouest. Les États ségrégationnistes étaient soutenus par les machines de propagande financées par ces mêmes départements, et c'était dans ces États que se trouvait la majorité des usines de production militaro-industrielle.

« Nixon lui-même était à New York, en train de se demander quelle orientation donner à sa carrière. Il a décidé d'aller dans le Maryland, et au moment de son départ une annonce a été publiée dans vingt-six journaux différents. L'annonce demandait un candidat à l'élection au Congrès, sans expérience politique antérieure, sans attaches politiques ni obligations, mais avec quelques idées pour l'amélioration du pays. Herman Perry, le vice-président de la Bank of America, a appelé Richard Nixon et lui a demandé s'il était républicain, et disponible. »

Schembri a hoché la tête comme s'il accordait l'indulgence papale à ce qu'il venait de dire.

« Nixon a été la création de certaines personnes très intéressées, une création qui était l'idée du Comité des cent hommes, en Californie en août 1945, et qui s'est achevée maintenant, dans les années 1970, quand ils se sont rendu compte que Nixon était un putain d'imbécile et qu'il devait disparaître discrètement. »

Schembri a souri et souligné une fois de plus ses propos en agitant sa cuiller.

« Et je vais te dire autre chose, gamin... s'ils avaient pas descendu Kennedy en 1963, s'ils s'en étaient débarrassés au moyen d'une procédure légale ou peut-être en révélant son histoire et ses penchants sexuels, ils auraient buté Nixon au lieu de pondre ce fiasco abracadabrant à la con de Watergate. Ils pouvaient pas descendre Nixon, ils auraient aimé, mais même eux comprenaient qu'ils auraient du mal à faire deux fois le même coup. Mais bon, Nixon est suffisamment cinglé pour se baiser tout seul si quelqu'un le fait pas à sa place. »

Soudain, il y a eu de l'agitation derrière nous. En me retournant, j'ai vu la majorité des détenus se diriger vers la sortie. La cloche indiquant la fin du repas avait retenti sans que je m'en aperçoive. Mon repas était toujours intact devant moi. J'ai attrapé un bout de pain, l'ai plié, j'ai enfoncé autant de poulet que je pouvais entre les deux moitiés, et j'ai fourré le tout dans ma poche.

« C'est tous une bande de cinglés, gamin... et tu t'es mis à dos un tout petit coin de ce monde... toi et ton Goldbourne, et toute cette merde avec le frère de JFK, a dit Schembri. Je te raconterai tout ça demain. »

Il m'a fait un clin d'œil entendu, a avalé une dernière cuillérée de riz, puis il s'est levé et a attendu que le gardien vienne pour le raccompagner à sa cellule.

Cette décision en mars 1969, ce voyage en direction de Panama City et de Pensacola a vraiment été le début de la fin.

Si je tentais de résumer ça en une seule affirmation, comme si j'essayais de synthétiser toute ma vie en un seul paragraphe, je dirais que ce n'était vraiment qu'une histoire d'amitié. Mon amitié avec Nathan Verney a réellement été le début et la fin de tout. C'est avec lui que j'ai découvert le monde, et je ne vois pas un seul événement important antérieur à sa mort que nous n'ayons pas partagé. De six à vingt-quatre ans, nous avons vécu des vies parallèles, et si l'un ou l'autre partait de temps en temps à droite ou à gauche, ou alors marquait une pause, ralentissait, ou manquait un pas, nous finissions toujours par nous retrouver un peu plus loin.

À vrai dire, j'aurais eu du mal à me créer une vie après la mort de Nathan. Une fois qu'il a été parti, il était peut-être plus facile de simplement m'évanouir dans le système judiciaire américain, de disparaître de la vue et de l'esprit du monde. C'est ce que j'ai fait, et parfois je me demande si je ne *voulais* pas qu'il en soit ainsi.

À certains moments, j'ai essayé d'imaginer comment ça aurait été de vieillir, de m'asseoir sur un perron ou une véranda, de raconter les histoires d'Eve Chantry, de Sheryl Rose Bogazzi, de Caroline Lanafeuille et de Linny Goldbourne, de Marty Hooper et de Larry James ; de parler du jour où l'armée est venue à Greenleaf, du révérend Verney et du jour où Kennedy est mort ; de me rappeler le sandwich au jambon au bord du lac Marion où l'odeur évoquait les fleurs, les poissons et les arbres, et le mimosa d'été près de Nine Mile Road, et quelque chose qui ressemblait à de la tarte aux noix de pécan et à du soda à la vanille, le tout enveloppé dans un parfum d'herbe fraîchement tondue.

J'ai *essayé* de l'imaginer.

Mais je ne peux rien imaginer de tout ça sans Nathan à mes côtés.

À vrai dire, je ne *veux* rien imaginer sans Nathan.

Nous n'avons jamais été des frères, nous étions plus que ça, car de la même manière que je croyais fermement qu'il était mort pour moi, j'essaie désormais de me convaincre que ma mort servira à quelque chose, qu'elle corrigera peut-être quelque déséquilibre universel.

Les choses n'étaient pas censées se passer ainsi, je le sais, mais à l'époque tout semblait si innocent, simple et magique.

Un écran de fumée, disait Nathan chaque fois qu'il avait l'impression de ne pas comprendre quelque chose, que quelque chose était dissimulé, que quelque chose n'avait pas de sens.

Eh bien, l'écran de fumée était là, et nous, avec notre passion, notre naïveté et notre désir de vivre pleinement, nous nous sommes rués dessus.

L'un de nous a vécu pour en parler.

Et l'autre... eh bien, l'autre a simplement disparu.

17

J'ai su dès l'instant où nous y sommes arrivés que Panama City était une erreur.

Le père John m'a demandé ce que j'entendais par là quand je le lui ai dit plus tard, et ma réponse a été vague et incertaine. Parfois, on *sait* simplement, ai-je expliqué, une intuition, un sixième sens, appelez ça comme vous voulez, mais parfois on *sait*.

Jusqu'à Panama City, nous nous étions cantonnés dans des petites villes ou des banlieues, mais là nous nous heurtions une fois de plus au monde réel. J'ai senti dès le début que nous éveillions les soupçons et la curiosité. Nathan a dit que j'avais fumé trop d'herbe et que j'étais devenu parano, mais je ne pensais pas que c'était le cas. Je sentais que les gens nous regardaient, nous observaient en se demandant ce qu'un Noir faisait avec un Blanc, et vice versa. Nathan s'était laissé pousser les cheveux, il portait un bandeau et un assortiment de vêtements que nous avions échangés ou achetés aux gens de la plage à Apalachee, et à Panama City il faisait autant tache que Hendrix dans une assemblée méthodiste. Je l'ai prévenu, je lui ai dit de s'habiller de façon plus discrète, d'être moins voyant, mais il m'a dit que j'étais « ringard » et « à côté de la plaque ». Il n'a pas écouté, il avait décidé d'être ce qu'il voulait être, et quand il était dans ce genre d'humeur, il était inutile de discuter.

« Le problème avec toi, a-t-il dit, c'est que tu anticipes toujours les emmerdes. Et si tu cherches les emmerdes, elles sauront te trouver.

— Mais je ne les déclenche pas, ai-je répliqué. Il y a une différence entre être conscient et être une putain de provocation. »

Il a souri comme si je racontais n'importe quoi.

C'était une chose qu'il faisait depuis quelque temps, une façon de me dire : *Laisse-moi faire*, et ça me foutait en rogne.

« Écoute, Danny, tu dois comprendre une chose. Les gens n'ont pas naturellement envie de se compliquer la vie. Ils veulent que tout soit clair et simple. Ceux qui cherchent les ennuis le font uniquement parce qu'ils croient que c'est toi qui les a cherchés en premier.

— Putain, ce que t'es naïf, Nathan. »

Il a éclaté de rire.

« Naïf ? Tu me traites de naïf ? »

Il avait formulé ça comme une question, mais je saisissais son intention.

« T'as l'air bien décidé à créer des problèmes quand y en a pas, a-t-il poursuivi. Par moments, je sais vraiment pas d'où tu viens.

— Du même endroit que toi.

— Ouais, c'est ça », qu'il a fait, d'un ton tranchant et sarcastique.

Je voulais lui dire que j'étais uniquement venu à cause de lui, que s'il m'avait laissé me débrouiller seul, je serais toujours à Greenleaf, toujours dans la boutique de Karl Winterson à gagner de l'argent et à m'occuper de mes affaires. Mais je n'ai rien dit, ça aurait été un signe de faiblesse, et si cette fuite m'avait appris une chose, c'était qu'il n'y avait pas de place pour la faiblesse. L'indécision était ce qui avait déclenché la guerre au Vietnam ; l'indécision était derrière tous les cadavres qui gisaient calcinés et sans identité dans un endroit qui avait autrefois été un pays ; l'indécision était ce qui m'avait mené ici avec Nathan. Si j'avais pu revenir en arrière, au moment où il était arrivé dans l'allée avec sa lettre, je lui aurais dit : *Non, tu fais ce que tu veux, mais ma vie est ici. Ce n'est peut-être pas une vie géniale, mais j'ai du temps.* Et l'indécision était ce qui m'avait fait perdre aussi bien Caroline que Linny.

Je sentais mes poings se serrer et se desserrer pendant qu'il parlait.

« Si jamais tu arrives un jour à avoir une pensée originale, fais-le-moi savoir », a-t-il dit.

C'était une réflexion inutile et cruelle. J'aurais voulu lui taper sur la tête, mais je me suis mordu la langue et je n'ai rien dit.

Il y a eu un moment de silence, emprunté et gêné, mais il s'est finalement tourné vers moi et m'a souri.

« Je suppose qu'on s'est assez engueulés pour la semaine.

— Oui, ça suffit, ai-je répondu.

— Je ne veux pas m'engueuler avec toi, Danny, mais merde, vieux, faut que tu te détendes un peu, OK ? »

J'ai acquiescé, mais c'était une approbation de façade. J'ai laissé passer, tout en sachant qu'un jour Nathan Verney arrêterait de me prendre de haut. Je me suis promis que ça arriverait.

« On fait la paix, a-t-il ajouté.

— On fait la paix », ai-je répondu.

J'ai facilement trouvé du travail, dans un entrepôt, un boulot simple, avec un salaire de base. Nathan a essayé de se faire embaucher au même endroit, mais ils n'ont rien voulu entendre. Il a affirmé que c'était à cause de sa couleur, j'ai répliqué que c'était à cause de son attitude. Il a dit : « Essaie d'être un bon nègre servile, tu verras comment c'est. »

Je l'ai laissé un moment seul, et il est revenu sur sa position. Il m'a demandé de lui couper les cheveux, il s'est acheté un pantalon ordinaire, des tee-shirts blancs, une veste en jean. Et le lendemain, il avait un boulot. Il déchargeait des poulets morts dans une usine à la périphérie de la ville. Il y avait une petite communauté, dix ou quinze types noirs, et à la fin de la journée j'allais les rejoindre et je les regardais jouer aux dés. J'étais le seul Blanc, mais je n'avais pas l'air de les déranger. Ils me prenaient pour un débile ou quelque chose du genre, et ils me foutaient la paix. Aucun type blanc avec toute sa tête ne serait allé traîner là-bas.

Nathan s'est calmé un peu, il s'est fait quelques amis, il ne fumait pas d'herbe et ne buvait pas trop, et moins de deux semaines plus tard nous avions un petit appartement dans Rosemont Street, deux pièces au-dessus d'une laverie automatique. Le loyer était modique, c'était suffisamment près de nos lieux de travail pour que nous puissions y aller à pied, et nous nous disions que nous pourrions peut-être rester là jusqu'à ce que la guerre se termine.

J'ai pensé une fois de plus à appeler ma mère, ou tout du moins à lui écrire, mais je m'inquiétais de l'effet que ça pourrait avoir sur elle. Je savais qu'elle voudrait que je revienne, peut-être juste pour quelque temps, juste pour lui rendre visite. Mais je savais aussi que je ne pouvais pas le faire. Ils seraient après nous au bout de quelques heures. Quelqu'un à Greenleaf me verrait, ce quelqu'un dirait quelque chose, et avant que je sache ce qui se passe, quelqu'un d'autre donnerait un coup de fil et tout serait fini. Je crois que j'étais persuadé que la guerre ne pourrait pas durer beaucoup plus longtemps. Je crois que je faisais tout pour me bercer d'illusions.

Je ne l'ai donc pas appelée. J'ai fermé ma bouche, baissé la tête, et nous avons continué de travailler jusqu'à pouvoir nous acheter une voiture. C'était une épave toute cabossée, mais elle roulait, et pour la première fois depuis que nous avions quitté Greenleaf, nous avions l'impression d'être arrivés quelque part. Nous n'étions plus des vagabonds, des clochards – nous avions un appartement dans Rosemont Street, une voiture, de l'argent dans nos poches. Et c'est cette attitude, ce sentiment de confiance qui nous a attiré des ennuis.

C'était la fin du mois de juin. L'Amérique s'enflammait pour le programme spatial, nous serions les premiers à envoyer un homme sur la Lune. Ça faisait trois mois que nous avions quitté Apalachee, près de six que les sœurs Devereau avaient embelli nos vies avec leur étrange magie louisianaise.

Nos pensées se sont mises à tourner autour des filles.

Comme des papillons de nuit autour d'une flamme.

C'était un samedi soir, nous avions à nous deux plus de cent dollars, et nous sommes allés en voiture dans les quartiers sud de la ville. C'était là que se trouvaient les bars, les boîtes de nuit, les tripots, les bordels. Nous avons conclu un marché : si nous ne nous étions pas trouvé quelqu'un à minuit, nous prendrions la moitié de l'argent qui nous resterait et nous paierions pour nous envoyer en l'air.

Ça semblait un bon plan, un plan simple, et tout s'est passé comme sur des roulettes jusqu'au moment où nous sommes allés chez Ramone's Retreat, à l'angle de Wintergreen et de Macey.

Je n'ai éprouvé aucune inquiétude quand nous sommes entrés. C'était peut-être le quatrième ou cinquième rade où nous buvions ce soir-là, et ce n'est que plus tard que j'ai remarqué qu'il n'y avait pas de Noirs à l'intérieur.

Nous avons joué au billard. Nathan s'était beaucoup amélioré, et ce n'est pas sa façon de jouer qui a provoqué une réaction ; c'est sa couleur.

Un groupe de trois hommes était appuyé contre le bar. Par la suite, je m'apercevrais que leur visage avait quelque chose de similaire à celui de M. West, à Sumter. Ils avaient un côté sombre, des ombres là où il n'y aurait pas dû en avoir, et ce sont ces trois types qui ont dit la chose qui a mis le feu aux poudres.

Tandis que Nathan passait devant eux pour atteindre l'extrémité de la table et jouer son coup, l'homme au centre a émis un bruit de cochon. Un bref grognement. Comme quelqu'un se raclant la gorge. Rien de plus.

Nathan l'a regardé. Juste une seconde. Moins que ça. Une demi-seconde.

Mais ça a suffi à déclencher une rafale de questions.

Pourquoi Nathan le regardait-il ?

Qu'est-ce qu'il voulait ?

Est-ce qu'il avait quelque chose à dire ?

Nathan s'est contenté d'acquiescer en souriant.

Pourquoi est-ce que Nathan se foutait d'eux ?

Est-ce qu'il avait quelque chose en tête ?

Et ils l'appelaient *garçon*, comme dans *Hé, garçon, t'as quelque chose à dire ?*

Nous avions déjà vécu ça – tous les deux –, et nous n'avions aucune envie de le revivre.

Nathan a regardé dans ma direction. Il a jeté un rapide coup d'œil sur la gauche pour désigner la porte, puis il a doucement posé sa queue et s'est mis à marcher. Il n'a pas récupéré sa veste, a laissé son verre sur le rebord de la table de billard, et même s'il marchait calmement, lentement, avec nonchalance, il était parfaitement évident qu'il avait la ferme intention de quitter le bar sans dire un mot aux types qui l'avaient provoqué.

Et ils s'en sont rendu compte.

Ils l'ont su aussitôt.

Celui du milieu a ramassé la queue.

Il a dit quelque chose, mais ses paroles ont été recouvertes par les grognements des deux autres.

« Viens ! » a lancé Nathan d'une voix sifflante, et je me suis immédiatement précipité vers la porte.

Nathan était à côté de moi, marchant à toute allure, nous sommes sortis en trombe et nous sommes éloignés dans la rue. J'ai aperçu son image tandis qu'il filait à mes côtés – pas le jeune homme fort qu'il était désormais, mais le petit gamin avec les oreilles comme des anses de cruche. Nous fuyions la meute hurlante chez Benny's, nous courions vers la sorcière.

Mon cœur cognait dans ma poitrine, mes entrailles étaient nouées, je fonçais sur le trottoir tandis que des voix furieuses retentissaient derrière nous.

« Plus vite ! criait Nathan. Accélère, Danny ! »

Et ce n'est qu'alors que j'ai compris que le problème auquel nous étions confrontés nous suivait.

Des bruits de pas, une porte qui claque, puis un bruit de moteur... de moteur de voiture.

« Enfoirés », a sifflé Nathan, et ce mot avait à peine franchi ses lèvres que les phares de la voiture nous ont éclairés dans la nuit.

Je me rappelle m'être écrié : « Oooh, merde ! », et quand j'ai essayé de tourner à l'angle au bout de la rue, j'ai percuté le mur. J'ai senti la peau de mon épaule se déchirer sous ma veste.

Le bruit de moteur était plus fort, comme un rugissement dans ma tête, puis j'ai perçu leurs voix en dessous.

Putain de suceur de nègre ! a hurlé une voix. *Putain de suuuceur de nèèègre !*

J'ai su qu'on était foutus quand j'ai tourné à l'angle suivant.

Un cul-de-sac. Nous avions couru droit dans un cul-de-sac. La voiture fonçait vers nous, tous phares allumés, et en me retournant, j'ai vu Nathan plaqué contre le mur, les yeux écarquillés, sa bouche ouverte figée dans une expression de terreur.

Je me suis mis à hurler. Je ne sais pas quoi, mais j'ai sacrément hurlé.

La voiture s'est approchée, nous acculant encore plus dans l'impasse, et alors qu'elle ralentissait, un premier homme est sorti du côté passager en brandissant une queue de billard.

« Putain de nègre et son petit copain », qu'il a lancé, et avant que nous ayons eu le temps de réagir, il a bondi en avant et a abattu la queue sur le dos de Nathan.

Nathan n'est pas tombé, mais il s'est voûté et a hurlé de douleur.

J'ai voulu courir le long de la voiture, mais le chauffeur a brusquement ouvert la portière et m'a mis à terre d'un simple crochet à la tempe.

J'avais déjà ressenti ça chez Benny's. Mais à l'époque, ça avait été pour sauver l'honneur de Sheryl Rose Bogazzi. Maintenant, c'était pour sauver ma vie.

J'ai senti le goût du sang dans ma bouche. J'entendais un torrent dans ma tête, et en dessous un sifflement strident et insistant qui ne fluctuait ni en tonalité ni en hauteur.

J'ai essayé de me relever. Un pied est arrivé de nulle part, chaussé d'une lourde botte de chantier, et cette botte a semblé percer un trou grand comme la Californie dans mon ventre et ma poitrine.

J'ai cru, j'ai *réellement* cru, que j'allais mourir.

Je me rappelle m'être alors demandé si quoi que ce soit dans la journée avait pu présager ça, annoncer ce qui allait arriver, et alors mon attention a été attirée par les hurlements de Nathan.

Ils étaient deux à lui taper dessus, l'homme qui était sorti en premier de la voiture, et le troisième qui était assis à l'arrière. Le premier tenait toujours la queue de billard, et il frappait le dos et les épaules de Nathan avec la partie la plus épaisse. Nathan était recroquevillé comme un embryon, et tandis que j'essayais de me lever, j'ai senti toutes les couleurs et tous les sons imaginables traverser ma tête comme une déferlante de verre brisé.

Et alors Nathan est devenu silencieux.

Tout ce que j'entendais, c'était la respiration laborieuse des deux hommes qui se tenaient au-dessus de lui. Celui qui m'avait mis à terre m'avait enjambé pour rejoindre ses copains au bout du passage.

Tu crois qu'il est mort ?

J'en sais rien.

Emmenons-les ailleurs.

Où tu veux les emmener ?

J'en sais rien... n'importe où, le plus loin possible.

Va chercher ta bagnole.

Putain, c'est toi qui vas chercher la tienne... je veux pas qu'un nègre pisse le sang sur ma banquette.

Je crois que je me suis alors évanoui.

J'ai tourné de l'œil.

Un bruit semblable à un train de marchandises s'arrêtant brusquement sur un rail cassé a retenti dans mes oreilles. Je me rappelle m'être relevé en chancelant, haletant, et alors que je me tenais là, m'apprêtant à me jeter de nouveau dans la mêlée, j'ai senti l'obscurité m'envelopper brusquement.

Puis ça a été le néant.

Pendant un long moment, il n'y a eu absolument rien.

J'ai ensuite senti une odeur. Une sale odeur. Comme si quelqu'un avait mangé un raton laveur crevé et l'avait vomi sur mes vêtements. J'ai perçu quelque chose de froid et d'humide sur mes mains. Et cette odeur. Je n'avais jamais respiré une telle puanteur de ma vie.

Quand j'ai bougé, j'ai entendu un son, comme un bruissement de papier journal. Quelque chose a glissé sous mon pied, quelque chose de solide et d'immonde, et en tendant le bras, j'ai senti une surface fraîche et métallique.

Il faisait sombre, mais j'entendais aussi des bruits de voitures à proximité.

J'ai essayé de m'asseoir. J'avais l'impression qu'un pont s'était affaissé sur moi. J'ai fermé les yeux et tenté de bouger. Il n'y avait rien à quoi se raccrocher, et à force de fouiller à tâtons dans la pénombre, j'ai senti ma main effleurer quelque chose.

Les cheveux de Nathan.

J'ai de nouveau péniblement essayé de bouger et suis parvenu à m'asseoir à moitié. J'ai levé la main, et une fois de plus j'ai senti la surface fraîche et métallique. J'ai poussé dessus, elle n'a opposé aucune résistance. Avec toute la force qui me restait, je l'ai soulevée, la surface a semblé s'éloigner vivement de moi, et soudain la lumière du jour a quasiment repoussé mes yeux à l'arrière de mon crâne.

Nous étions à l'intérieur de quelque chose.

Mes yeux ont mis une minute ou deux à s'accoutumer à la lumière, puis j'ai regardé vers le bas.

Des détritus, pourris, puants, infestés de moisissure, de merde et de Dieu sait quoi. On nous avait balancés dans une benne à ordures.

Je me rappelle avoir juré, et avoir été secoué par des haut-le-cœur, puis j'ai essayé de réveiller Nathan.

Ses yeux, son nez et la partie supérieure de sa tête étaient couverts de sang. J'ai agrippé son bras et j'ai tiré dessus, je l'ai secoué, j'ai crié son nom – *Nathan! Nathan! Nathan!* –, mais il ne réagissait pas.

Pendant un moment, j'ai cru qu'il était mort.

J'ai saisi son poignet et, en appuyant sur l'artère, j'ai senti un pouls faible.

J'ai alors su, avec une certitude absolue, que si je ne l'emmenais pas à l'hôpital, il mourrait.

Plus rien d'autre ne comptait. Ni nos identités, ni d'où nous venions, ni comment nous avions atterri dans une benne à ordures à Panama City... rien de tout ça n'était pertinent ni important. Si je ne trouvais pas une assistance médicale, Nathan mourrait. Je suis sorti de cette benne comme un dératé, et au bout de quelques minutes j'avais trouvé un téléphone, appelé les urgences, et les secours étaient en route.

J'étais assis au bord de la route, empestant et en sang, avec de la merde dans les cheveux, dans mes chaussures, regardant les vagues noires et rouges qui luttaient contre ma conscience, quand j'ai entendu des voix autour de moi. J'ai levé les yeux et vu un homme dans la benne à ordures, qui tentait d'en extirper Nathan et de le placer sur une civière. Tout est alors devenu flou, et le bruit des voitures s'est mis à ressembler au bruit de la côte vers Apalachee quand j'avais fumé trop d'herbe et qu'Emily Devereau essayait de m'ôter ma chemise en riant tellement que j'avais l'impression que j'allais m'enflammer spontanément, là, sur le sable...

Puis, une fois de plus, ça a été le néant.

Le néant le plus bienvenu que j'avais jamais connu.

Ils voulaient des noms, des villes d'origine, toutes sortes de choses. Ils voulaient savoir d'où on venait, pourquoi on s'était fait casser la gueule. Ils voulaient savoir si on s'était battus l'un contre l'autre et si on était entrés dans la benne pour dormir. Ils voulaient connaître mon adresse, mon numéro de sécurité sociale, le nom de ma mère et de mon père. Ils voulaient savoir qui appeler et quand, et si nous serions disposés à faire une déposition auprès de la police et à consulter des photos d'agresseurs potentiels.

À chaque question qu'ils me posaient je répondais par un mensonge. Je mentais bien. Comme un pro.

Finalement, ils m'ont informé que Nathan avait deux côtes cassées, mais qu'elles avaient été cassées il y avait quelque temps de cela, pas la nuit précédente. Il avait une entaille sur le sommet de la tête, avait eu besoin de quatorze points de suture, et le pouce de sa main droite était disloqué.

Mais c'était tout. À part les bleus et quelques plaies, c'était tout.

Je m'étais trompé en croyant qu'il allait mourir.

Par la suite, je verrais ça comme une prémonition, une prémonition déplacée, et cette prémonition serait accompagnée de cette culpabilité si familière. Je la portais comme on porte un enfant assoupi, je la serrais contre moi de peur qu'elle ne m'échappe. Peut-être estimais-je qu'il était de mon devoir de porter cette culpabilité, qu'elle me donnait une raison de continuer.

L'infirmière qui s'occupait de moi m'a informé que nous resterions le temps qu'il faudrait pour qu'ils vérifient nos coordonnées, trouvent un moyen pour que nous réglions la note, après quoi la police voudrait nous interroger sur l'incident. J'acquiesçais à tout, j'acquiesçais et je lui demandais sans cesse si je pouvais voir Nathan. Après une heure ou plus, l'infirmière a accepté.

On m'a conduit à l'endroit où il se trouvait, dans un autre espace entouré de rideaux. On lui avait donné des antalgiques, il était groggy mais pleinement conscient, et quand je lui ai expliqué qu'ils voulaient savoir, qu'ils voulaient qu'on parle à la police, il m'a dit que je devais nous trouver un moyen de foutre le camp d'ici.

Je l'ai laissé, suis revenu au bout d'une minute ou deux avec un fauteuil roulant.

Nathan s'est hissé de son lit et s'est laissé tomber dans le fauteuil comme un poids mort. Il a poussé un grognement de douleur.

« Ça va ? »

Il a acquiescé.

« Je vais te prendre à la course jusqu'au prochain carrefour et puis faire quelques pompes. »

J'ai souri.

« Je te fous ta pâtée quand je veux, blanc-bec.

— Ferme-la, Nathan... ferme-la. »

Après ça, c'était comme si nous flottions, comme si nous flottions mystérieusement hors du service des urgences. Nous devions avoir un ange gardien, car aucune voix ne nous a appelés, et même quand nous nous sommes approchés de la réception, la fille au guichet a détourné les yeux sur notre passage, et j'ai su que quelque chose nous protégeait.

J'en ai parlé au père John Rousseau bien des années plus tard, et il a souri, hoché la tête, et dit la dernière chose que je me serais attendu à l'entendre dire :

« Rien à voir avec Dieu. Rien à voir avec l'archange Gabriel ni avec les gardiens secrets des Enfers... tout n'est qu'une question de décision. S'ils prennent des décisions assez fortes, les gens peuvent faire des choses incroyables. Vous avez déjà entendu parler de cette femme qui a soulevé une voiture pour dégager les jambes de son enfant ? Une petite femme toute mince, toute frêle, et elle a soulevé la voiture. Ce n'est pas Dieu, Danny... ce sont les gens. »

En tout cas, nous nous sommes tirés de là, et, après avoir abandonné le fauteuil roulant dans le hall, nous nous sommes retrouvés dans la rue, Nathan Verney traînant la patte à côté de moi, et moi le soutenant pour qu'il ne s'écroule pas sur le trottoir. J'avais un côté du visage si enflé qu'on aurait dit que j'essayais de mâcher une balle de base-ball.

Nous nous sommes tirés de là, et ce n'est que trois rues plus loin que nous nous sommes aperçus que ce genre de chose n'était pas censé se produire. Malgré la douleur, malgré les événements de la nuit précédente, nous avons ri. Nous avons ri ensemble. Quand j'y repense maintenant, je sais que ça a été le moment où nous avons été le plus proches avant la fin.

Il semble étrange que les circonstances les plus terribles lient les gens. Mais c'est un fait, et c'est ce qui est arrivé à Nathan Verney et à moi à Panama City, Floride, durant l'été 1969.

Nous ne sommes pas partis, nous sommes restés là où nous étions. Nous évitions Ramone's Retreat, nous nous limitions au nord de la ville où la population semblait un peu plus progressiste et compréhensive. Nous avons conservé nos emplois, notre voiture, et de temps en temps nous nous trouvions de la compagnie. C'était simple, et ça l'est resté jusqu'à Noël. Pendant près de six mois, il n'y a plus eu de Vietnam, plus eu de questions, personne ne nous cherchait, et Nathan et moi nous entendions à merveille, peut-être mieux que jamais.

Il avait oublié le *fardeau*, soit ça, soit il était très doué pour faire comme si de rien n'était.

Mais pas moi. J'y pensais souvent. Et plus souvent encore, je pensais à ma mère.

Et c'est elle qui a refermé le chapitre Floride en décembre. Ça avait été un chapitre confortable, le genre de chapitre auquel on revient pour le relire, peut-être de multiples fois, car il semble comporter le genre d'émotion qu'on comprend. Je le comprenais, du moins c'est ce que je croyais, mais comme chaque chose il est arrivé à son dernier paragraphe, sa dernière ligne, son dernier mot.

Et ce dernier mot a été *famille*.

Un sacré truc.

Noël approchait, et Nathan Verney et moi avons décidé que nous pouvions appeler chez nous, juste un coup de fil chacun, juste pour nous assurer que tout allait bien, qu'il ne se passait rien de trop sérieux.

Nous étions partis depuis dix-huit mois, et ceux qui avaient été envoyés à notre recherche avaient maintenant abandonné.

Sûrement.

Il n'y avait qu'une seule manière de le découvrir.

Nous avons donc téléphoné le 17 décembre, huit jours avant Noël, et c'est à cette date, cette date et nulle autre, que le vrai cauchemar a commencé.

18

« **E**lle est morte. »

C'était le Dr Backermann, sa voix comme les grattements secs d'insectes piégés dans une boîte en carton.

Il avait été là quand Eve était morte, et maintenant il était encore là, à l'autre bout du fil, en train de me dire une chose que je ne pouvais même pas commencer à comprendre.

« Daniel ? Daniel, vous êtes là ?

— Oui, ai-je marmonné.

— En août, la première semaine d'août. Elle est décédée dans son sommeil, Daniel, elle n'a pas souffert... mais elle est morte, Daniel. La maison a été fermée depuis, en attendant votre retour... vous avez dit que vous étiez où ? »

Je suis resté silencieux, hébété.

« Daniel ? »

La voix de Backermann semblait lointaine, comme s'il me parlait en murmurant depuis le fond d'une canette de Pepsi.

« Daniel... vous êtes toujours là ?

— Oui, ai-je dit, ou du moins ai-je *cru* dire.

— Je pense qu'il faut que vous reveniez, Daniel, que vous reveniez et régliez tout. Vous ne pouvez pas passer toute votre vie à fuir. »

Ses paroles m'ont surpris, mis en colère, même.

«Comment ça, fuir?»

J'entendais le Dr Backermann sourire. Comment c'est possible, je l'ignore, mais on perçoit le moindre changement de timbre et de tonalité, et on sait que la personne sourit, avec une certaine condescendance, même si on ne la voit pas.

«Nous comprenons ce qui s'est passé, Daniel, nous comprenons que vous avez été influencé par le jeune Noir.

— Le *quoi*?

— Vous savez, le jeune Verney, le Noir avec qui vous traîniez si souvent...»

J'ai explosé.

«Connard, vous êtes un putain de connard! Vous êtes juif, Backermann, et la dernière personne au monde dont j'aurais attendu ce genre de connerie sectaire de péquenaud, c'est vous...

— Allons, du calme, Daniel...

— C'est *vous* qui allez vous calmer, espèce de connard de merde, c'est vous qui allez vous calmer... Et allez vous faire foutre, vous pouvez aller vous faire foutre!»

J'ai raccroché.

Je bouillais de rage.

Mon cœur cognait, ma bouche était sèche, et j'avais un goût sur la langue comme si j'avais mâché des copeaux de cuivre.

Je me suis retourné et j'ai vu Nathan qui se tenait à environ un mètre de moi.

Nous étions dans un petit restaurant près de notre appartement.

Les gens me regardaient.

J'avais l'impression que le monde allait soudain se refermer sur moi, m'étouffer. Je n'avais jamais rien ressenti de tel, jamais de ma vie.

Nathan avait une mine absolument stupéfaite. J'ai secoué la tête. Je ne voulais pas parler. J'ai marché vers la porte. Il m'a suivi.

« Danny ? Hé, qu'est-ce qui se passe, vieux ? »

Je n'ai rien répondu, je ne me suis pas retourné, je me suis contenté de pousser la porte et suis sorti dans la rue. Je sentais que les personnes dans le restaurant me suivaient des yeux. Mais je m'en foutais. Elles aussi pouvaient aller se faire foutre.

« Danny ! Hé, Danny, arrête-toi ! »

Je ne me suis pas arrêté, je n'ai pas ralenti, et quand Nathan a posé la main sur mon épaule, je me suis brusquement retourné.

Mon expression a dû le surprendre car il a soudain reculé et levé les mains.

« Du calme, vieux, c'est quoi ton putain de problème ? »

J'ai secoué la tête, baissé les yeux vers mes chaussures. Quelque part en moi, enterrée sous une tonne de souvenirs, une émotion s'est réveillée.

« Elle est morte, ai-je dit d'une voix qui était froide, plate, étrange.

— Morte ? Qui ça ? »

Sa voix ressemblait à celle du Dr Backermann, distante, lointaine, comme un écho provenant de Greenleaf... un murmure porté depuis la surface lisse et immobile du lac Marion...

« Ma mère… elle est morte, Nathan, elle est morte, vieux.

— Oh, merde », l'ai-je entendu dire.

J'ai senti l'émotion gagner en force, monter en moi depuis un endroit où je ne voulais même pas regarder, puis elle est sortie, et je me suis vu assis par terre, la tête entre les mains, les mains posées sur les genoux, et je crois que je sanglotais, que je sanglotais, ou que je pleurais, ou autre chose. C'était une chose nouvelle. Une émotion nouvelle. Peut-être une libération.

Même maintenant je ne sais pas vraiment ce qui s'est passé.

C'était comme si le monde s'était refermé quelque part et rouvert en un autre endroit.

Après ça, je n'ai plus jamais vu les choses de la même manière.

Je devais rentrer. Je le savais. Je ne me souciais guère des conséquences, des répercussions, de ce que les gens diraient ou feraient quand j'arriverais. Ma mère était morte et la maison était vide, elle avait été enterrée quelque part et je ne lui avais même pas dit au revoir. En dix-huit mois, elle n'avait eu qu'une seule fois de mes nouvelles. Une unique lettre, farcie de mensonges. Voilà comment elle s'était souvenue de moi. Son fils, le menteur. Elle était morte avec cette idée, avec le désir de me voir pour savoir ce qui s'était passé, et je n'avais pas été là. Je crois aujourd'hui, peut-être, que c'est à ce moment que j'ai pris mon destin en main. Ça n'avait rien à voir avec Dieu. C'était juste moi et ma conscience.

Et malgré tout ce qui s'était produit, malgré *tout* ce qui s'était produit, ma conscience était le pire des juges.

19

Après le procès, après mon transfert de Charleston à Sumter, j'ai eu le temps de réfléchir. Le temps était mon bien le plus précieux, la seule chose dont je ne manquais pas, et pourtant les semaines se fondaient dans les mois, et même les années semblaient ne faire qu'une. Et j'ai du mal à me rappeler exactement quand tout est arrivé.

À cette époque, je crois que je me suis perdu dans les événements qui balayaient l'Amérique. Ça a été une suite d'années monumentales, d'événements qui changeraient le cours de l'histoire, qui aigriraient à jamais les esprits et les cœurs d'une nation, et ces événements semblaient s'ouvrir l'un après l'autre comme une succession de plaies gangrenées.

À Charleston, nous avions des journaux, avec un jour de retard, certes, mais nous en avions tout de même. À Sumter, ils étaient interdits, car ils pouvaient être enroulés et enfoncés dans la gorge de quelqu'un, ou même lui briser la nuque si vous frappiez suffisamment fort. Mais nous avions un transistor, une petite radio suspendue à un bout de ficelle au bout du couloir. M. Timmons l'accrochait là et l'allumait quand M. West était absent. Ça arrivait assez souvent pour qu'on puisse suivre tout ce qui se passait grâce aux flashs d'information et aux bulletins quotidiens.

Nous écoutions une radio locale, CKKL, une petite station avec deux journalistes, un type nommé Frank Wallace et une fille nommée Cindy Giddings.

Frank Wallace avait la voix de quelqu'un qui se croyait très important. Il déroulait ses mots comme des tapis, inutilement longs et excessivement précis. Mais Cindy ? Cindy Giddings n'aurait pas dû être journaliste sur CKKL, elle aurait dû être présentatrice sur NBC. Je m'imaginais à quoi elle ressemblait, son âge, sa taille, son poids et la couleur de ses cheveux, ses intérêts et ses passe-temps, le nom de son chat, le genre de maison dans laquelle elle vivait, et après l'avoir écoutée presque quotidiennement pendant deux ans, je sentais que notre proximité, la douceur et la profondeur de notre relation imaginaire avaient peut-être plus de sens que tout ce dont je me souvenais. Quand elle est partie travailler dans une station de Géorgie en 1973, j'ai eu l'impression de vivre un divorce pénible et long, un divorce fondé sur rien de plus qu'un déménagement. J'ai même demandé à M. Timmons s'il pouvait trouver la nouvelle station sur le transistor. Mais il avait beau être compréhensif, sa petite radio ne captait pas si loin.

C'est Cindy Giddings qui m'a maintenu en vie pendant ces premières années : le son de sa voix, son ton mesuré et rythmé, la sensualité sous-jacente que je percevais quand elle disait : *Eh bien, merci, Frank, et merci à tous nos auditeurs. Ça a décidément été une journée pleine de révélations, n'est-ce pas ?*

Un jour, j'ai songé à lui écrire.

Je ne savais pas – n'aurais pas su – quoi dire, mais je savais d'expérience qu'en de tels moments c'était mieux que rien du tout.

Richard Milhous Nixon était le centre de mon intérêt. Curieusement, j'éprouvais une certaine camaraderie envers ce personnage bizarre. Il ne faisait aucun doute dans mon esprit qu'il était complètement cinglé. À cette époque, j'étais suffisamment cynique pour croire que les personnes qui étaient installées à la Maison Blanche devaient être à moitié barrées.

Richard Nixon était une énigme, une contradiction ambulante.

Pourquoi je ressentais une sorte d'empathie envers lui, je n'en savais rien. Je me disais qu'il était coincé, comme je l'avais été, et que même si des crimes et des délits étaient commis, même si je ne doutais pas qu'il savait tout ce qui se passait, les personnes derrière lui voulaient qu'il disparaisse par n'importe quel moyen.

Comme moi.

Nous étions différents, tellement différents, mais dans une petite mesure, une petite fraction de réalité, nous étions semblables.

D'un côté, Nixon passait une grande partie de son temps à nouer des relations politiques et économiques avec les Chinois et les Soviétiques; d'un autre, il planquait des micros dans le bureau ovale et enregistrait ses propres conversations avec ses conseillers. Il était embourbé dans le fiasco vietnamien, et tout en essayant de détourner l'attention de la guerre en faisant la publicité de ses voyages à l'étranger, la guerre ramenait constamment l'attention de l'Amérique vers les atrocités qui étaient perpétrées.

En février 1970, cinq marines ont été arrêtés pour le meurtre de onze femmes et enfants. En avril, lors de la manifestation antiguerre à l'université de Kent State, sept étudiants se sont fait tirer dessus. La violence raciale a de nouveau éclaté en Géorgie, et six Noirs ont été tués. De septembre à Noël, le corps étudiant de Kent State a brûlé ses avis d'incorporation, le lieutenant William Calley a commencé à passer en cour martiale pour le massacre de My Lai, et des membres de sa propre unité sont venus témoigner qu'il avait en connaissance de cause et délibérément abattu des civils.

La phrase dont tout le monde se souvenait était de Henry Kissinger. Pour justifier l'invasion américaine du Cambodge, il avait dit : *Nous sommes tous des hommes du président.*

Au début de 1971, William Calley, reconnu coupable d'assassinat, a déclaré : *Je serai extrêmement fier si My Lai montre au monde ce qu'est la guerre.*

C'était un sentiment que les Américains ne voulaient pas entendre, Nixon encore moins que les autres, et deux jours plus tard il a ordonné la libération de Calley pendant que sa condamnation serait réexaminée.

En mai, trente mille manifestants antiguerre ont défilé sur les rives du Potomac à Washington. La présidence s'est arrangée pour que la Cour suprême blanchisse Mohamed Ali qui avait refusé son incorporation. Le capitaine Ernest Medina, également présent à My Lai, a vu toutes les accusations à son encontre levées, et Nixon a promis que quarante-cinq mille soldats quitteraient le Vietnam au début de 1972. Il a accordé cinq milliards et demi de dollars au programme de recherches sur la navette spatiale, et annoncé qu'il se présenterait à sa réélection, tout en intensifiant la campagne de bombardements américains. Une flotte de sept cents B-52

Stratofortress a pilonné Hanoï et Haiphong. Nixon s'est rendu en Chine, puis en Union soviétique. Il espérait, il priait, mais personne ne l'entendait.

En juin 1972, cinq hommes ont été arrêtés dans les bureaux du Comité national démocrate, dans le complexe du Watergate. Parmi eux, l'ancien agent de la CIA James McCord, le coordinateur de la sécurité du Comité républicain pour la réélection du président, et deux autres, également de la CIA, tous deux ayant travaillé avec des groupes anticastristes en Floride.

Le cauchemar de Richard Milhous Nixon avait débuté.

John Mitchell a démissionné de son poste de directeur de la campagne présidentielle alors que la dernière unité de combat au sol américaine, le 3e bataillon de la 21e infanterie, quittait Da Nang. Les journaux ont annoncé à l'Amérique et au monde que la guerre du Vietnam avait coûté cent milliards de dollars.

La guerre aérienne continuait cependant, ces mêmes B-52 Stratofortress bombardant les voies d'approvisionnement des communistes qui alimentaient l'invasion du Sud.

Gordon Liddy et Howard Hunt ont été inculpés pour le Watergate. Un porte-parole de la Maison Blanche a catégoriquement affirmé qu'il n'y avait « absolument aucune preuve que quelqu'un d'autre était impliqué ».

Henry Kissinger, le conseiller en sécurité nationale de Nixon, déclarait que la paix avec le Vietnam était à portée de main et, en novembre 1972, Nixon a remporté une victoire écrasante pour sa réélection. Il a ordonné la suspension des bombardements de Hanoï après douze jours des raids les plus intensifs que la guerre eût connus. Trois jours plus tard, Nixon a prêté serment, et un cessez-le-feu a été décrété au Vietnam. Des échanges de prisonniers entre Américains et Vietnamiens ont débuté, et onze reporters de trois grands journaux ont été assignés à témoigner sur le Watergate. Liddy a refusé de répondre aux questions et a été emprisonné pour dix-huit mois. Bob Haldeman, le secrétaire général de Nixon, John Ehrlichman, son conseiller principal pour les affaires intérieures, Richard Kleindienst, le procureur général des États-Unis, et John Dean, le conseiller juridique de Nixon, ont tous démissionné. Les conseillers du président, John Mitchell et Maurice Stans, ont quant à eux été inculpés pour parjure.

Nixon a admis que la Maison Blanche avait tenté d'étouffer le scandale du Watergate, et le Sénat a entamé ses auditions. En juillet 1973, Nixon a refusé de remettre les cassettes du Watergate aux enquêteurs du Sénat, et John Dean a été de nouveau entendu. Il a affirmé que Nixon était au courant pour le cambriolage du Watergate et était activement impliqué dans la tentative d'étouffer l'affaire. Dean a également indiqué qu'une promesse avait été formulée par Nixon en personne : *Nous pourrions trouver environ un million de dollars pour acheter le silence des gens.*

Le président a reçu une ordonnance l'enjoignant de remettre les cassettes des conversations à la Maison Blanche. Il a refusé. La cour d'appel s'en est mêlée et a réitéré l'ordre. Nixon a une fois de plus refusé.

Quelques jours plus tard, il a ordonné au procureur général Elliot Richardson de destituer Archibald Cox, le procureur spécial pour le Watergate. Richardson a refusé et démissionné. L'adjoint de Richardson, William Ruckelshauss, a reçu le même ordre. Il a refusé. Cox a finalement été destitué par l'avocat général Robert Bork, à la suite de quoi une procédure d'impeachment a pour la première fois été évoquée.

Le Nouvel An 1974 – la première année en quinze ans où l'Amérique ne rapporterait pas des morts hebdomadaires du Vietnam – a vu Nixon rejeter l'ordonnance du tribunal l'enjoignant de remettre plus de cinq cents cassettes. Il s'est finalement avoué vaincu. Le tribunal a reçu les cassettes, mais il y avait cinq trous.

Le procureur spécial Leon Jaworki s'est entretenu avec Nixon. Celui-ci a déclaré qu'il ne remettrait pas les cassettes clés liées au Watergate, et s'est retrouvé nommé conspirateur non inculpé. Le comité du Congrès a prévenu Nixon qu'il risquait l'impeachment. La Cour suprême a réitéré son ordre. Une fois encore, le président a refusé au nom du « privilège de l'exécutif ». La commission judiciaire de la Chambre des représentants a voté en faveur de l'impeachment à vingt-sept voix contre onze.

Le 8 août 1974, Richard Milhous Nixon démissionnait de son poste de président des États-Unis. Spiro Agnew, son vice-président, était déjà parti après avoir plaidé coupable dans une affaire de fraude fiscale, et l'ancien chef de la minorité républicaine à la Chambre des représentants, Gerald Ford, le nouveau vice-président, succédait à Nixon.

Il y a eu un développement intéressant. Nelson Rockefeller, un homme dont le grand-père possédait Standard Oil, un homme très impliqué dans la Chase Manhattan Bank et la Réserve fédérale, est devenu vice-président. Il a prêté serment le 19 décembre, cinq mois après avoir été choisi, et – au moment même où il assumait officiellement ses nouvelles fonctions – John Dean, John Ehrlichman, Bob Haldeman, John Mitchell et Robert Mardian, le procureur général adjoint, ont été emprisonnés.

L'empire Nixon était tombé.

La guerre du Vietnam était terminée.

Une nouvelle ère avait débuté.

Telle était l'Amérique durant mes premières années d'incarcération. J'écoutais l'annonce de ces événements sur un petit transistor, et sous tout ça il y avait le souvenir de ce qui s'était passé à Noël 1969, les quelques semaines, les quelques jours même, où ce que nous avions pris pour une liberté s'était avéré être son sombre et complexe contraire.

Dans une certaine mesure, ma propre vie avait commencé à refléter la vie de la nation. Quand je croyais que ça ne pouvait pas être pire, ça empirait. Quand je croyais qu'il ne pouvait pas y avoir d'ombres plus noires, une noirceur plus profonde se révélait.

Et c'est dans cette noirceur que je suis tombé : boum, comme une pierre.

20

« **Q**u'avez-vous ressenti en découvrant que vous n'aviez jamais reçu d'avis d'incorporation ? »

J'ai regardé le père John Rousseau par-dessus la table étroite.

« Ce que j'ai ressenti ? Je me suis senti trompé... je ne sais pas, confus peut-être. Je ne crois pas avoir pris le temps d'analyser mes sentiments. Ma mère était morte. Backermann était là. Nathan était revenu avec moi mais personne ne le savait. J'avais emménagé chez ma mère et Nathan restait cloîtré à l'intérieur, il ne sortait jamais. Si quelqu'un nous rendait visite, il se cachait à la cave. »

Rousseau a souri.

« Il se cachait à la cave ?

— Exact, il se cachait à la cave. Il avait été appelé, il avait déserté. Si quiconque avait su qu'il était là, les autorités auraient été informées et il aurait été arrêté.

— Pourquoi est-il rentré avec vous ? »

J'ai haussé les épaules.

« C'est moi qui lui ai demandé. Je ne voulais pas rentrer seul.

— Et il était disposé à rentrer, même s'il risquait d'être découvert et arrêté ?

— Nous étions amis, nous l'avions été presque toute notre vie. Malgré tout ce qui s'était passé, nous étions encore aussi proches que des frères.

— Vous croyez qu'il est revenu avec vous parce que vous étiez parti avec lui ?

— Comme s'il avait une dette envers moi ?

— Peut-être. »

J'ai secoué la tête.

« Je ne lui ai pas demandé pourquoi il était revenu. Je lui ai demandé de rentrer avec moi à Greenleaf, et il a accepté, c'est aussi simple que ça. »

Rousseau n'a pas posé d'autres questions.

Il a allumé une cigarette, me l'a tendue, s'en est allumé une pour lui.

Nous sommes restés quelque temps silencieux. Apparemment, Rousseau pouvait venir me voir aussi souvent qu'il le souhaitait, je pouvais rester aussi longtemps que je le voulais dans le *salon de Dieu*, et j'en profitais.

Il me restait trente et un jours. Trente et un jours et je serais mort. C'était une idée troublante, irréelle, qui poussait à réfléchir.

« Alors, parlez-moi de votre retour, a repris Rousseau. Dites-moi tout ce qui s'est passé. »

Je me suis légèrement penché en arrière sur ma chaise. J'avais envie de me lever, de faire les cent pas, mais c'était impossible dans l'espace confiné de la pièce.

J'étais agité. Je voulais que ça cesse maintenant, qu'on en finisse. C'était une requête simple, mais ils la feraient traîner, jusqu'au 11 novembre.

On me faisait des examens médicaux, on s'assurait que je mangeais convenablement, que je conservais une hygiène personnelle. Ils n'avaient aucune intention de se faire berner quand viendrait le moment de leur récompense. Ma surveillance avait été accrue, mon temps d'exercice était constamment supervisé, et alors que je marchais d'ordinaire dans la cour avec un ou deux autres détenus, désormais, c'était simplement moi et un gardien. En général, M. Timmons m'accompagnait, mais parfois c'était l'un des autres.

C'était durant ma promenade deux jours plus tôt que j'avais trouvé un petit morceau de bois. Presque plat, mesurant environ huit centimètres sur quatre pour environ un demi-centimètre d'épaisseur. On aurait dit une écorce, quelque chose comme ça, et il avait un grain des plus étonnants, trois ou quatre teintes de brun. M. Timmons était avec moi. J'ai demandé si je pouvais le garder, et il a répondu par l'affirmative. Il a dit que je pouvais parce qu'il me faisait confiance, mais que si on m'interrogeait, je devais répondre que je l'avais trouvé ailleurs, qu'il nierait m'en avoir jamais parlé. J'ai accepté.

Plus tard dans la soirée, j'ai pris une cuiller et frotté le bout du manche contre le mur jusqu'à ce qu'il soit un peu tranchant. Avec cette extrémité acérée, j'ai soigneusement dessiné la forme que je souhaitais, puis éclat après éclat, millimètre après millimètre, je me suis mis à détacher laborieusement de minuscules fragments de bois. Après plus de deux heures, j'avais la forme que je désirais, vaguement symétrique, un peu carrée, peut-être, mais néanmoins identifiable. Un papillon de nuit. Son corps et ses ailes, le grain du bois suivant la courbe extérieure des ailes de chaque côté. Je l'ai levé à la lumière, et sa silhouette était parfaitement reconnaissable.

Je me rappelais la dernière fois que j'avais vu une telle forme, accrochée au-dessus du lit où je dormais, dans la chambre où j'avais grandi il y avait un million de vies de ça.

Backermann se tenait derrière moi.

Son salut avait été presque bienveillant. Je crois qu'il était content de me voir planté là sur les marches de la maison de ma mère, seul, sans le « garçon noir ».

Nous sommes entrés ensemble, et tandis que je traversais les pièces l'une après l'autre, l'humidité et le vide flottant autour de nous comme des fantômes, Backerman était là, constamment un pas derrière moi. Je suis monté à l'étage, il m'a accompagné, et tandis que j'ouvrais lentement la porte de ce qui avait été ma chambre, de ce qui était toujours ma chambre, il semblait observer minutieusement tout ce qui se passait, attendant que l'émotion surgisse, attendant de pouvoir prononcer les paroles de réconfort qu'il avait à offrir.

Mais il n'y avait rien. Je ne ressentais réellement rien. Jusqu'au moment où j'ai vu ce petit cadre en bois accroché à ma tête de lit : le papillon de nuit.

Tout m'est alors revenu. Eve Chantry, son mari Jack, leur fille Jennifer.

Un homme titubant sur le rivage du lac Marion, portant sa fille unique, ses cheveux trempés pendouillant mollement, son corps comme une poupée de chiffon, le visage de l'homme, un masque torturé de dévastation absolue.

Je me suis senti soupirer.

J'ai cru que ça ne cesserait jamais, que je me viderais dans cette pièce, que je me replierais sur moi-même comme un origami et serais emporté par quelque brise errante.

La main du Dr Backermann s'est refermée sur mon épaule. Je sentais son odeur. Son eau de Cologne. Un vague relent de tabac de pipe. Quelque chose en dessous. Peut-être du vin rouge. Peut-être du sherry.

Il m'a plus doucement attiré vers lui. Je n'ai pas résisté. Il se tenait là, solide comme un roc, et je me suis plus ou moins appuyé sur lui, appréciant la stabilité et le soutien qu'il m'offrait.

Je me souviens que j'ai commencé à m'excuser pour ce que j'avais dit au téléphone.

Le Dr Backermann m'a interrompu, disant que ce n'était rien, que lui aussi était désolé, qu'il était allé trop loin, que nous étions tous les deux bouleversés, stressés par les événements récents…

Ses mots se sont fondus dans le silence.

Je me tenais là. Je ne trouvais rien à dire, rien à ressentir. J'étais comme engourdi. Pas à ma place.

Plus tard – une heure, une journée, une semaine, je ne sais pas vraiment –, je me rappelle avoir discuté avec le Dr Backermann. Il m'a expliqué que la maison m'appartenait, qu'il faudrait un moment pour régler toutes les questions légales, mais que c'était mon héritage, et qu'il était heureux que je sois rentré. Il m'a dit qu'il savait pourquoi j'étais parti, qu'il avait voulu savoir si j'avais reçu mon avis d'incorporation. Je ne l'avais pas reçu. Il en était certain. Il avait demandé chaque semaine à ma mère avant sa mort. Nathan avait été recherché, mais pas moi. Ironie du sort.

Durant ces moments, je n'ai pas pris le temps de me demander ce qui serait arrivé si j'étais resté. Je ne me suis pas puni en me disant que ma mère serait peut-être encore en vie. Je ne me suis pas autorisé ce genre de considérations.

C'était plus sûr ainsi.

J'étais à la maison. Ma mère était morte, mais j'étais à la maison.

Après dix-huit mois de cavale, c'était aussi simple que ça.

Le Dr Backermann est parti au bout d'un moment. Il est parti, estimant que je me porterais bien. Je me suis rendu à une cabine téléphonique et j'ai appelé Nathan. Il était à la gare routière. Il m'a demandé si j'allais bien, j'ai répondu que oui et suggéré qu'il attende la tombée de la nuit avant de venir. J'ai ajouté qu'il ferait bien d'arriver par l'arrière, de traverser Nine Mile Road vers le croisement avec la I-88, puis de traverser les taillis d'arbres qui séparaient les deux routes.

Il est venu par le chemin que je lui avais indiqué. Il était certain que personne ne l'avait suivi.

C'était agréable de l'avoir là, de nouveau dans ma maison, et pendant un petit moment je me suis imaginé que nous étions dix ans plus tôt, que d'une seconde à l'autre ma mère nous appellerait pour nous servir des pommes de terre, des légumes et du corned-beef fait maison, elle ferait asseoir Nathan et lui présenterait une assiette chargée de plus de nourriture qu'il ne pourrait en avaler…

Mais elle n'a pas appelé. Elle était morte.

Nous avons mangé dans la même cuisine. Nous avons mangé dans les mêmes assiettes. Mais ce que nous avons mangé n'avait pas le même goût. Il ne l'aurait jamais plus. Nous avions changé en même temps que le monde, et ici à Greenleaf c'était beaucoup plus flagrant que quand nous étions loin. Nous avions réellement grandi. Nous n'étions plus des garçons, mais des hommes, et je crois qu'une partie de moi aurait aimé revenir en arrière et modifier tout ça. Je me suis brièvement demandé ce qui se serait passé si une autre décision avait été prise, si nous ne nous étions pas enfuis. Nathan Verney serait allé au Vietnam, je serais resté ici, peut-être ma mère et moi serions-nous assis ici, à l'endroit où Nathan et moi étions assis, et nous discuterions de lui, de l'ami qu'il était, nous rappelant combien ce petit gamin noir avec des oreilles en anses de cruche, des yeux comme des feux de signalisation et une bouche qui lui fendait le visage d'une oreille à l'autre avait fait partie de notre vie...

Ce premier jour à Greenleaf, il m'a posé une question :

« Tu crois qu'on a fait ce qu'il fallait ? »

J'ai été surpris. Je n'avais jamais douté de sa détermination.

« Oui, ai-je répondu, autant pour moi que pour Nathan. On a fait ce qu'il fallait. »

Il a acquiescé, souri, tourné les yeux vers la fenêtre.

J'ai suivi son regard en direction de l'arrière de la maison. Je m'attendais presque à entendre nos propres voix en provenance du jardin. Des voix d'enfants. Des rires. Quelqu'un nous hurlant dessus alors que nous nous enfuyions après avoir fait quelque bêtise. Ce genre de choses. J'imaginais que nous pourrions même sortir et nous voir jouer, des fantômes de ce que nous avions été continuant de hanter le jardin, les champs d'herbe dégagés près de Nine Mile Road, la buvette de Benny, le magasin de radios de Karl Winterson...

Mais nous n'étions plus là. Les enfants que nous avions été avaient disparu pour toujours. Je crois que c'était peut-être ce qui me peinait le plus.

Nous avons alors décidé de rester quelque temps. C'était chez moi, personne ne viendrait me chercher. Nathan resterait également, j'irais voir ses parents, je leur dirais qu'il se portait bien, qu'il était resté dans le Nord mais qu'il reviendrait avant le printemps. En réalité, il serait à la maison, il ne sortirait pas, et si des gens passaient me voir, comme ils étaient voués à le faire, il se cacherait à la cave. En attendant, il pouvait m'aider à faire le ménage, à remettre de l'ordre dans la maison après tous ces mois d'abandon. Nous avons même parlé de la vendre, de prendre l'argent et d'aller ailleurs, peut-être à LA, ou à New York, ou même à l'étranger.

C'étaient des rêves, des rêves futiles, vraiment, mais nous les partagions, ça nous faisait rire, et après tout ce temps c'était d'agréable d'être quelque part où nous n'avions pas à craindre que quelqu'un vienne nous chercher.

C'était ce que nous pensions.

Nous n'avions aucune raison de penser autrement.

21

Rousseau est revenu le lendemain. Je lui ai demandé s'il n'avait rien de mieux à faire. Il a souri, et malgré son sourire quelque chose dans son expression trahissait sa tristesse. Il passerait ces quelques semaines avec moi, et une fois que je serais mort, il y en aurait un autre, puis un autre. Pendant combien de temps pouvait-on faire ça sans perdre complètement la raison ?

C'est pour ça que je lui ai demandé ce qu'il pensait de la peine capitale, et même si je savais que c'était injuste, que je n'avais pas le droit de le placer dans cette position, j'avais conscience que je m'en moquais. Bon sang, j'allais mourir. Je pouvais me permettre de contrarier quelques personnes avant de partir.

« La peine capitale ? » a-t-il dit, répétant ce que je venais de lui demander.

Il s'est assis et, comme à son habitude, a tiré deux paquets de Lucky Strike de sa poche de veste.

Nous fumions un paquet chacun à chaque entretien. Je supposais qu'il avait des notes de frais de nicotine.

« Ça dépend entièrement du fait que la personne soit ou non coupable », a-t-il déclaré.

J'ai été surpris par sa réponse, puis je me suis dit que c'était le précepte *œil pour œil* que tant de chrétiens des États du Sud observaient.

« Si un homme a tué quelqu'un, s'il l'a réellement tué, s'il avoue qu'il l'a tué et que sa culpabilité ne fait aucun doute, alors je crois que les personnes les plus proches de la victime devraient peut-être décider s'il va mourir ou non.

— Bon sang, ce serait une bonne solution pour moi, ai-je observé, pensant au révérend et à Mme Verney.

— Elle ne s'appliquerait pas à vous », a répliqué Rousseau.

J'ai levé les yeux, froncé les sourcils.

« Vous dites que nous n'avez pas tué Nathan, et pour autant que je sache, il n'y a vraiment que des présomptions contre vous. »

J'ai souri.

« Comment vous le savez ?

— Les minutes du procès. »

J'étais perplexe.

« Vous avez lu les minutes du procès ? »

Rousseau a acquiescé.

« Oui.

— Toutes ? »

Il a une fois de plus acquiescé.

« Toutes.

— Et votre opinion ? ai-je demandé, sincèrement curieux.

— Je crois qu'il y a quelqu'un qui aurait dû être là pour témoigner et qui n'était pas là… peut-être la personne la plus importante de toute l'affaire.

— Ça, je le sais. Mais c'est de l'histoire ancienne. Ce que je voulais savoir, c'est si vous me croyez ou non coupable. »

Rousseau a secoué la tête.

« Je ne crois pas que vous soyez coupable de meurtre, mais je crois que vous êtes coupable d'autre chose. »

Je l'ai regardé.

Il a souri, tenté de paraître compatissant, compréhensif peut-être, mais il donnait l'impression de cacher quelque chose, comme s'il y avait quelque chose qu'il ne voulait pas dire.

« Je crois que vous êtes coupable de vous être compromis, d'avoir été lâche, mais surtout de vous être menti à vous-même. »

J'ai lâché un éclat de rire creux et légèrement irrité.

« Qu'est-ce qui vous donne le droit de dire ça ? »

Rousseau a secoué la tête.

« Vous m'avez demandé.

— Et c'est ce que vous croyez ?

— La seule chose que je peux croire, c'est ce que je glane dans les minutes du procès. Je n'étais pas là, Danny, ni quand ils vous ont trouvé, ni quand ils vous ont arrêté ou interrogé. Je n'étais pas chez vous en train d'écouter ce qui se passait avant ou après. La seule opinion que j'ai est basée sur des ouï-dire, sur des rapports de deuxième et troisième main, et sur les réponses que vous avez données à toutes ces questions tendancieuses durant le procès. C'est tout ce que j'ai.

— Mais ce n'est pas tout ce qui s'est passé, et ça ne s'est certainement pas passé comme ça.

— Alors dites-moi. »

J'ai soupiré.

« Bon Dieu, j'ai répété ça tellement de fois... j'ai l'impression d'avoir passé les dix dernières années à ne rien faire que m'expliquer encore et encore. »

Rousseau a souri.

«Je sais, Danny, mais je crois que j'ai besoin de savoir. J'ai aussi des choses à expliquer, vous savez. »

J'ai froncé les sourcils d'un air interrogateur.

« Des choses à expliquer ? À qui ? »

Rousseau a souri, levé les yeux vers le plafond.

« À Dieu ? ai-je demandé. Il faut que vous vous expliquiez à Dieu ? »

Rousseau a secoué la tête.

« Non, Danny, c'est *vous* que je dois expliquer à Dieu. »

J'ai ri.

« Moi ? Qu'est-ce que c'est que ces conneries ? Je ne suis même pas sûr de croire en Dieu.

— Parce que vous êtes ici... à cause de ce qui vous est arrivé ?

— Non. Pas à cause de ce qui m'est arrivé.

— Alors pourquoi ? »

J'ai détourné les yeux vers le reflet vague et gris de mon visage dans le miroir sans tain.

« Parce que s'il y a un Dieu, il a laissé mourir Nathan, père John... parce qu'il a laissé mourir Nathan. »

La pièce a été un moment silencieuse.

J'entendais le son de ma propre respiration.

Pendant toutes ces années, vous tenez votre vie pour acquise, et elle est symbolisée par une chose aussi simple que le son de votre respiration. Vous n'y prêtez aucune attention, il est toujours là, vous n'y réfléchissez pas une seconde.

Je me suis demandé, durant ce moment de silence, ce que ça ferait de n'entendre rien, de n'entendre absolument rien.

Et je crois que – pour la première fois depuis tout ce temps que j'attendais – j'ai eu peur.

Véritablement peur.

Des gens sont en effet venus me voir. Benny est passé le lendemain de mon retour à Greenleaf. Il semblait tellement plus vieux que dans mon souvenir, et le jour où nous nous étions enfuis de la buvette avec les autres gamins à nos trousses semblait remonter à mille ans. Il a évoqué cet incident, et quelque chose dans sa façon de parler semblait indiquer qu'il souhaitait être pardonné de ne pas nous avoir défendus. Je ne lui en voulais pas, j'étais heureux de le voir, mais je pensais constamment au fait que Nathan était en bas dans la cave.

Benny est resté près de deux heures, et quand il est parti, je suis descendu chercher Nathan et j'ai découvert qu'il avait pissé dans un seau dans le coin de la pièce.

« Bon sang, Nathan, t'as pissé dans le seau !

— Merde, tu te débarrassais pas de lui. Qu'est-ce que tu voulais que je fasse ?

— Je ne pouvais pas le renvoyer comme ça.

— Soit, mais t'avais pas besoin de le garder ici deux heures. »

Je l'ai regardé, son visage mal rasé, ses cheveux dressés sur sa tête, et il m'a rappelé le Nathan que j'avais fait sortir de l'hôpital dans un fauteuil roulant volé. Ses vêtements étaient sales, débraillés et tachés de sueur, et quand il bougeait, il avait l'air d'un homme abattu. Il a avancé d'un pas et s'est laissé tomber dans un fauteuil.

« Deux putains d'heures, Danny... tu sais ce que c'est d'attendre dans ce putain de noir pendant deux heures en se demandant ce qui se passe là-haut ? »

Il a martelé l'accoudoir du fauteuil avec son poing serré et a juré une fois de plus. Il était à cran. Il voulait voir ses parents, mais il se disait qu'il ne pouvait pas, pas encore, pas tant que le problème de sa désertion n'était pas complètement résolu. Soit ça, soit la guerre s'achevait.

Je pensais comprendre ce qu'il ressentait ; j'avais éprouvé la même chose jusqu'au moment où j'étais rentré et avais découvert que je n'avais pas été appelé.

Cette différence créait une tension entre nous, mais les moments de tension étaient brefs et sans importance par rapport au reste.

Le sentiment dominant était un sentiment de soulagement. Nous n'étions plus en fuite, nous ne vivions plus au jour le jour en nous demandant qui pourrait vouloir savoir qui nous étions et ce que nous faisions là. Cette angoisse constante avait disparu, et je ne m'étais pas aperçu de l'effet colossal qu'elle avait eu sur moi.

Pour Nathan, cependant, c'était une autre histoire. Il devenait de plus en plus agité, ce qui était compréhensible, et même s'il passait une grande partie de son temps à écouter la radio et à lire, il paraissait toujours nerveux. Nous n'avions pas de télé, ma mère n'en avait jamais voulu, et bien que Karl Winterson en vende désormais, je n'ai jamais songé à en acheter une. Pour une raison ou pour une autre, je me disais que mon séjour à la maison serait bref, peut-être jusqu'à Noël, ou au début de l'année suivante, mais pas plus. Pourquoi je pensais ça, je n'en savais rien, mais j'avais cette certitude, et m'enraciner ici était la dernière de mes priorités.

À mesure que Noël approchait, l'invisibilité de Nathan est devenue de plus en plus difficile à maintenir. Des gens me rendaient visite, des gens passaient et me demandaient d'aller les voir, et j'avais beau essayer de garder mes distances, je comprenais de plus en plus qu'éviter tout le monde, ignorer chaque invitation ne ferait qu'entretenir les soupçons qui existaient peut-être déjà. L'esprit humain – soucieux, peut-être apeuré – tend toujours vers le pire quand bien même il n'a aucune réelle raison de le faire. J'étais néanmoins prudent, hésitant, sur le qui-vive chaque fois que je parlais, prenant constamment soin de ne pas évoquer par inadvertance Nathan Verney. J'ai donc commencé à sortir – je suis sorti presque chaque soir la semaine qui a précédé Noël –, et même si je rentrais le plus tôt possible, je retrouvais la plupart du temps Nathan soûl. Boire était devenu sa solution à son interminable ennui. Nous avions passé dix-huit mois à travailler, à voyager, à faire presque chaque jour quelque chose de différent, et maintenant il était confiné à la maison. Je pouvais dans une certaine mesure comprendre ce qu'il éprouvait, mais nous avons commencé à nous engueuler et, un soir en rentrant, j'ai découvert des assiettes et des tasses cassées sur le sol de la cuisine.

J'étais fou de rage. Ces objets avaient appartenu à ma mère. Il n'avait pas le droit.

«Le droit? s'est-il écrié. Ne me parle pas de droit. J'ai des droits. Je suis coincé dans cette putain de baraque parce que quelqu'un qui ne me connaît même pas estime que j'ai le droit de mourir pour une chose en laquelle je ne crois même pas. C'est ça, mon putain de droit, Danny, un droit qui ne t'a jamais été accordé...

— Assieds-toi, Nathan, et arrête de hurler. »

Nathan a tourné en rond dans la pièce pendant un moment. Ses poings étaient serrés, il semblait complètement à cran, remonté comme un ressort d'horloge. Il portait le même jean et le même tee-shirt depuis des jours, et j'étais incapable de me souvenir de la dernière fois qu'il avait pris un bain.

J'ai ouvert la bouche pour dire quelque chose, mais le bruit de quelqu'un frappant à la porte m'a interrompu net.

Je me rappelle avoir dit : « Oh, bordel ! »

J'ai regardé Nathan.

Il m'a regardé.

Je me suis tourné vers la porte de la cave, dans le couloir derrière moi.

Nathan a secoué la tête.

« Nathan...

— Rien à foutre, a-t-il déclaré. Rien à foutre, je suis ici... j'en peux plus d'être enfermé dans cette baraque. Qui que ce soit, fais-le entrer, je suis prêt.

— Nathan », ai-je répété.

Il a une fois de plus secoué la tête.

« Je m'en fous, Danny... j'aime autant affronter la tempête que devenir cinglé ici. »

J'ai poussé un soupir intérieur. Absolument inaudible. C'était comme si quelque chose s'affaissait en moi. Les murs de mon âme qui cédaient.

Je me suis retourné et j'ai marché vers la porte.

J'ai levé la main.

Je distinguais une silhouette à travers le verre dépoli.

J'ai actionné le loquet.

Je sentais Nathan derrière moi, en plein dans le champ de vision.

J'ai lentement ouvert la porte, et je me rappelle avoir tenté de remplir l'ouverture de plus en plus large avec mon corps, tout en sachant pertinemment que ça ne servait à rien. Si Nathan avait décidé de ne plus se cacher, on le verrait, que j'essaie de le dissimuler ou non.

Alors, j'ai abandonné toute résistance.

Et j'ai ouvert la porte en grand.

«Danny!»

22

« **V**ous avez été surpris de voir Linny Goldbourne ? »
J'ai regardé le père John.

« Surpris ? J'étais sidéré. Bon sang, je croyais que je ne la reverrais jamais.

— Qu'est-ce qui l'a poussée à venir, d'après vous ?

— Je ne sais pas. Il y avait quelque chose chez elle, un côté distant, on ne savait jamais vraiment ce qu'elle ressentait ou pensait. Apparemment, elle était comme ça avec tout le monde, elle l'avait été toute sa vie, et c'était en partie la raison pour laquelle les gens avaient tendance à la considérer comme folle, parce que ça expliquait leur difficulté à communiquer avec elle.

— Vous la pensiez folle ? » a demandé le père John.

J'ai souri, secoué la tête.

« Non, je ne l'ai jamais crue folle, pas plus que moi, ou Nathan ou n'importe qui d'autre. » Je me suis penché en avant et j'ai regardé le père John. « Vous voulez la vérité ? La vérité, c'était que j'étais amoureux d'elle... je l'aimais comme je n'avais jamais aimé personne, et la façon dont elle était partie, tout ce qui s'est passé à l'époque... »

Je me suis interrompu en milieu de phrase. Je ne savais pas ce que je racontais.

«Continuez, m'a incité le père John.

— Elle était différente, c'est tout, et je crois que c'était sa manière de gérer sa situation familiale.»

Le père John a froncé les sourcils.

«Sa situation familiale?»

J'ai agité la main d'un air nonchalant.

«Les gens disaient que son père appartenait au Klan, ce genre de choses. C'était un homme influent, beaucoup d'argent, de grandes idées, et le bruit courait qu'il appartenait au Klan. Un type que j'ai connu à Sumter, un certain Schembri... même lui m'a parlé de sa réputation. Il avait entendu dire que son père était d'une manière ou d'une autre impliqué dans la mort de Robert Kennedy.»

Le père John a haussé les sourcils.

«Vous croyez que c'est vrai?

— J'essaie de ne plus y penser.

— Pourquoi?» a demandé le père John en se penchant vers moi.

Je l'ai regardé. Puis j'ai regardé sur sa gauche en direction de la vitre sans tain. Tout ce que je disais ici était enregistré. J'ai secoué la tête.

«Il trempait dans ce qu'il voulait, je n'ai aucun avis sur la question. C'étaient des rumeurs, des ouï-dire... rien de plus. Linny Goldbourne se trouvait dans une voiture avec moi, on a entendu à la radio que Robert Kennedy avait été assassiné, et c'est à ce moment qu'elle est partie.

— Quand elle a appris que Kennedy avait été assassiné?

— Exact.

— Et vous croyez que son père était impliqué?» a demandé le père John.

J'ai haussé les épaules.

« Tous ce que je sais, c'est que nous avons entendu qu'il était mort, et elle a changé... tout le monde a changé à ce stade. Elle est partie et je ne l'ai pas revue jusqu'à notre retour à Greenleaf.

— Et vous croyez qu'elle soupçonnait une implication de son père dans l'assassinat ? »

J'ai secoué la tête.

« Il y avait des gens à l'époque, plus tard, des semaines plus tard... des gens qui disaient que Goldbourne avait des intérêts, des millions, voire des milliards, dans l'industrie partout à travers le Sud. Certains pensaient que les industriels et les financiers avaient peur que Robert Kennedy arrive à la Maison Blanche, de la même manière qu'ils avaient eu peur de son frère avant lui. Il y a même eu un type, un enquêteur, je crois qu'il s'appelait Stroud, qui prétendait que Goldbourne était impliqué dans toutes sortes de choses qui pourraient remonter jusqu'à l'administration de JFK. »

J'ai soupiré. Je me sentais agité.

« Linny est partie... elle est rentrée chez elle, et ça a été la fin de cette époque.

— Mais vous soupçonniez qu'elle savait peut-être quelque chose, et que quand elle a entendu que Robert Kennedy avait été assassiné, elle a pris peur.

— Je n'ai aucune opinion sur le sujet.

— Vous n'en avez pas ou vous ne voulez pas en avoir ? »

J'ai soupiré.

« Vous voulez que je vous dise ce qui s'est passé ? »

Le père John s'est quelque peu détendu. Il s'est penché en arrière sur sa chaise, a allumé une nouvelle cigarette.

«C'est pour ça que je suis ici», a-t-il répondu. .

J'ai souri.

«Je croyais que vous étiez ici pour sauver mon âme.»

Il a acquiescé.

«Ça aussi.»

J'ai remarqué qu'il n'avait pas sa bible, aujourd'hui. J'ai pensé à le mentionner puis me suis ravisé. Pour le moment, le père John Rousseau était le seul homme à qui je pouvais parler, et je ne voulais pas troubler cette relation.

«C'était la semaine avant Noël 1969, la fin des années soixante, la fin d'une ère à bien des égards...»

Linny Goldbourne avait appris mon retour de la bouche de la grande sœur de Marty Hooper, qui l'avait elle-même appris de celle de Karl Winterson, qui l'avait lui-même appris de celle de Benny Amundsen. Elle ne me l'a pas dit immédiatement, mais un peu plus tard, et le simple fait que tant de personnes parlaient de moi me souciait quelque peu. Greenleaf était une petite ville, mais pas si petite. Ce n'était pas un bled de sept cents âmes qu'on pouvait effacer d'un simple battement de paupières, c'était plus grand, bien plus grand que ça. Je supposais que les gens étaient intéressés parce que ma mère était morte. Je mettais ça sur le compte de son décès.

Linny n'avait pas changé. Elle était plus belle que jamais, d'une beauté saisissante, et l'entrain et l'enthousiasme avec lesquels elle a pénétré dans la maison étaient presque étourdissants. Elle m'enveloppait une fois de plus de tout ce qu'elle était, et j'étais avalé. Jonas et la baleine.

Je me revois me tenant là, le souffle coupé, immobile, silencieux, tandis qu'elle m'étreignait, qu'elle m'étreignait comme si rien ne s'était passé.

Et alors, elle a vu Nathan.

« Oh! mon Dieu... oh! mon Dieu... oh! mon Dieu! Nathan! Nathan Verney! Viens ici, Nathan Verney... oh, mon Dieu, tu es vivant! »

Nathan était cloué sur place à l'autre bout du couloir.

Son expression était un complet mystère.

Linny s'est précipitée vers lui, bras tendus, courant presque, et quand elle l'a atteint, elle a semblé l'envelopper complètement.

Pris de court, Nathan a failli tomber à la renverse.

Sur le coup, je n'ai rien pensé de la réaction qu'avait eue Linny en le voyant, car elle avait toujours été si enthousiaste à propos de tout.

« Mon Dieu, Nathan! s'est-elle écriée. Quand es-tu rentré? »

« Ses parents avaient dit à tout le monde qu'il était parti au Vietnam », ai-je expliqué.

Le père John a acquiescé.

« Ils avaient honte de ce qu'il avait fait, c'est du moins le sentiment qu'avait Nathan, alors ils avaient dit à tout le monde qu'il était mort au Vietnam.

— Ils ne s'attendaient pas à le revoir? a demandé le père John.

— Nathan disait qu'ils devaient *espérer* ne jamais le revoir.

— Pourquoi ?

— Pour ne pas à avoir à expliquer comment ça se faisait qu'il n'était pas mort.

— Mais il ne leur a jamais reparlé ? »

J'ai fait non de la tête.

« Et vous n'êtes jamais allé les voir pour leur dire qu'il était en vie ?

— Non, je ne suis jamais allé les voir... je ne les ai revus qu'après.

— Après quoi ?

— Après sa mort.

— Oui, c'est vrai, désolé », a fait le père John.

J'ai levé la main.

« En fait, je suis vraiment fatigué, ai-je dit.

— OK, dites-moi juste ce qui s'est passé entre Nathan et vous après le retour de Linny.

— Demain. Parlons-en demain.

— Dites-le-moi maintenant, Danny.

— Qu'est-ce qui presse ? »

Le père John a semblé momentanément pris de court.

« La pellicule, a-t-il soudain répondu. Nous devons utiliser la totalité de la pellicule. »

J'ai jeté un coup d'œil en direction de la vitre sans tain, me suis rappelé la caméra derrière, le fait que chaque mot, chaque son, chaque expression était enregistrée.

J'étais décontenancé.

« Vous voulez en parler aujourd'hui parce que vous ne voulez pas gâcher de pellicule ? C'est ça, le problème ? C'est vous qui la payez ou quoi ? »

Le père John a souri. Il semblait un peu embarrassé. Il a secoué la tête.

« Non, ce n'est pas moi qui la paye, Danny. C'est juste que...

— Que nous n'avons pas beaucoup de temps, mon père ? Quatre semaines, à peu de chose près, c'est ça ? »

Le père John a souri. Il y avait quelque chose de rassurant dans son expression.

« C'est ça », a-t-il dit.

Je suis resté un moment silencieux.

« Alors, comment se fait-il que tout ça soit si important ? »

Il a haussé les épaules avec une nonchalance feinte.

« Important ? Je veux juste savoir exactement ce qui s'est passé, Danny. J'ai lu les minutes du procès, les dépositions, écouté les interrogatoires enregistrés...

— Vous avez écouté la bande de ma confession ? ai-je demandé avec un sourire.

— Oui. J'ai écouté votre confession.

— Donc, vous avez tout entendu.

— J'ai entendu tout ce que je suis censé entendre, lu tout ce que je suis censé lire, mais il y a tant de zones d'ombre. »

J'ai levé les yeux. Je voulais une cigarette.

« Des zones d'ombre ? »

Le père John a lentement secoué la tête.

« Vous absorbez tout, vous étudiez tous ces documents, et vous en tirez... du moins, moi, j'en ai tiré la ferme impression que j'avais affaire à un homme qui ne s'est pas battu. »

J'ai souri.

« Pas battu ? Battu contre quoi ? Contre la puissance du bureau du procureur de Caroline du Sud, contre la cour fédérale, la 5ᵉ cour itinérante, la cour d'appel, la Cour suprême, le gouverneur ? Ou bien y avait-il une autre personne impliquée à qui j'aurais dû être confronté ? »

Le père John s'est penché en arrière.

« Je suis désolé, a-t-il dit. Je comprends ce qui s'est passé.

— Il s'est passé ce qui était censé se passer, et pour autant que je sache, ça avait été arrangé bien avant le retour de Linny Goldbourne.

— Et qu'est-ce que vous avez ressenti quand elle est revenue de façon si inattendue, alors qu'elle avait disparu si soudainement après la mort de Robert Kennedy l'année précédente ? »

J'ai souri.

« C'était génial, père John, je me sentais... Bon sang, je ne sais pas. Je crois que je n'avais jamais cessé de l'aimer.

— Racontez-moi. »

J'ai pris une autre cigarette. Je fumais beaucoup trop. Si j'avais eu la moindre raison de me soucier de ma santé et de mon bien-être, j'aurais mis la pédale douce.

Mais je n'avais aucune raison de penser à ces choses.

Dans un mois, je serais mort.

Je l'ai regardé, le prêtre, cet homme de Dieu, et j'ai vu sur son visage les signes d'usure, les moments où sa foi avait dû être poussée à ses limites. Difficile, dans un monde tel que celui-ci, d'envisager que les choses pouvaient avoir un autre but que de mettre un homme à terre.

« Danny ?

— Hum ?

— Racontez-moi », a-t-il répété.

« Rentré ? a demandé Nathan dès que Linny a daigné le lâcher. Rentré d'où ? »

Il riait, surpris par sa réaction, et quand elle lui a dit qu'elle croyait qu'il était mort au Vietnam, un nuage sombre a semblé descendre sur la pièce.

Je me tenais toujours à la porte, un peu stupéfait par l'enthousiasme avec lequel elle s'était ruée dans le couloir et avait enveloppé Nathan. Pour autant que je sache, ils n'avaient jamais vraiment pu se fréquenter. Linny Goldbourne avait gardé ses distances avec tout le monde hormis ses pairs, et vu les préjugés raciaux de son père, elle ne devait même pas avoir le droit de parler aux Noirs, et encore moins de s'en faire des amis pour la vie.

Je savais que Nathan avait compris alors que je refermais la porte et les rejoignais dans la cuisine.

Le révérend et Mme Verney, en lisant son mot, n'avaient pas cru un instant qu'il était allé chercher du travail dans le Nord, et ils avaient raconté à tout le monde qu'il était parti au Vietnam et qu'il y était mort. Ça avait été leur solution. Une solution à la honte, pour préserver leur réputation, la crédibilité et la position du révérend.

Ils avaient tué leur fils pour sauver la face.

À cet instant, j'ai été content de ne pas être allé les voir, de ne pas leur avoir dit que Nathan était de retour à Greenleaf.

Nous nous sommes assis à la table de la cuisine, la table où Nathan et moi nous asseyions quand nous étions enfants, et nous avons discuté.

« Tu dois comprendre que tu ne peux dire à personne que je suis ici », lui a-t-il dit.

Linny a souri.

« Ne t'en fais pas, Nathan... pas un mot.

— Je suis sérieux, a-t-il insisté. Si tu dis quoi que ce soit, le bruit circulera, et avant que je sache ce qui se passe, la police ou la putain de Garde nationale débarquera ici. »

Linny a levé la main d'un geste apaisant.

« Nathan, écoute, je n'ai aucune raison de dire quoi que ce soit. Je n'y songerais même pas. En plus, si je disais quelque chose et qu'ils te balançaient en prison, je ne pourrais plus venir vous voir ici. »

Elle s'est tournée vers moi et je l'ai regardée – ses cheveux sombres, ses yeux noisette, sa bouche pleine et passionnée. Elle a tendu le bras et posé la main sur ma joue.

« Tu m'as manqué, a-t-elle dit doucement. Tu m'as tellement manqué, Daniel Ford.

— Toi aussi, tu m'as manqué », ai-je répondu, et j'ai levé la main pour recouvrir la sienne.

Elle s'est penchée par-dessus la table et m'a embrassé, posant ses lèvres contre les miennes pour la première fois depuis ce qui me semblait une éternité, et tout ce que je ressentais – le chagrin et la trahison, la douleur que je m'étais traînée depuis le jour où elle était partie – a semblé s'évaporer.

J'ai regardé Linny Goldbourne.

Linny Goldbourne m'a regardé.

Quelque chose de doux et d'électrique passait entre nous.

Je le sentais, j'aurais presque pu le toucher. Une onde qui circulait au ralenti : une mélasse psychique.

Elle a souri une fois de plus, a ôté sa main, et s'est tournée vers Nathan.

« Mais bon sang, tu ne peux pas rester tout le temps à l'intérieur... la guerre pourrait se prolonger pendant des années. »

Nathan a haussé les épaules.

Il y a eu un moment de silence.

« Écoute, a-t-elle repris, je comprends ce que tu dis, mais merde, Nathan, une prison est une prison, quelle que soit son apparence. Si tu restes ici, tu vas devenir dingue. »

Et alors, elle s'est de nouveau tournée vers moi. Pour me regarder et me sourire. Et je l'ai sentie, cette chose qui était tellement Linny, tellement ce qu'elle était, sa *magie*.

« Je ne vais pas me battre avec vous, a-t-elle déclaré, et aussi bien son expression que sa voix s'étaient adoucies. Je suis ici, et je peux vous rendre la vie un peu plus intéressante. » Elle a croisé mon regard. « OK ? »

J'ai acquiescé.

« OK.

— Alors, buvons un verre, s'est-elle exclamée. Merde, buvons-en sept, soûlons-nous la gueule et allons vomir dans le jardin, hein ? »

Nathan m'a regardé et m'a fait un sourire, un sourire sincère, puis il a éclaté de rire, chose que je n'avais pas vue depuis des lustres. La tension était rompue, et je remerciais Linny pour ça, je la remerciais silencieusement du fond du cœur.

« D'accord, buvons, a dit Nathan. Buvons jusqu'à ce qu'il ne reste plus une goutte dans cette maison. »

Je suis allé chercher une bouteille de Crown Royal, l'ai ouverte, et j'ai attrapé des verres.

« Alors peut-être qu'on pourrait sortir un peu », a suggéré Linny.

Nathan a secoué la tête.

« Je ne vais nulle part, a-t-il répliqué.

— Je ne parle pas de maintenant, tout de suite, Nathan. Je veux dire un de ces jours, peut-être quand les choses seront un peu retombées. »

Nathan a secoué la tête.

« Crois-moi, les choses ne retomberont pas tant que cette bon Dieu de guerre ne sera pas finie. »

Cette bon Dieu de guerre. Nathan avait encore blasphémé, et ça ne lui ressemblait vraiment pas.

« Elles retomberont, a-t-elle insisté. Et je crois que tu serais surpris de savoir combien les gens se moquent de savoir qui est allé à la guerre ou non. L'humeur a changé... les gens commencent à regretter qu'elle ait même commencé, et ceux qui ont déserté sont considérés comme ceux qui avaient vraiment des tripes. »

J'ai regardé Linny. Je savais ce qu'elle faisait, je savais qu'elle saisissait toutes les opportunités. C'était une fille qui aurait pu avoir tout ce qu'elle voulait, qui avait toujours eu tout ce qu'elle voulait, et se voir refuser une chose qui piquait son intérêt était une violation de ses droits fondamentaux en tant qu'être humain. J'avais envie de dire quelque chose, j'ai même ouvert la bouche, mais rien n'est sorti. Elle convaincrait Nathan que sortir était la seule véritable solution à ses problèmes.

J'ai de nouveau rempli les verres. Je ne voulais pas parler de la guerre. Je ne voulais même pas parler de sortir de la maison. Maintenant que Linny était là, j'aurais été content d'être assigné à domicile pour un bon bout de temps.

Elle a soudain ri, fort, peut-être sous l'effet de l'alcool.

« C'est tellement génial d'être ici avec des gens qui ont un peu vécu... Enfin quoi, nom de Dieu, tout le monde ici est si étriqué et prévisible, vous trouvez pas ? Se lever, aller au boulot, tondre la pelouse, lire le journal... Merde, vous pouvez imaginer mener ce genre de vie ? » Elle a tendu la main une fois de plus et touché mon bras. « C'est tellement rare de tomber sur quelqu'un qui soit sur la même longueur d'onde, hein ? »

Quelqu'un.

C'est ce qu'elle a dit.

Une fois de plus, elle m'a regardé, et pour la première fois depuis que j'avais quitté Greenleaf, j'ai senti que quelque chose de bien se passait. Pendant un bref instant, j'ai senti que le passé avait disparu derrière moi et ne signifiait rien du tout.

Un peu plus tard, nous avons fumé de l'herbe qu'elle avait apportée, et malgré tout Linny s'est arrangée pour alléger l'atmosphère quelque temps. Nathan et moi avions sombré dans l'introspection, réfléchissant trop à ce qui s'était passé, ce qui se passait, ce qui pourrait se passer dans telle ou telle circonstance.

Linny Goldbourne était arrivée, et grâce à son arrivée, notre situation est brièvement devenue moins grave. Je crois que l'un comme l'autre – bien que cela n'ait jamais été vraiment formulé – lui en étions reconnaissants.

En partant, elle m'a pris dans ses bras, serré fort contre elle, et embrassé de nouveau.

« J'aimerais rester, a-t-elle dit, mais je ne peux pas. Ça m'a fait plaisir de te voir.

— Moi aussi », ai-je répondu, et j'ai enfoncé mon visage dans ses cheveux, respiré l'odeur riche et enivrante de son parfum, du whisky, de tout ce qu'elle était.

Elle a promis de revenir le lendemain, d'apporter des provisions, de nous préparer à dîner.

Nathan lui a une fois de plus demandé d'être discrète, de ne rien dire, d'aller et venir sans faire de bruit.

Elle a souri, levé la main et l'a posée contre sa joue. Elle a dit qu'elle ne ferait pas de bruit, comme un fantôme, et elle l'a étreint de nouveau.

Je l'ai regardée partir depuis la porte, et quand je l'ai refermée, c'était comme si la lumière s'était éteinte.

J'étais soûl, mais je n'ai pas dormi.

Elle m'avait pris dans ses bras de la même manière qu'elle l'avait fait dans un restaurant d'Atlanta, le jour des funérailles de Martin Luther King. Elle m'avait serré lentement et fort, un peu trop longtemps pour qu'il s'agisse simplement du plaisir d'une rencontre fortuite, d'une réunion, de retrouvailles avec une connaissance perdue de vue.

Je ne lui avais pas demandé pourquoi elle avait soudain disparu à l'époque, cet après-midi de juin de l'année précédente. Si brusquement. Un départ si inattendu et inexpliqué.

Et Linny Goldbourne n'avait elle-même offert aucune explication.

Si je m'étais alors aperçu qu'elle était la messagère, la porteuse de notre destin, j'aurais verrouillé la porte, fermé les fenêtres à double tour, et convaincu Nathan que nous devions tous deux nous cacher dans la cave jusqu'à ce qu'elle se lasse.

Mais je ne l'ai pas fait. Elle m'ensorcelait toujours.

Et Nathan Verney – un homme qui avait sa propre solitude et sa propre mélancolie – était, je crois, lui aussi ensorcelé.

À quel point, je n'en savais rien, et j'ignorais jusqu'où tout ça nous mènerait finalement. Alors, je l'ai regardée partir, j'ai même marché jusqu'à la fenêtre de devant et l'ai vue longer le trottoir puis disparaître à l'angle. Elle a jeté un coup d'œil en arrière, et j'en ai été heureux, car ça me disait que ce n'était pas le même départ que la dernière fois.

Peut-être avais-je déjà le sentiment d'avoir trop perdu : mes parents, Caroline Lanafeuille, Eve Chantry. La vie avait été une succession de pertes avec des interruptions vagues et oubliables au milieu.

Une drôle de façon d'envisager la vie, mais je pensais que le retour de Linny Goldbourne avait permis de redresser des torts, de corriger un équilibre universel qui m'avait laissé dans une situation si instable.

Nathan aussi était excité, il n'arrêtait pas de parler d'elle après son départ. Il me demandait chaque détail de l'été qu'elle et moi avions passé ensemble.

C'était comme si Linny Goldbourne avait été la dernière chose importante à s'être produite avant notre départ, et la première à notre retour. *À quel point* importante, nous le saurions bientôt.

Pour le moment, j'étais heureux de me perdre béatement dans mes souvenirs, et Nathan était heureux d'écouter.

Elle est revenue le lendemain, elle est revenue chaque jour, et plus elle revenait, plus je semblais me perdre. Nous couchions ensemble, nous riions et nous nous soûlions, nous fumions de l'herbe, et puis nous couchions de nouveau ensemble. Nathan ne semblait nullement se sentir exclu, et je suppose que je me voyais comme celui qui méritait d'être avec elle. J'avais été le suiveur, celui qui avait compromis ce qu'il voulait, ce qu'il croyait, et maintenant c'était mon tour d'avoir quelque chose exclusivement pour moi.

C'est du moins ce que je croyais.

« Ce que vous croyiez ? a demandé le père John. Comment ça ?

— J'ai senti qu'elle commençait à se désintéresser de moi. »

Il a haussé les sourcils d'un air interrogateur.

« Des petites choses. Au début, je n'ai rien remarqué… mais elles étaient là.

— Comme quoi ?

— Sa façon de prononcer le nom de Nathan. Sa façon de le regarder un peu trop longuement… ce genre de choses.

— Et ce n'était pas votre imagination ? »

J'ai souri et secoué la tête.

« Non, ce n'était pas mon imagination.

— Vous sentiez que vous étiez en train de la perdre ?

— Oui, je sentais que j'étais en train de la perdre… elle était avec nous depuis une semaine, peut-être dix jours, et déjà elle s'éloignait.

— Que vous disait Nathan à son sujet… au sujet de son père ?

— Il disait qu'il se foutait de savoir qui était son père ou ce qu'il pouvait faire. Je le laissais penser ce qu'il voulait. C'était sa vie, pas la mienne, et il ne me devait rien.

— Et vous sentiez qu'il était en train de vous la prendre ? »

J'ai secoué la tête.

« Pas au début. J'avais l'impression que c'était elle qui était en train de me le prendre... et alors j'ai eu le sentiment qu'elle s'était servie de moi, puis qu'elle se servait de nous deux. Tout s'embrouillait. La seule chose que je savais, c'était qu'elle était venue presque chaque jour, et quand elle venait, c'était pour me voir moi et moi seul... et alors elle a commencé à passer du temps avec Nathan, à me dire qu'elle se sentait désolée parce qu'il était tout seul en bas.

— Est-ce que vous étiez jaloux ? »

J'ai regardé le père John. Parfois, le côté direct et précis de ses questions me surprenait.

Parfois, j'avais le sentiment qu'il m'interrogeait.

« Jaloux ? Merde, oui, j'étais jaloux. Mais je crois que ça avait plus à voir avec le fait qu'elle n'accordait aucune importance à ce que nous avions partagé avant que Nathan et moi partions, avant qu'elle me quitte par un bel après-midi. Et après, elle était revenue, et j'avais été le centre de son attention pendant environ une semaine, mais son attention s'était envolée... elle avait diminué de plus en plus jusqu'à ce qu'il ne reste plus rien. »

J'ai marqué une pause ; je n'avais pas songé à ces événements de manière aussi détaillée depuis très longtemps.

Je me suis éclairci la voix.

« Si elle avait dit quelque chose... par exemple, qu'elle savait qu'elle était partie soudainement, qu'elle n'avait donné aucune explication à son départ, voire qu'elle était désolée, j'aurais peut-être vu les choses autrement. Peut-être que si elle avait été complètement franche avec moi, si elle m'avait dit que ce que nous avions partagé l'été précédent n'était vraiment rien, juste un amusement, une distraction, et que maintenant que nous étions de retour, elle était heureuse de me voir, de passer du temps avec moi... »

Je me suis penché en arrière et j'ai soupiré.

« Je l'ai aimée, une fois, deux fois, mais la façon dont ça se passait me donnait l'impression de... de...

— D'avoir été de nouveau trahi par elle ? »

J'ai acquiescé.

« Oui, d'avoir été de nouveau trahi.

— Qu'est-ce que vous vouliez qu'elle dise ?

— Je ne sais pas... peut-être que ce que j'avais pris pour de l'amour n'était qu'une toquade, une passade, ou quelque chose comme ça. Peut-être qu'elle se sentait bien avec moi mais que c'était juste une histoire de sexe, quelque chose de physique... et que maintenant elle en avait assez de ça et qu'elle voulait vraiment passer du temps avec Nathan. Peut-être que si elle avait dit ça, j'aurais vu les choses différemment.

— Ou peut-être pas.

— Ou peut-être pas. Difficile de savoir ce qu'on aurait éprouvé si les choses avaient été différentes.

— Alors, dites-moi ce que vous avez éprouvé quand vous avez compris ce qui se passait entre eux.

— J'étais en colère, confus, blessé... tout ça à la fois. Je me sentais trahi par elle, et aussi par Nathan.

— En détail... dites-moi exactement comment ça s'est passé. »

J'ai secoué la tête.

« Bon sang, ils vont avoir un sacré paquet de pellicules quand on en aura fini. »

Le père John Rousseau a souri mais n'a rien dit.

« Vous voulez savoir en détail ce qui s'est passé, alors ?

— Ça semble le point le plus important, Danny, vous ne croyez pas ?

— Peut-être. Ça va être à vous d'en juger.

— Alors, laissez-moi en juger, a dit le père John.

— Vous outrepassez les bornes de votre juridiction ? » ai-je demandé, et j'ai levé les yeux comme il l'avait fait, vers le plafond, vers son patron.

Le père John a souri.

« Le secret pour maintenir son autorité, c'est d'être capable de déléguer.

— OK, ai-je dit. À vous de juger. »

23

Je me rappelle m'être réveillé un jour avec un mal de tête aussi énorme que le mont Rushmore. Je n'avais pas autant fumé d'herbe ni bu depuis la Floride. Et exactement comme cette première nuit après Atlanta, quand Linny et moi étions sortis et qu'elle m'avait enseigné les ravages de la tequila avant de débarquer le lendemain matin pour m'emmener au bord de la mer, elle est apparue dans ma chambre ce matin-là avec cet enthousiasme et cette énergie sans bornes qui semblaient être sa marque de fabrique.

Elle m'a dit de *sortir ma carcasse inutile de mon lit*, puis elle a éclaté de rire et elle est redescendue.

Tandis que j'émergeais, j'entendais Linny et Nathan qui discutaient au rez-de-chaussée. Ils préparaient le petit déjeuner, la radio était allumée, et entre les bruits divers j'entendais des rires, le genre de rires que les gens partagent quand ils ont établi le *contact*.

Je suis descendu en silence et me suis tenu dans le couloir, écoutant leurs voix.

Tu veux des œufs, Naaa-than ?

D'accord.

Tu veux autre chose ?

Qu'est-ce que tu proposes ?

Tout ce que tu vois, chéri.

Rire de Nathan.

Ce que je vois, c'est un gros paquet d'emmerdes.

Mais le genre d'emmerdes que t'aimes, pas vrai?

Vous êtes une vilaine fille, Linny Goldbourne.

Quand je suis gentille, je suis gentille... quand je suis vilaine, je suis encore plus gentille...

Moment de silence.

Danny est réveillé?

T'en fais pas pour Danny.

Il sait, tu sais?

Faudrait qu'il soit aveugle pour pas savoir, Naaa-than.

Je trouve pas ça très bien.

Ah, on s'en fout de ce qui est bien et de ce qui l'est pas. Si tu veux quelque chose, tu le prends, chéri.

Et qu'est-ce que tu veux, Linny?

Je crois que vous savez ce que je veux, monsieur Verney.

J'ai fermé les yeux et pris une profonde inspiration. Je n'aurais pas dû rester là à écouter, mais je ne pouvais pas m'en empêcher. Il y avait quelque chose de magnétique dans la manière qu'elle avait d'entraîner tout le monde dans son fougueux désir de vivre. Elle jetait des sorts, et nous, les faibles d'esprit et plus faibles de cœur encore, n'avions aucune chance.

Si je ne l'avais pas aimée, si je ne lui avais pas donné tout ce que j'avais, je crois que je n'aurais pas éprouvé plus qu'un intérêt fugace pour ce qui se passait entre eux, mais c'est à cet instant que j'ai senti que je l'avais perdue. Il y avait *quelque chose* en elle qui défiait toute description, quelque chose qui me faisait me sentir transparent en sa présence. Son attention était transitoire et passagère ; elle soutenait votre regard sans ciller pendant un moment, vous aviez vraiment le sentiment de l'atteindre, puis ça cessait. Comme une brise qui soulève les feuilles des arbres, juste un instant, avant qu'elles redeviennent immobiles.

Nathan ne la connaissait pas vraiment, il était pris dans son tourbillon de vie, de lumière, de rire, et quand je me suis arrêté au pied de l'escalier et les ai regardés dans la cuisine, j'ai vu avec quelle facilité elle l'avait ensorcelé. Elle souriait un peu trop longuement. Elle riait et touchait son bras, son épaule, sa main. Je crois même qu'elle attendait qu'il saisisse quelque chose pour le saisir au même moment afin que leurs mains se touchent, et ces gestes entraînaient de nouveaux regards, de nouveaux sourires, de nouveaux rires.

Je crois que j'avais le droit d'être jaloux. Même s'il n'y avait pas eu d'accord formel, de contrat, de consentement tacite, je me disais tout de même que la profondeur de mon sentiment pour Linny avait été réciproque. Elle le savait, elle *devait* le savoir, mais à cette seconde il m'est apparu qu'elle n'avait aucun souvenir de ce genre de chose.

J'ai silencieusement remonté les escaliers, comme si je marchais sur des œufs, puis je me suis retourné sur le palier et suis redescendu d'un pas lourd, comme un train de marchandises. J'annonçais mon arrivée pour leur donner le temps de se ressaisir.

Je suis entré dans la cuisine comme si de rien n'était, et ils étaient là, à chaque extrémité du plan de travail, elle occupée à casser des œufs dans un bol, lui à faire frire des champignons dans une poêle face à la gazinière. Il était évident qu'ils s'étaient tenus côte à côte, et qu'en m'entendant ils s'étaient séparés.

Ils savaient, ils ne savaient que trop bien combien une telle relation pourrait me faire mal.

« Salut », m'a lancé Linny.

J'ai souri et l'ai saluée d'un geste de la tête.

« Ça sent bon, ai-je dit.

— Tu veux des œufs, Danny ? » m'a-t-elle proposé.

J'ai jeté un coup d'œil à Nathan.

« D'accord. »

Tu as autre chose à proposer ? ai-je songé.

Linny s'est affairée.

« Bien dormi ? m'a demandé Nathan.

— Pas mal. »

Je me suis assis à la table. Je n'ai pas offert mon aide. Ils étaient de mèche contre moi. Ils pouvaient au moins préparer ce putain de petit déjeuner.

« Et toi ? »

A-t-il alors jeté un coup d'œil en direction de Linny ? Lui a-t-elle retourné son regard ? Un sourire entendu a-t-il dansé sur ses lèvres rouge cerise et boudeuses de salope égoïste ?

J'ai écarté ces pensées. Elles ne me mèneraient nulle part.

« J'ai bien dormi », a répondu Nathan.

Linny a apporté les assiettes et les a posées sur la table.

Elle s'est penchée vers moi. J'ai senti son parfum, l'odeur de son corps. Elle sentait comme ce jour à la plage, et je l'ai alors revue étirant ses bras au-dessus de sa tête, avec sa silhouette aux courbures si élégamment définies. J'aurais voulu toucher son visage, passer mes doigts dans ses cheveux, l'embrasser, goûter la saveur sucrée-salée de ses lèvres...

« Café ? » a-t-elle demandé.

Je me suis senti rougir.

« Ou-oui. »

Elle m'a alors touché, ses doigts sur ma joue ont été comme des petites décharges de douce électricité palpitant à travers ma peau, et j'avais tellement envie de la toucher en retour. Mais je ne pouvais pas. Je n'osais pas.

« Ça va, n'est-ce pas ? » s'est-elle inquiétée.

J'ai feint la perplexité.

« Ça va ? Bien sûr, ça va. Pourquoi tu me demandes ça ? »

Elle a souri, ôté sa main.

« Juste pour être sûre », a-t-elle répondu, et elle s'est de nouveau tournée vers le plan de travail.

Pour être sûre que tu m'as blessé ? Pour être sûre que je vais pouvoir vivre avec le fait que tu m'as écarté au profit d'un autre ? Pour être sûre que je ne vais rien dire sur le fait que tu sembles voleter sans effort d'une personne à une autre ?

J'ai fermé les yeux un moment. J'ai pris une nouvelle profonde inspiration. J'ai laissé passer. Je *devais* laisser passer.

Ils ont fini de préparer le petit déjeuner et nous avons mangé ensemble, presque en silence.

Ils étaient assis côte à côte, face à moi.

J'avais envie de bouger, de faire quelque chose, *n'importe quoi*. Mais je n'ai rien dit. J'étais, comme toujours, celui qui se laissait mener, pas le meneur. Car malgré ce que Nathan avait dit aux sœurs Devereau en Floride, malgré sa certitude que nous étions partis grâce à moi, j'étais persuadé du contraire. Je sentais que les événements récents – la mort de ma mère, mon retour à Greenleaf – m'avaient renforcé, et les émotions que j'aurais autrefois réprimées bouillonnaient désormais sous la surface. J'avais envie de me battre, de marquer mon territoire. C'était *ma* maison, ces gens étaient *mes* invités, ils étaient ici grâce à mon bon vouloir. Ils n'avaient aucun droit de jouissance, aucune mainmise sur mes sentiments et mes pensées, et pourtant ils étaient là à jouer avec des choses bien plus importantes et significatives qu'ils ne le pensaient. La rancœur, silencieuse ou non, s'est installée. Elle est d'abord arrivée lentement, puis mes incertitudes tremblantes quant à ma propre importance ont gagné en vitesse, s'amoncelant comme des cumulonimbus à l'horizon. J'étais sûr que la foudre frapperait, pas maintenant, pas tout de suite, mais bientôt, et je me demandais ce que je ferais pour rétablir l'équilibre.

Pour le moment, j'étais silencieux. J'observais, j'attendais, j'écoutais et prenais mentalement note. Plus tard, je reviendrais à ces notes lorsque j'essaierais de reconstruire ce chapitre de mon passé.

Ainsi, ce n'était pas mon idée de sortir, mais celle de Linny. D'attendre jusqu'à la nuit tombée, de partir dans sa voiture avec Nathan allongé en travers de la banquette arrière sous une couverture, d'aller quelque part, quelque part de l'autre côté de la frontière de l'État, à Savannah peut-être, ou Augusta.

Je me souviens de leur avoir dit : « C'est complètement débile. »

Mais Nathan était excité – par Linny, par la perspective de quitter la maison pour la première fois depuis son retour, par le risque même. Quant à Linny, elle avait suffisamment d'enthousiasme pour faire passer un vol à main armée pour une idée géniale.

« Ça va aller, Danny, ça va vraiment aller. On ne fait que sortir, rien que quelques heures. »

Encore une fois, c'est l'obstination de Nathan qui m'a eu à l'usure.

J'ai accepté, mais j'ai posé une condition.

« Pas de billard, d'accord, Danny, pas de billard... comme tu veux. »

Linny a demandé pourquoi, et Nathan lui a expliqué que les deux fois où nous avions joué au billard avaient été les deux fois où nous nous étions salement fait passer à tabac.

Linny a trouvé ça hilarant, ou alors c'était l'herbe qu'elle fumait.

« Danny a lancé un couvercle de poubelle sur la nuque d'un type, a ajouté Nathan. Il a jailli de l'allée comme une putain de tornade. S'il avait pas été là, s'il avait pas fait ça, je crois que ces enfoirés m'auraient tué à coups de pompe. »

Linny m'a regardé. Il n'y avait pas de sourire, pas d'expression de surprise, juste une considération froide et mesurée. J'ai eu pendant une seconde le sentiment d'avoir renversé la vapeur, que maintenant c'était moi l'objet de son intérêt, mais elle s'est de nouveau tournée vers Nathan. Et il était encore là, ce flux d'énergie émotionnel et physique qui circulait entre eux. Presque tangible. Elle m'avait remercié, c'est le sentiment que j'ai eu par la suite. Peut-être d'avoir sauvé la vie de Nathan. D'avoir fait en sorte qu'il rentre à Greenleaf en un seul morceau pour qu'elle puisse le posséder quelque temps. Peut-être était-ce mon imagination. La jalousie est un narcotique puissant. J'étais accro, car en chacun de ces moments j'interprétais tout ce qu'il y avait à interpréter, et s'il n'y avait rien à interpréter, je l'inventais en chemin.

Plus tard, bien plus tard, quand ils l'emmèneraient, quand ils lui prendraient finalement sa vie, je me demanderais si elle ne l'avait pas mérité. Si elle n'avait pas mérité tout ce qui lui arrivait. Peut-être était-ce sa personnalité, peut-être ne pouvait-elle s'empêcher d'être ainsi. Je l'observais, à l'époque, et en repensant à elle plus tard, je me suis demandé si je pouvais lui pardonner d'être comme ça. Mais je ne pouvais pas. Peut-être que je ne *voulais* pas. Je voulais croire qu'elle avait tout manigancé avec une subtilité machiavélique pour obtenir ce qu'elle voulait, à n'importe quel prix. Elle avait payé pour ses péchés, comme moi, et le pardon n'était pas à mes yeux un cadeau qu'on offrait naturellement. On ne m'avait pas pardonné, moyennant quoi toutes les autres personnes impliquées étaient aussi coupables que moi.

Nathan racontait ses anecdotes, et un mot sur deux qu'il prononçait était mon nom – *Danny* avait fait ceci, *Danny* avait dit cela –, presque comme s'il la forçait à penser à moi. Comme s'il savait ce que je ressentais et faisait un effort pour rétablir l'équilibre. Il me l'avait prise, il en avait conscience, mais en parlant de moi, en disant combien j'avais été déterminé et courageux, il remboursait sa dette. Ou pas.

Nous sommes donc sortis. Nous sommes allés à Savannah, à la frontière avec la Géorgie. C'était deux jours avant Noël.

Il y avait des gens ivres partout où nous allions. Personne ne faisait attention à nous, ce qui me convenait. J'avais l'impression de traverser ces bars comme un fantôme.

Je buvais comme un trou – un verre d'alcool ici, une bière là –, mais Linny et Nathan picolaient comme s'ils avaient décidé d'assécher le pays.

Ils étaient bruyants, ils chantaient ensemble, et quand nous avons quitté un établissement nommé The Watering Hole un peu avant une heure du matin, ils étaient incapables de tenir debout sans s'appuyer l'un sur l'autre.

Je les ai guidés comme des veaux nouveau-nés jusqu'à la voiture, leurs jambes se défilant sous eux avec leurs genoux élastiques et leurs pieds en caoutchouc.

Ils se sont affalés sur la banquette arrière de la voiture de Linny, côte à côte, leurs visages se touchant, et à la lueur froide des lampadaires ils semblaient ne former qu'une seule entité à deux têtes et aux multiples membres.

Je nous ai ramenés à la maison. J'avais la tête claire. J'ai fumé quelques cigarettes, regardé le monde défiler derrière les vitres – les illuminations de Noël, les arbres, les champs qui semblaient s'amasser au bord de la route pour protéger mon retour. Comme s'ils m'avaient attendu. Comme s'ils voulaient s'assurer que je rentrerais sans encombre avant de se coucher à leur tour.

Je me sentais sans substance comparé à tout ça. J'avais l'impression que j'aurais pu être n'importe qui, absolument n'importe qui. Ce soir, j'étais le chauffeur, l'assistant, rien de plus, et quand nous sommes arrivés à la maison, j'ai presque été tenté de les laisser dans la voiture.

Mes pensées avaient une coloration qu'elles n'avaient pas eue depuis de nombreuses années. La dernière fois que j'avais vraiment ressenti ça, c'était peut-être durant un bal, en été, quand Caroline Lanafeuille avait soi-disant perdu sa virginité avec Larry James. Ça aurait dû être moi. Voilà ce que je me disais. *Ça aurait dû être moi.* À l'époque, ça avait été Larry James, l'acolyte de Marty Hooper, et maintenant c'était Nathan, Nathan Verney, mon frère, mon sang, l'homme avec qui j'avais quitté Greenleaf dix-huit mois auparavant.

Mais j'étais fort, et j'ai repoussé ces pensées. Je n'avais pas quitté Greenleaf sans raison. J'étais parti parce que je croyais que mon propre *fardeau* était sur le point d'arriver, mais surtout à cause de mon amitié avec Nathan – je me serais attendu à ce qu'il m'accompagne si c'était moi qui avais décidé de partir, je me disais donc que je lui devais la même chose. Je m'étais convaincu que je ne ressentais rien pour Linny Goldbourne, et cette nuit-là – alors que j'étais assis dans la voiture, fumant une cigarette en retournant les événements récents dans ma tête pendant quelques minutes avant de les extirper de la banquette arrière et de les coucher –, je me suis forcé à croire que je me contrefoutais de ce qu'il y avait entre eux.

« Mais ça vous touchait ? »

J'ai fait oui de la tête et écrasé mon mégot de cigarette dans le cendrier.

« Beaucoup ? a demandé le père John.

— Est-ce que ça me touchait beaucoup ? »

Le père John a acquiescé.

« Plus que je ne le croyais. Je voulais prendre part à tout ce qui se passait. Je ne voulais pas être laissé à la marge. Je voulais être au cœur des choses.

— Et vous vous sentiez exclu ? »

J'ai souri.

« Je ne crois pas qu'ils auraient pu me faire me sentir *plus* exclu que ça.

— Quand est-ce arrivé ?

— Le lendemain.

— Le lendemain de votre virée à Savannah ?

— Exact, le lendemain de notre virée à Savannah.

— Dites-moi ce qui s'est passé. »

J'ai cambré le dos. Les muscles de mes épaules et de ma nuque étaient crispés. J'avais ce goût caractéristique dans la bouche à cause des trop nombreuses cigarettes que j'avais fumées.

« Vous croyez qu'il y aurait moyen d'avoir quelque chose à boire, un café ou autre chose ?

— Bien sûr », a répondu le père John.

Il a tendu le bras derrière lui et enfoncé le bouton situé juste sous la vitre sans tain.

Moins d'une minute plus tard, la porte était déverrouillée et un gardien entrait.

« Serait-il possible d'avoir du café ? a demandé le père John.

— Vous pouvez utiliser le distributeur au bout du couloir, près de l'accueil, a expliqué le gardien.

— Vous voulez bien attendre ici pendant que je vais en chercher ?

— Bien sûr, monsieur Rousseau », a acquiescé le gardien.

Le père John a souri, s'est levé. Il a fait un pas vers lui et désigné son propre col.

« Père Rousseau, a-t-il corrigé. Père Rousseau. »

Le gardien a brièvement semblé embarrassé.

« Désolé, mon père… Je suis tellement habitué à monsieur ceci et monsieur cela… »

Le père John lui a donné une tape sur l'épaule en quittant la pièce.

« Vous devriez peut-être aller plus souvent à l'église, a-t-il dit. Maintenant, gardez un œil sur lui, fiston… je reviens dans cinq minutes. »

Moins de cinq minutes plus tard, il était de retour, apportant deux gobelets en polystyrène, et une fois le gardien reparti, il a tiré un paquet de biscuits Oreo de sa veste.

Le café était bon, même s'il provenait d'un distributeur, et sur les quatre biscuits, le père John n'en a mangé qu'un. J'ai englouti les trois autres, sans vraiment en sentir le goût, mais bon Dieu ce qu'ils étaient bons, la meilleure chose que j'avais avalée depuis des mois.

« Alors, dites-moi ce qui s'est passé après votre retour de Savannah », a repris le père John.

J'ai souri. Ces souvenirs étaient depuis si longtemps minutieusement pliés dans un tiroir au fond de mon esprit. Maintenant, tandis que je les dépliais, les tenais, les aérais à la brise de mes mots, j'avais conscience de leur tonalité et de leur odeur, de leur couleur et de leurs sons, et des sentiments qu'ils suscitaient en moi. Je n'en revenais pas de pouvoir fermer les yeux, fermer les yeux et presque les toucher, tant ils étaient réels.

Je me suis demandé ce qu'il adviendrait de ces souvenirs quand je serais mort.

« Après Savannah, ai-je commencé, et pendant un instant ma voix m'a semblé être celle d'un autre. Après Savannah, les choses sont devenues étranges... »

24

« L'Empire invisible », a murmuré Robert Schembri par-dessus un plateau en plastique qui contenait des morceaux de poulet grillé et de la purée toute sèche.

C'était notre troisième rencontre, en août 1972, et j'avais tellement de questions en moi que j'étais au bord de l'explosion.

« C'est ce qu'ils pensaient avoir... un empire invisible. »

J'ai regardé par-dessus mon épaule. Il y avait une dispute à l'autre bout du réfectoire. Apparemment, quelqu'un *allait se prendre une bonne baffe s'il tenait pas sa putain de langue.*

Schembri ne prêtait aucune attention à ces distractions.

« Après la guerre de Sécession, six officiers confédérés se sont réunis à Pulaski, Tennessee, le 24 décembre 1865, et ils ont fondé une société. Son nom était basé sur le grec *kuklos*, qui signifie cercle. Ils étaient opposés aux représentants républicains des gouvernements de Reconstruction. Ils considéraient ces gouvernements comme une forme d'oppression hostile, et croyaient à l'infériorité fondamentale des Noirs. Ils voyaient leurs anciens esclaves obtenir une position d'égalité et gagner de l'influence politique, et ça les exaspérait. Ils se sont mis en tête de détruire la Reconstruction depuis les États de Caroline jusqu'en Arkansas. Ils portaient tous une robe et une cagoule blanches, terrorisaient les gens, faisant tout leur possible pour empêcher les indésirables de voter et d'occuper leurs fonctions. Ils brûlaient des croix près des maisons de ceux qu'ils voulaient effrayer. Ils se sont mis à agresser les gens, à les mutiler, à les tuer parfois ; tout ce qui pouvait engendrer le degré de peur désiré pour empêcher le processus d'intégration et de régularisation des Noirs, qui gagnait du terrain.

« À Nashville en 1867, ils ont adopté une déclaration qui affirmait leur foi en la Constitution, et leur détermination "à protéger les faibles, les innocents et les sans-défense, à soulager les offensés et les opprimés, et à secourir les souffrants". Ils se sont appelés l'Empire invisible et ont élu un représentant nommé le Grand Sorcier de l'Empire. Il avait des pouvoirs presque autocratiques, et derrière lui il y avait dix lieutenants appelés les Génies. Ils ont aussi élu le Grand Dragon du Royaume, qui était assisté par huit Hydres, le Grand Titan du Dominion, qui avait six Furies, et les Grands Cyclopes de la Tanière, qui avaient deux Engoulevents. »

Schembri a souri.

« Complètement dingues, hein ? »

J'ai souri et acquiescé, mais une fois encore j'ai senti que j'aurais pu être n'importe qui, que j'aurais pu être n'importe où. Schembri continuerait de parler tant qu'il estimerait que quelqu'un l'écoutait.

« Enfin, bref, de 1868 à 1870, tandis que les troupes d'occupation fédérales se retiraient des États du Sud et que des administrations démocratiques étaient établies, le Klan a été infiltré par des éléments qu'il considérait comme déplaisants et dangereux. Les organisations locales, les *klaverns*, sont devenues si incontrôlables que le Grand Sorcier, le général confédéré Nathan Forrest, a officiellement dissous le Klan en 1869. Les *klaverns* ont alors opéré de façon indépendante, et en 1871 le Congrès a voté l'*Enforcement Act* pour appliquer le quatorzième amendement de la Constitution américaine, qui garantissait des droits à tous les citoyens. Le président Grant a demandé que toutes les organisations illégales soient désarmées et dissoutes, et des centaines de membres du Klan ont été arrêtés.

« En 1915, une nouvelle organisation est apparue en Géorgie. Un soldat prédicateur, le colonel William Simmons, a restauré l'Empire invisible, l'Ordre des chevaliers du Ku Klux Klan. Les conditions pour être membre étaient simples. Le nouveau Klan était ouvert aux hommes protestants blancs nés dans le pays et âgés de seize ans ou plus. Les catholiques et les Juifs étaient exclus, et ils sont devenus au même titre que les Noirs la cible de diffamations et d'agressions. L'organisation a plus ou moins existé en marge jusqu'à environ 1920, mais après la Première Guerre mondiale et l'effondrement financier et économique des années vingt, le Klan a connu une expansion rapide en Oregon, dans le Kansas, au Texas, à travers tout le Sud, en Géorgie, et jusqu'en Illinois, en Indiana, dans l'Ohio, en Pennsylvanie... partout dans le pays. Il était férocement opposé à l'Église catholique romaine, prétendant que les catholiques menaçaient le mode de vie américain. Il attaquait les progressistes, les syndicats, tous les non-nationaux ; même les ouvriers en grève étaient qualifiés de subversifs et étaient la cible de terrorisme et de campagnes de haine. »

Schembri a poussé un soupir résigné et s'est enfoncé dans sa chaise.

« C'était une période d'énormes dissensions politiques et d'agitation sociale, les gens voulaient un bouc émissaire, et le Klan a réussi à faire ce que les nationaux-socialistes ont fait en Allemagne dans les années trente. Il a fourni aux Américains une raison, une cible, quelqu'un vers qui diriger leur frustration et leur haine. Si on ajoutait la xénophobie naturelle des gens, ça ne pouvait que fonctionner. Ils avaient de l'argent, ils soudoyaient les officiels, ils organisaient des marches, ils brûlaient des croix, ils sortaient les gens de chez eux et les frappaient en public. Ils s'en sont tirés impunément pendant une brève période, puis les journaux se sont emparés de ce qui se passait et une enquête du Congrès a été menée en 1921. Le Klan a changé de tactique, et grâce à la publicité provoquée par cette enquête, les adhésions ont explosé. En 1924, le Klan comptait plus de trois millions de membres. La Convention nationale du Parti démocrate a dénoncé le Klan et tenté de le mettre de nouveau hors la loi. Mais cette tentative a échoué. »

Schembri a souri d'un air entendu et s'est penché en avant.

« Le gouvernement, quoi qu'il ait pu prétendre en public, ne voulait pas que le Klan soit dissous. Le Klan contrôlait les gens, il terrorisait les syndicats, et le gouvernement était parfaitement favorable à ce genre d'activité. Il ne voulait pas que les Noirs soient égaux, en dépit de ce qu'avait pu laisser penser l'issue de la guerre de Sécession. Ça a été clair quand ils ont buté Martin Luther King. »

Schembri s'est enfourné un mélange de poulet et de purée dans la bouche. Ses yeux étaient brillants, presque enflammés. Il était dans son élément.

« La dépression des années trente a grandement fait diminuer le nombre de membres, et le Klan était miné par une corruption interne, par l'immoralité de ses chefs, par toutes sortes de difficultés. Il n'a cependant pas cessé ses activités, et a continué d'attaquer ses cibles principales – les meneurs syndicalistes et les Noirs qui essayaient de voter. En 1940, il s'est affilié au Bund germano-américain, un groupe financé par le Parti national-socialiste allemand. Il a tenu un grand rassemblement à Camp Nordland, dans le New Jersey, et on pensait à ce stade que le Klan n'avait jamais été si bien organisé et financé. Le gouvernement américain savait exactement ce qui se passait, il savait exactement d'où venait l'argent, et vu le renforcement de ce réseau, il aurait aisément pu enquêter et poursuivre les chefs en justice. Mais il ne l'a pas fait. Le Klan était comme une hydre, coupez une tête et une autre repousse, et on estimait que plus de trente pour cent des membres du Congrès et des représentants fédéraux étaient soit membres du Klan, soit favorables à ses actions. »

Schembri a levé sa cuiller pour souligner chacun de ses mots d'un geste vers le bas.

« Ce genre de bordel ne se produit pas sans raison. Ce genre de bordel se produit parce que les gens le veulent, tu sais ? »

J'ai acquiescé. Je le savais.

« Le gouvernement fédéral a fait toute une histoire à propos d'impôts non payés après la Seconde Guerre mondiale, et par la suite la Géorgie a révoqué la charte du Klan. Le chef du

Klan de l'époque, Samuel Green, est mort, et le Klan s'est affaibli pendant une brève période. Néanmoins, quand la Cour suprême a décrété que la ségrégation raciale dans les écoles était illégale et anticonstitutionnelle, le Klan a recommencé à s'agiter, il a repris du poil de la bête, et il s'est lancé dans une campagne de recrutement accrue. Il a commencé à poser des bombes, à intensifier les meurtres en représailles et ses activités terroristes, et après la loi sur les droits civils de 1964, il a connu un énorme regain d'adhésions. On a estimé que le Klan était aussi puissant au milieu des années soixante que dans les années vingt, même si de toute évidence les gens ne se vantaient plus autant d'y appartenir, il était donc difficile de savoir exactement quelle était sa taille. Dans les années soixante-dix, il était suffisamment important pour présenter des chefs du Klan connus et reconnus aux élections fédérales et locales, et ces gens ont attiré d'énormes quantités d'électeurs. Ils parlaient désormais d'une seule et même voix, et que ce soit les chevaliers du Ku Klux Klan, le Klan national ou les Klan unis d'Amérique, c'était toujours la même chose. Et maintenant, il y a l'Union du Serpent, la Charte des Valkyries, le Grand Ordre de la Suprématie blanche, tous ces groupes néonazis d'Anglo-Saxons blancs protestants à travers le pays, et ils ont de l'argent, ils ont des alliés et des membres au Sénat, au Congrès, absolument partout. »

Schembri a esquissé un sourire entendu et cynique.

« Et ça, mon ami, c'est ce à quoi tu t'es retrouvé confronté en Caroline du Sud. »

J'ai levé les yeux. Avant de lui parler, j'ignorais totalement qu'il savait qui j'étais, et encore moins que je venais de Caroline du Sud.

« Tu crois que t'as été ciblé parce que t'étais là-bas, eh bien t'as raison. La seule chose qu'ils ont pu regretter, c'est que t'étais pas noir. Mais bon, t'étais un hippie, un vrai de vrai, et les hippies, quoi qu'on en dise, c'étaient des communistes, ou des Juifs, ou des homosexuels. T'as fréquenté quelqu'un que t'aurais pas dû fréquenter, je te le dis, mon pote. T'as trempé ton bonbon dans la mauvaise ruche et tu t'es fait piquer, hein ? »

Schembri a lâché un rire gras et s'est enfoncé de la nourriture dans la bouche.

« Et j'ai cru comprendre qu'ils comptaient te tuer, pas vrai ? »

J'ai acquiescé. J'en parlais sans vraiment comprendre ce que ça signifiait. La peine capitale avait été présentée comme la seule sentence acceptable par l'avocat général. Je savais que quelqu'un, quelque part, avait déjà pris la décision. Comme d'habitude, je devais être le dernier informé. À l'époque, tout ça avait semblé si irréel, si lointain, si incroyable que j'aurais pu être en train de parler de quelqu'un d'autre. Ce n'est que près d'un an plus tard que la réalité de ce qui allait m'arriver est devenue concrète.

« Tu vas rencontrer ton créateur avec un cœur propre, pas vrai ? »

J'ai acquiescé.

« Merde, mon gars, j'ai entendu que tu t'étais même pas battu », a déclaré Schembri.

J'ai ouvert la bouche pour dire quelque chose, mais il m'a interrompu.

« On dirait que tous ceux qui savent quoi que ce soit à ton sujet savent que tu t'es fait avoir, mon gars... mais c'est pas ça qui va t'aider. Les gens que t'as mis en rogne sont beaucoup plus puissants que quelques détenus et deux ou trois gardiens de prison. »

Il disait vrai.

« Alors, fricote plus avec les filles de politiciens, hein ? Que ce soit ta leçon. »

Schembri a englouti les derniers morceaux de poulet et il s'est levé.

J'ai ouvert la bouche pour parler, pour poser l'une des dix mille questions que j'avais compté lui poser.

« Faut que j'aille pisser maintenant, mon gars... ça m'a fait plaisir de causer. À la prochaine. »

Il s'est écarté de la table et éloigné.

Puis il s'est arrêté, soudainement, comme si quelqu'un l'avait retenu avec une corde, il s'est retourné, lentement, silencieusement, et m'a regardé avec une expression étrange et déconcertante.

Il est revenu vers moi. Il semblait concentré, déterminé, et quand il a atteint la table, il s'est penché vers moi.

Sa voix était à peine un murmure.

« Une dernière chose, a-t-il dit. Quand t'iras là-bas (il a fait un geste de la tête en direction du bloc D, de l'autre côté du bâtiment), tu rencontreras probablement quelqu'un. Son nom, c'est West, M. West, et il dirige cet endroit tout seul. C'est un type très, très mauvais, ce qu'on fait de pire... et il y a longtemps, il bossait pour le gouvernement, il faisait des choses dont le gouvernement aime pas parler. Il était payé pour s'occuper, disons, de certains embarras, pour des gens comme Cavanaugh, Young et Goldbourne. »

J'étais si stupéfait que je suis resté bouche bée.

Schembri a continué :

« Pas un mot, mon gars, pas un mot de tout ça. Tu t'es retrouvé confronté à ces gens, des gens qui, je crois, ont bien pu descendre eux-mêmes les Kennedy. Et regarde ce qui vous est arrivé à toi et à ton pote, hein ? West est de la même veine, et si tu lui dis ce que je viens de te dire, on te retrouvera pendu dans ta cellule comme Frank Rayburn. Tu peux rien y faire, alors essaie même pas. Garde le secret, emporte-le dans ta tombe si tu le dois, parce que tu prouveras jamais rien, et le seul qui souffrira, c'est toi. »

Schembri s'est redressé.

Il a hoché la tête.

« Pas un mot », a-t-il répété, et il s'est éloigné.

Il ne s'est pas retourné. Sa foulée était résolue et déterminée.

En le regardant partir, je n'étais pas plus informé, et j'étais d'autant plus frustré que je me rendais compte que je ne savais rien de significatif sur ce qui s'était passé. Je voulais reparler avec lui, je *devais* lui reparler, mais je ne l'ai jamais revu.

Un peu plus d'un mois plus tard, il est allé voir le directeur du pénitencier de Sumter avec une pile de livres de droit et des citations de la Constitution. Apparemment, il comptait poursuivre l'État de Caroline du Sud pour violation de ses droits humains fondamentaux.

Deux jours après cette conversation, il s'est effondré dans sa cellule à cause d'un infarctus carabiné. Les bleus sur son torse et son dos étaient apparemment le résultat de sa chute contre le lavabo. Comment quelqu'un pouvait à la fois tomber en avant et en arrière, je n'en sais rien, mais Robert Schembri l'a fait, et il l'a fait avec style.

Il a été enterré dans le cimetière du pénitencier. Personne n'est venu. Il n'avait manifestement pas de famille. Il était unique en son genre.

Un mois après son décès, j'ai été transféré au bloc D, le lieu de mon exécution, et en repensant aux gens que je connaissais, je me suis aperçu que, hormis Schembri, je n'avais jamais vraiment noué de liens avec qui que ce soit. Je ne lui avais pas parlé plus de trois ou quatre fois, et en règle générale j'avais l'impression qu'il ne savait même pas que j'étais là. Mais ce qu'il m'a dit a influencé ma façon de penser, élargi ma vision du monde dont je venais, le monde que j'allais quitter. Et surtout, il m'avait mis une idée en tête : que peut-être ce M. West savait quelque chose sur Nathan Verney, qu'il avait pu être impliqué dans ce qui m'avait amené ici. Mais je ne pouvais pas m'autoriser à y croire, je n'osais pas imaginer qu'une telle chose fût possible. L'idée était cependant là, et comme quelqu'un l'avait dit un jour, *un esprit étiré par une idée ne retrouve jamais ses proportions originales.*

Mon esprit était étiré. Il ne serait plus jamais le même.

Le monde était fou. Nous l'avions su en Floride, quand nous avions entendu parler des dizaines de milliers de morts d'une guerre lointaine, qui n'avaient ni raison ni sens.

Il devenait de plus en plus difficile de trouver un point d'ancrage.

Je me réconfortais un peu en me disant qu'il y avait une raison à tout.

Dommage que personne ne m'ait dit laquelle.

25

Veille de Noël 1969.

Je me revois debout sur le porche de ma maison, regardant un chien qui n'arrêtait pas de traverser la route en courant. Un clebs complètement cinglé. Il pourchassait quelque chose que je ne voyais pas. Finalement, il s'est arrêté au beau milieu de la route et s'est mis à aboyer. Il a disparu dès qu'une voiture est apparue à l'angle.

Je me suis retourné et suis rentré dans la maison. Nathan était à l'étage, en train de dormir pour se remettre de Dieu sait ce qu'il avait fait la veille. Linny était partie tôt, un peu après six heures, expliquant qu'elle reviendrait avant la mi-journée, qu'elle apporterait à manger, nous préparerait un dîner.

Je me contrefoutais de la revoir. Son enthousiasme commençait à me taper sur les nerfs.

Je suis resté assis quelque temps dans la cuisine. La maison était silencieuse. J'ai fumé, bu du café, fermé les yeux et repensé au temps où je m'asseyais ici avant. Un temps où les choses étaient plus simples, moins compliquées, un temps où les choses semblaient avoir un peu de sens.

La réalité était pour moi un défi. Je sentais qu'une injustice avait été perpétrée, et même si je tenais peut-être plus à Nathan Verney qu'à n'importe quelle autre personne vivante, ça me préoccupait qu'il n'ait pas songé à l'effet que sa liaison naissante avec Linny Goldbourne pourrait avoir sur moi.

Je voulais que cette liaison ne m'inspire aucun sentiment. Je voulais qu'elle n'ait aucune importance. Je voulais être fort et indépendant, ne pas me laisser influencer par ce que les autres disaient ou faisaient. Mais je ne l'étais pas. Je le savais. Peut-être était-ce la véritable source de mon irritation.

Nathan est descendu un peu plus tard. Je n'ai rien dit. Si Linny Goldbourne éprouvait pour Nathan ce qu'elle avait de toute évidence autrefois éprouvé pour moi, alors elle serait partie dans un mois, peut-être moins.

J'espérais que ce serait le cas.

Il m'a demandé si sa présence me dérangeait.

« Si je suis dérangé ? ai-je répété, feignant la surprise.

— Oui, tu sais, dérangé qu'elle m'apprécie, de toute évidence. »

J'ai souri et secoué la tête.

« Tu fais ce que tu veux avec elle, Nathan », ai-je déclaré, laissant volontairement entendre au ton de ma voix que je savais sur elle quelque chose qu'il ignorait.

Quelque chose qui ne lui aurait peut-être pas plu. Mais ça lui est complètement passé par-dessus de la tête. Il s'est contenté de pousser un grognement et s'est servi du café. Il avait le cuir plus épais que moi, et ne se souciait guère de ce que pensaient les gens.

« Elle va revenir, ai-je commenté un peu plus tard. Elle va nous préparer un dîner de Noël.

— Merde, c'est vrai, c'est la veille de Noël, a-t-il répondu. J'avais complètement oublié.

— Alors, tu ne m'as pas acheté de cadeau ? »

Il a souri.

« Bien sûr que si, j'ai dépensé à peu près autant d'argent pour toi que toi pour moi, connard. »

Nous avons ri, juste l'espace d'une minute nous avons ri, et pendant cette minute j'ai eu l'impression que nous avions dix ans de moins, que nous avions retrouvé notre naïveté d'alors, et que ce qui s'était passé pendant cette décennie était oublié.

Puis le moment est passé, et je me suis aperçu que les choses que nous avions partagées n'étaient plus que des souvenirs et ne pouvaient pas être ressuscitées. Le passé était le passé, et malgré tout ce que j'aurais désiré, Nathan n'avait aucune envie d'y retourner.

Nous n'étions plus des enfants, et je crois que c'est ce que je regrettais plus que tout.

Linny est arrivée dans un tourbillon de bruit et de rire. Elle a franchi la porte en titubant, portant deux ou trois sacs de provisions, et des fruits, des canettes de bière, du pain, du fromage et des légumes ont roulé à travers l'entrée.

Nous sommes allés l'aider, et quand elle a appelé Nathan depuis l'allée, c'était comme si elle annonçait sa présence à tout le voisinage.

Nathan est sorti sans réfléchir, une réaction automatique, et alors qu'ils revenaient, je les ai prévenus qu'ils devaient être plus discrets et n'ai reçu en échange qu'un regard plus désinvolte qu'inquiet.

« Bon sang, Danny, du calme », m'a dit Linny.

Elle a tendu la main et touché mon visage, et pendant une seconde elle m'a regardé : comme elle l'avait fait quand nous étions allés à Port Royal Sound, quand nous avions mangé du homard sur une jetée en regardant les bateaux sur la rivière Savannah.

Et puis plus rien. Retenir son attention, c'était comme essayer de retenir un rond de fumée.

Elle est passée devant moi à toute allure, appelant une fois de plus Nathan, et je suis resté planté dans le couloir et les ai regardés vider les sacs et commencer à préparer à manger.

Je n'avais pas faim. Je suis monté à l'étage et me suis étendu sur mon lit. J'entendais le murmure indistinct de leurs voix en bas. Je m'imaginais ce qu'ils disaient.

Je te veux.

Je te veux aussi.

Baise-moi ici, tout de suite, sur le sol de la cuisine.

Mais Danny...

Qu'il aille se faire foutre...

Bon sang, Linny, c'est mon ami.

Et pas moi ?

Bien sûr que si.

Alors baise-moi, Nathan, baise-moi... baise-moi... baise-moi...

Je me suis retourné et j'ai fermé les yeux.

J'ai pensé à Caroline Lanafeuille, et pour la première fois en... eh bien, en plus de quatre ans, elle m'a vraiment manqué.

Vraiment.

Ils m'ont appelé une fois le repas prêt et je suis descendu.

J'ai mangé avec eux, j'ai bu du vin rouge, je suis resté là à écouter et à fumer des cigarettes, et durant toutes les heures que nous avons passées ensemble, je n'ai pas dû prononcer plus d'une douzaine de mots.

Je ne voulais pas être là. C'était ma maison et je ne voulais pas être là.

« Où vouliez-vous être ? » a demandé le père John.

J'ai souri, haussé les épaules.

« Ailleurs… n'importe où, je suppose. Quand on est trois, on est un de trop.

— Vous en vouliez à Linny d'être là ?

— Non, je ne lui en voulais pas. Elle avait parfaitement le droit de choisir où elle voulait être. Je me disais juste que ça aurait été mieux s'ils avaient été tous les deux ailleurs.

— Vouliez-vous que Nathan parte ?

— Qu'il parte ? Non, je ne voulais pas qu'il parte. Je voulais qu'il revienne. »

Le père John a froncé les sourcils.

« Comment ça ?

— Tant de choses avaient changé au cours de ces dix-huit mois. Je ne sais pas pourquoi, je croyais que ça n'arriverait pas, mais c'était arrivé. Je crois que je m'étais attendu à ce que tout soit comme avant notre départ. Il ne s'agissait pas uniquement de cette histoire avec Linny. Nous avions changé, tous les deux, changé à un point dont je ne me rendais même pas compte à l'époque. Ce que je voulais, c'était que tout soit comme avant, voilà ce que je veux dire. »

Le père John a hoché la tête.

« Et qu'est-ce qui s'est passé alors, après le dîner ?

— Je suis sorti faire un tour.

— Et c'est là que vous les avez rencontrés ? »

J'ai acquiescé.

« C'est là que je les ai rencontrés.

— Ils étaient deux ? »

J'ai de nouveau acquiescé.

« Ils étaient deux.

— Et ils n'ont pas dit qui ils étaient. »

J'ai secoué la tête.

« C'était inutile.

— Vous saviez qui ils étaient ?

— Je ne savais pas qui ils étaient, mais je savais d'où ils venaient.

— Le père de Linny.

— Exact. Le père de Linny.

— Ils l'ont dit ?

— Non, ils ne l'ont pas dit, mais c'était le genre de types que le père de Linny aurait utilisés.

— Aurait utilisés ?

— Pour ce genre d'entreprise. »

Le père John a marqué une pause, puis il s'est penché vers moi par-dessus la table.

« Vous savez qu'il est mort ? »

J'ai levé les yeux.

« Qui ?

— Le père de Linny, Richard Goldbourne. »

J'ai secoué la tête.

« Non, je ne savais pas.

— Si, il est mort il y a environ six mois.

— Et Linny ?

— Elle va bien, aussi bien que les circonstances le permettent, pour autant que je sache.

— Vous la connaissez ? »

Le père John a détourné les yeux.

« Je ne la connais pas, non. »

Il m'a de nouveau regardé.

J'ai ouvert la bouche pour lui demander comment il avait entendu parler d'elle, mais il m'a interrompu avec sa question suivante.

« Alors, qu'est-ce qui s'est passé quand ils vous ont abordé ?

— Ils m'ont mis en garde... enfin, ils m'ont mis en garde par rapport à Nathan.

— Et vous l'avez dit à la police ? »

J'ai froncé les sourcils.

« Je croyais que vous aviez lu les minutes du procès.

— Je les ai lues.

— Alors, vous connaissez les réponses à ces questions. »

Le père John a souri.

« Faites-moi plaisir, Danny... répétez-le-moi.

— Pourquoi ? »

Le père John a secoué la tête.

« Je ne sais pas, j'ai juste le sentiment que je dois comprendre tout ce qui s'est passé.

— Et ça sert à quelque chose ?

— Ça nous occupe, a-t-il répondu, ce qui m'a surpris.

— Vous voulez vraiment que je revienne sur tout ça ? »

Il a acquiescé.

« Oui. Sur tout. »

26

Aujourd'hui, c'est le 11 octobre. Dans un mois, je serai dans la cellule des condamnés. Dans un mois, il me restera trois ou quatre heures à vivre. C'est à ça que j'ai pensé en me réveillant, et j'ai pleuré pour la première fois en près de douze ans.

Avant aujourd'hui, je ne croyais pas que j'étais capable de pleurer, mais tout ce que j'ai dit sur Nathan, tout ce que j'ai raconté sur les événements qui m'ont mené ici m'a permis de refaire surface. C'est la seule façon dont je puisse décrire ça. J'ai *refait surface*.

Parfois, je hais le père John Rousseau. Je hais ses questions. Je hais sa bible usée. Je hais le son de sa voix quand il me demande de revenir encore et encore sur ces détails. Je hais les murs quelconques du *salon de Dieu*, où j'ai l'impression de passer l'essentiel de mes journées. Il dit que ses intentions sont bonnes, mais jusqu'à présent j'étais parvenu à tenir la réalité à distance. Qui peut dire que ça ne se serait pas produit, qu'il vienne ou non ? Qui peut dire que ce retour à la *surface* ne serait pas arrivé, même si personne ne m'avait posé de questions ? Tout ce que je sais, c'est que maintenant les premières véritables réflexions ont surgi, les premières véritables émotions par rapport à tout ce qui s'est passé.

Les années que j'ai passées à Sumter semblent s'être fondues les unes dans les autres. Je ne me rappelle même pas le nom des gens à qui j'ai parlé à travers les barreaux de ma cellule, au parloir, dans la salle d'entretien quand les avocats de droit civil et les jeunes diplômés en droit m'ont questionné encore et encore. C'était comme si à un moment tout le monde avait quelque chose à gagner de ma mort. Elle prouverait aux Noirs que le système judiciaire n'avait pas de préjugés. Elle prouverait aux Blancs que quelle que soit votre couleur on ne pouvait pas tuer un homme et espérer la moindre clémence. Elle prouverait le respect implacable du procureur pour la lettre de la loi. Mais ce qu'elle me prouverait à moi, je ne le savais pas.

Peut-être que je le découvrirai dans un mois.

Ils sont venus me faire une prise de sang après le déjeuner.

Ils m'ont prélevé un quart de litre avec une aiguille grosse comme une mine de crayon, qu'ils ont plantée dans la veine en haut de ma jambe. Ça m'a fait un mal de chien. Mais je n'ai pas bronché. Je n'ai même pas bougé.

Je les emmerde, ai-je pensé. *Je les emmerde tous.*

Clarence Timmons est venu me parler. Il m'a parlé de la cellule des condamnés. Il m'a dit que j'y serais transféré le 4 novembre, une semaine avant la date. Il m'a expliqué que j'y serais surveillé vingt-quatre heures sur vingt-quatre. Ils ne veulent pas que vous vous foutiez en l'air avant le début de la fête.

Il m'a dit qu'il y aurait une ligne ouverte avec le gouverneur et le bureau du procureur à partir du moment où j'y serais transféré jusqu'à 12 h 01, le 11 novembre. Il a ajouté qu'on me demanderait ce que je voudrais pour mon dernier repas.

« Un sandwich au jambon cuit, ai-je répondu.

— Vous y avez déjà réfléchi ? » a-t-il demandé, visiblement surpris.

J'ai secoué la tête.

« Pas la peine d'y réfléchir… je sais ce que je veux, c'est tout. »

Il a dit : « Bien, parfait », mais m'a prévenu que si je changeais d'avis, je devais prévenir soit lui, soit le gardien de service, car je pouvais avoir à peu près tout ce que je voulais.

J'ai affirmé que je ne changerais pas d'avis.

Il a laissé tomber.

Il m'a alors parlé de la salle de procédure. C'est comme ça qu'ils appellent ça : *la salle de procédure.*

« Quand ils vous emmèneront à la salle de procédure, ils vous demanderont si vous voulez un calmant, a expliqué M. Timmons à mi-voix, comme s'il racontait une histoire à un enfant pour l'aider à s'endormir. Ils vous amèneront à la salle de procédure une heure avant le début de la procédure, ils vous feront une perfusion de glucose et ils vous mettront une sonde au cas où vous auriez besoin d'aller aux toilettes. Vous voyez, une fois que vous êtes dans la salle de procédure, vous ne pouvez plus en ressortir…

— À moins que le gouverneur ou le procureur n'appelle », ai-je observé.

Clarence Timmons a souri d'un air compréhensif.

« À moins que le gouverneur ou le procureur n'appelle, a-t-il répété, d'un ton qui indiquait qu'il était certain que ça ne se produirait jamais.

— Mais une fois que vous êtes grillé, vous pouvez ressortir, exact ? »

Clarence Timmons a paru embarrassé.

« Sinon, il n'y aurait plus de place pour le prochain... et puis l'odeur... »

Clarence Timmons a levé la main.

Je le mettais mal à l'aise.

Je l'emmerde, ai-je pensé. *Je les emmerde tous.*

« Faut que j'y aille, a annoncé Clarence Timmons. Prévenez le gardien de service si vous avez besoin de quoi que ce soit, d'accord ? »

J'ai acquiescé, sans rien dire. Je n'avais rien à dire.

Je me suis allongé après son départ, je me suis allongé et j'ai placé mon oreiller sur mon visage. J'ai fermé les yeux et repensé à la maison d'Eve Chantry, à son apparence en cette fin d'après-midi de la veille de Noël, les feuilles d'un brun-roux, le vent qui les rassemblait par poignées et les dispersait sur l'allée...

Et à la fenêtre brisée.

Je me tenais dans l'allée. Tout en regardant la maison, je m'imaginais à l'intérieur. Je la traversais mentalement, je montais l'escalier, puis je regardais à travers la vitre brisée. Celle-ci se trouvait dans la chambre d'Eve, la chambre où, alitée, elle m'avait parlé du papillon de nuit.

Je sentais presque l'odeur de la maison, cette odeur fraîche de lavande et de cannelle, et je revoyais la lumière du soleil qui traversait les vitres à l'étage et semblait agrandir l'espace à l'intérieur.

C'étaient les raisons pour lesquelles j'aurais acheté cette maison si j'avais eu l'argent. Mais je ne l'avais pas. Et apparemment, personne d'autre ne l'avait non plus. Ou alors personne ne la voulait.

La maison tombait en ruine, l'humidité s'était installée le long du bord du perron et autour de la véranda. Le maillage de la porte-écran était déchiré, comme si quelqu'un avait lancé une pierre à travers. La peinture s'écaillait sur les murs extérieurs, comme des feuilles, comme les langues de gamins effrontés qui feraient la grimace au type étrange qui les observait depuis l'allée. Le type étrange qui était venu rendre visite à la vieille sorcière folle, il y avait un siècle de cela.

La maison était vide depuis qu'elle était morte, au début de 1967. Presque trois ans.

J'éprouvais quelque chose que je n'aurais pu décrire. Chagrin ? Colère ? Un sentiment d'inutilité ?

J'ai marché vers la porte, gravi les marches où je m'étais tenu et avais été recouvert de neige. Je me rappelais les illuminations de Noël que Benny Amundsen avait accrochées le long de la façade, je revoyais Eve Chantry se penchant à la fenêtre et criant :

Ça en jette, monsieur Ford.

Ça en en jette, madame Chantry.

Je me souvenais de tout. Et ça faisait mal.

J'ai tendu la main vers la poignée, senti la surface humide et moisie du bois gonflé, et quand je l'ai tournée, le pêne rouillé a grincé contre la gâche. J'ai effectué une pression sur la porte et elle a cédé, et tout en la poussant sur la moquette gondolée, je suis entré.

Ce n'était plus la maison d'Eve Chantry.

Tout avait été pris, le mobilier, ses effets personnels. L'atmosphère.

C'était ça, l'essentiel. La maison d'Eve Chantry avait été ce qu'elle était grâce à elle. Maintenant qu'elle était partie, c'était juste une maison. Rien de plus.

Peut-être les rumeurs qu'elle avait elle-même lancées avaient-elles suffi à convaincre les gens que la maison était hantée.

Une idée m'a traversé l'esprit : je pourrais vendre la maison de ma mère et acheter celle-ci, la restaurer, recréer l'atmosphère qu'il y régnait quand Eve était en vie.

Faire ça pour elle. Pour moi. J'ai souri. C'était une idée absurde.

J'ai embrassé le couloir du regard, vu par l'entrebâillement de la porte la cuisine où elle avait préparé ces biscuits, ceux qui avaient le goût de noix de muscade, de cerise, et de quelque chose d'indescriptible qui donnait envie d'en manger deux ou trois de plus.

J'ai fait un pas en avant et regardé dans la pièce où nous avions bu ce punch de Noël et fumé des cigares, où elle avait évoqué Jack et Jennifer et un jour terrible de l'été 1938.

Toutes ces choses.

Je me suis retourné et j'ai levé les yeux vers le palier. Gravissant lentement chaque marche, faisant prudemment porter mon poids, écoutant les craquements du bois humide sous mes pieds, je suis monté.

J'ai atteint le couloir à l'étage, et quand je me suis avancé, c'était comme si je la voyais, étendue sur son lit, le plateau de nourriture intact à ses pieds, cette odeur de lavande, ce sentiment de perte...

Je me suis tenu exactement à l'endroit où je m'étais tenu quand j'étais venu la voir.

Je me suis rappelé le Dr Backermann, ses paroles, ses platitudes, combien j'aurais voulu avoir tout l'argent du monde pour envoyer Eve Chantry à l'hôpital à Charleston et faire en sorte que des gens qui savaient ce qu'ils faisaient me la rendent.

Je me suis rappelé le papillon de nuit.

Je me suis retourné en entendant le bruit d'une voiture. J'ai marché jusqu'à la fenêtre brisée que j'avais aperçue depuis l'allée en contrebas, j'ai écarté le rideau et vu une berline noire rouler dans l'allée et s'approcher de la maison.

J'ai froncé les sourcils.

J'ai laissé retomber le rideau et regagné le palier. J'ai commencé à descendre l'escalier, silencieusement, lentement, sans même me demander pourquoi j'étais aussi prudent. Si je m'étais arrêté pour réfléchir, peut-être aurais-je été troublé par le fait que quelqu'un arrivait à ce moment précis. La maison était vide depuis des années. Peut-être était-ce un acheteur. Un agent immobilier. Mais on était à la veille de Noël.

De retour dans le couloir du rez-de-chaussée, je me suis approché de la porte et, comme je tendais le bras vers la poignée, j'ai vu à travers le verre dépoli la silhouette de quelqu'un qui se tenait sur le perron.

Un poing glacial a semblé me serrer les entrailles.

J'ai reculé en comprenant que la personne qui se trouvait à l'extérieur s'apprêtait à entrer. J'étais presque dans la cuisine lorsque celle-ci a tourné la poignée et ouvert la porte.

Un homme se tenait là. Grand, cheveux sombres, long pardessus. Il n'était pas seul. J'ai aperçu du mouvement sur sa droite.

« Monsieur Ford », a-t-il dit, et il a souri.

C'était comme si je venais de recevoir une gifle.

« Ils connaissaient votre nom ? » a demandé le père John.

J'ai acquiescé.

« Mais vous ne les aviez jamais vus ?

— Pas que je me souvienne.

— Et le second homme est entré avec le premier ?

— Oui, mais il est resté un peu en retrait, comme s'il ne voulait pas vraiment être vu, comme s'il cherchait à éviter de montrer son visage.

— Mais vous les avez clairement vus ?

— Je les ai clairement vus.

— Et vous vous souvenez à quoi ils ressemblaient ? »

J'ai froncé les sourcils, perplexe.

« Pourquoi vous me demandez ça ? »

Le père John s'est penché en avant et a posé ses avant-bras sur la table. Il avait l'air d'un maître d'école en train d'expliquer pour la énième fois un problème à un enfant un peu borné.

« Je suis simplement fasciné, a-t-il déclaré. On dirait une histoire de gangsters. Vous allez dans cette maison et ces deux types débarquent, avec de longs pardessus, une attitude menaçante, et ainsi de suite. Il y a aussi cette chose que ce Schembri vous a dite à propos du fait que M. West travaillait pour le sénateur Goldbourne.

— Robert Schembri était beaucoup de choses, ai-je répliqué, et, entre autres, il était complètement cinglé.

— Vous ne voulez pas croire que M. West savait quelque chose sur ce qui est arrivé à Nathan ?

— Ce que je veux, ce que je crois, tout ça ne compte pas pour grand-chose, désormais. Aucune importance que M. West ait su quoi que ce soit ou non.

— Aucune importance ?

— Admettons qu'il ait su quelque chose. Qu'est-ce que je peux y faire, maintenant ? Je suis ici, dans le couloir de la mort, et lui, il fait ce qu'il fait, et rien ne changera notre position, pas vrai ? C'est comme ça… j'ai tout le temps dit que c'était ce qui s'était passé. Je suis allé là-bas, ils ont dit ce qu'ils étaient venus dire, et ils sont repartis.

— Et ils vous ont menacé ?

— Pas directement… ils n'ont pas dit qu'ils allaient me tuer ni rien, mais le but de leur visite était clair.

— Et quel était-il ? »

« Votre ami, a déclaré le premier homme. Votre ami noir, monsieur Ford. »

Il a fait un pas vers moi. Il y avait dans son visage quelque chose que je retrouverais des années plus tard dans celui de M. West.

Ces gens avaient un côté sombre. Ils portaient des ombres et des fantômes. Les fantômes de ce qu'ils avaient fait, de ce qu'ils étaient sur le point de faire. Les fantômes de ce qu'ils auraient *aimé* faire s'ils avaient pu.

« Vous êtes qui ? » ai-je demandé.

J'entendais la tension et la peur dans ma voix. On aurait dit un gamin de dix ans effrayé.

« Disons que nous sommes les associés d'une partie intéressée, a répondu le premier homme. Mais bon, la question n'est pas qui nous sommes ni qui vous êtes, monsieur Ford. La question qui nous occupe est un certain M. Verney, qui passe un peu trop de temps avec une certaine jeune femme et qui s'intéresse un peu trop à elle. »

Il a souri, et une fois de plus son côté sombre est apparu, des ombres ont semblé danser sous ses yeux puis disparaître tout aussi vite.

« Alors, vous êtes qui ? ai-je de nouveau demandé. Vous êtes des putains d'hommes de main ou quelque chose comme ça ? »

Le second homme a semblé surgir de l'épaule gauche du premier. Il était un peu plus grand, portait un chapeau à larges bords, et la lueur qui filtrait à travers le verre dépoli de la porte projetait une ombre qui dissimulait tout son visage à l'exception de son menton. C'était un menton puissant. Rasé de près. Je voyais les muscles qui palpitaient le long de sa mâchoire, comme s'il avait eu quelque chose de vivant dans la bouche.

Je me sentais nauséeux.

« Nous ne sommes personne, a répondu le premier homme. Nous sommes des messagers, rien de plus. Vous ne courez aucun danger, monsieur Ford, absolument aucun. Nous ne faisons que délivrer un message que nous aimerions que vous transmettiez à votre ami noir.

— Un message ? Quel message ? »

Le premier homme a souri.

« Je crois que vous avez reçu le message cinq sur cinq, monsieur Ford... cinq sur cinq. »

Il s'est retourné comme s'il s'apprêtait à s'en aller.

« Hé, attendez ! me suis-je écrié. Qu'est-ce que vous êtes en train de dire ? Que si Nathan continue de voir cette fille, il va avoir des problèmes ? »

C'était une question stupide, et alors même que je la posais, je me suis senti emprunté et naïf. Ils avaient délivré un message, j'avais reçu ce message cinq sur cinq, et ces hommes étaient simplement le genre de types qui faisaient ce qu'ils avaient à faire et ne répondaient pas aux questions.

Le premier homme s'est retourné.

Il a souri, mais il y avait quelque chose de sinistre dans son expression, un léger frémissement crispé autour de ses lèvres et de ses yeux.

« Nous ne sommes plus là, monsieur Ford... nous sommes partis... d'ailleurs nous ne sommes jamais venus... »

Le second homme avait déjà franchi la porte à reculons et se tenait sur le perron.

Le premier homme s'est éloigné, lentement, d'un pas mesuré, sans jamais me quitter des yeux, et lorsqu'il a atteint la porte, le second s'est mis à marcher vers la berline.

On n'agissait pas ainsi à moins d'avoir un paquet d'entraînement.

J'étais en proie à une terreur indescriptible qui semblait pénétrer chacun de mes nerfs, de mes tendons, de mes muscles, tout ce qu'il y avait en moi.

Le premier homme a hoché la tête, souri une fois de plus, puis il s'est retourné et a refermé la porte derrière lui.

J'ai regardé sa silhouette descendre les marches et s'engager dans l'allée.

Je suis retourné à l'escalier et me suis assis sur la troisième marche.

J'ai entendu le son de la voiture s'éloigner vers la route.

J'ai écouté jusqu'à ce que ce son disparaisse, puis j'ai enfoncé mon visage entre mes mains et me suis mis à trembler.

« Et vous ne les avez plus revus ? a demandé le père John.

— Pas ce jour-là, non.

— Plus tard ? »

J'ai acquiescé.

« Et vous étiez sûr que c'étaient les mêmes hommes ?

— J'en étais sûr à l'époque, et je le suis encore... je serai toujours sûr que c'étaient eux.

— Aucun doute ? »

J'ai fait non de la tête.

« Le second homme... vous n'avez pas vu clairement son visage ?

— Je l'ai vu assez clairement quand il est reparti. Il marchait à reculons en direction de la porte, et à un moment la lumière qui pénétrait par la fenêtre latérale du couloir a illuminé son visage.

— Donc, vous les avez vus tous les deux clairement ?

— Bon sang, vous allez me cuisiner encore longtemps ? »

Le père John s'est esclaffé.

« Désolé, Danny. Toute cette histoire m'intrigue. Le fait que Goldbourne ait envoyé deux gros bras pour vous menacer sous prétexte que sa fille voyait quelqu'un…

— Pas simplement quelqu'un, ai-je coupé. Elle voyait un nègre. »

Le père John m'a regardé.

« Oui, oui, évidemment… c'était vraiment ça, le problème, n'est-ce pas ? »

J'ai haussé les épaules.

« Je ne sais pas si c'était le seul problème, peut-être qu'il se passait autre chose, mais il est clair que si les rumeurs à son sujet étaient fondées, alors, que sa fille soit vue avec un Noir aurait été une sacrée atteinte à sa réputation.

— Les rumeurs ? a demandé le père John.

— Qu'il appartenait au Klan… qu'il était Grand Sorcier de l'Empire ou Grand Connard du Royaume… quelle que soit l'appellation qu'utilisent ces enfoirés. »

Le père John a ri.

« Qu'est-ce qu'il y a ?

— Ça me plaît, a-t-il répondu.

— Quoi ?

— Grand Connard du Royaume. »

J'ai souri.

« Vous avez entendu parler de ces personnages ? ai-je demandé.

— Un peu.

— Ils sont tarés, mon vieux, complètement tarés. Grand Ceci et Grand Cela, l'Empire invisible, l'Union du Serpent. Robert Schembri m'a raconté toutes les saloperies qu'ils faisaient…

— Qu'ils font *encore*, a précisé le père John.

— Exact, qu'ils font encore. »

Le père John est resté un moment silencieux et s'est tourné vers la vitre.

« Donc, ils sont repartis », a-t-il dit.

J'ai acquiescé.

« Et vous êtes rentré chez vous ?

— Exact.

— Et c'est alors que vous les avez vus… Nathan et Linny. »

J'ai de nouveau acquiescé.

« C'est alors que je les ai vus.

— Racontez-moi… »

J'étais fatigué. Une fois encore, j'avais trop fumé, et maintenant que nous pouvions avoir du café, j'en buvais également trop. J'avais mal au ventre, le genre de brûlure acide qu'on a quand on bouffe de la merde et qu'on se gave de caféine.

Si je continuais comme ça, ça me tuerait.

Une ironie, douce-amère et vénéneuse, s'est emparée de mes pensées.

« Danny ? »

J'ai relevé les yeux.

« Racontez-moi », a insisté une fois de plus le père John.

J'ai hoché la tête, me résignant à parler jusqu'au bout.

Je savais faire ça. Je savais parler.

Le père John semblait disposé à écouter, et merde, parler à quelqu'un valait mieux que parler tout seul.

Mes souvenirs étaient plus clairs qu'ils ne l'avaient jamais été, et je ne savais pas si c'était une bonne ou une mauvaise chose.

Une fois de plus, bizarrement, je me suis demandé où iraient ces souvenirs après le 11 novembre.

J'ai songé que le père John les garderait. Qu'il les garderait quelque temps, puis qu'il les transmettrait peut-être à quelqu'un d'autre. Peut-être que nous portions tous en nous des souvenirs vieux de cinq mille ans qui avaient été passés de génération en génération. Peut-être que dans cent ans quelqu'un parlerait de moi, ce type de Caroline du Sud qui avait tellement tout foiré qu'il avait fini électrocuté à Sumter.

Ou peut-être pas.

Peut-être que ce n'était pas si important que ça.

J'avais tellement voulu que ma vie ait un sens. Quelque chose de valable, quelque chose dont j'aurais été fier. Pas pour mes parents, pas pour qui que ce soit, juste pour moi. Je voulais avoir le sentiment d'avoir accompli quelque chose. Et comment se rappellerait-on de moi ? Comme d'un type blanc qui avait tué son meilleur ami dans un accès de jalousie et de fureur.

Mais ça ne s'était pas passé comme ça. Absolument pas. Et à un moment, j'avais cru que toutes les personnes impliquées savaient que ça n'avait pas pu se passer comme ça.

Mais maintenant, après plus de dix ans, je me disais que plus personne n'en avait rien à foutre.

« Danny ?

— Père John, ai-je répondu, d'un ton un peu sarcastique. Vous êtes toujours là ?

— Vous êtes fatigué. Nous reparlerons demain.

— Demain ? Je croyais que nous avions raté une journée.

— Je viendrai demain, a-t-il déclaré. Nous n'avons pas beaucoup de temps. Ces quinze jours vont filer en un clin d'œil. »

J'ai froncé les sourcils avec étonnement.

« Quinze jours ? Il me reste un mois.

— Exact, Danny, a répondu le père John. Mais je ne pourrai vous voir que pendant les deux semaines à venir, et après ça, une dernière fois le 10.

— Comment ça se fait ? »

Le père John a haussé les épaules.

« C'est le règlement.

— On ne vous a pas dit pourquoi ? »

Il a secoué la tête.

« Non, on ne m'a pas dit pourquoi.

— Il se passe des trucs bizarres, ici, ai-je observé.

— Alors, à demain, a conclu le père John en se levant.

— À demain », ai-je répété.

Il a attrapé son paquet de Lucky à moitié vide.

« Vous les voulez ?

— D'accord, merci.

— Je vous en prie », a-t-il dit, et il a tendu la main vers le bouton pour appeler le gardien de service.

Je me rappellerais ce jour pendant quelque temps – pas à cause de ce que j'avais dit, ni parce que le père Rousseau m'avait clairement rappelé que j'avais rendez-vous avec la salle de procédure, mais à cause d'une chose que j'ai vue tandis que je quittais le *salon de Dieu* et attendais qu'un gardien vienne me chercher.

Rousseau s'est éloigné dans le couloir, le couloir infiniment long qui le mènerait hors de cette prison. À trente mètres de l'endroit où je me tenais, il s'est soudain arrêté, a regardé sur sa droite en direction d'un couloir perpendiculaire, puis a été rejoint par le directeur Hadfield.

Ils ont discuté quelques secondes, puis Rousseau s'est retourné, il s'est retourné et m'a regardé droit dans les yeux, et il a semblé surpris de me voir planté là. Ce n'était pas quelque chose de visible, juste une impression. Il a semblé brièvement embarrassé, se tenant là à côté de Hadfield, puis il a saisi le bras de ce dernier et l'a entraîné dans le couloir hors de ma vue.

Je me suis demandé ce qu'ils se disaient, s'ils parlaient de moi ou d'une chose totalement sans rapport. Cet instant m'a laissé un sentiment de malaise troublant, et j'ai songé à toutes ces personnes qui avaient parlé, qui *continuaient* de parler de moi. De ce qui allait arriver. De qui j'étais. De ma mort.

Je me suis retourné en entendant le gardien approcher. J'ai baissé les yeux vers mes chaussures. Elles semblaient à un million de kilomètres de moi, mais mon appréhension et ma peur n'avaient jamais été aussi proches.

Cette peur était en moi, elle faisait désormais partie de moi, et, quoi qu'il arrive, elle me suivrait jusqu'au bout.

27

Ce soir-là, deux heures après le départ de John Rousseau, Clarence Timmons est venu me voir.

Il m'a informé qu'il avait été désigné pour me garder dans la cellule des condamnés. Du 4 novembre jusqu'à la fin, il passerait douze heures par jour avec moi, deux fois six heures. Il m'a expliqué que je serais enchaîné au mur, qu'une large ceinture de cuir m'entourerait la taille, et que mes mains seraient menottées de chaque côté à cette ceinture. Il a dit qu'il avait essayé un jour, que ce n'était pas inconfortable, mais qu'il était exceptionnellement difficile de faire quoi que ce soit à part rester assis ou s'allonger.

Je l'ai écouté en silence. Je respirais à peine. Et quand il est reparti, j'ai attendu que les lumières s'éteignent, puis je me suis assis sur mon lit dans l'obscurité et imaginé que j'étais ailleurs.

À Port Royal Sound.

À Panama City.

N'importe où sauf ici.

Finalement, je me suis allongé et j'ai dormi, dormi comme dormait Nathan.

Pas de rêves.

Pas de cauchemars.

Rien que le son de ma respiration murmurant dans le noir. À part ça, j'aurais pu être mort.

Le lendemain matin, je me suis réveillé avant la cloche. Je savais qu'il n'était pas encore six heures, mais je n'avais aucun moyen de savoir l'heure. Depuis l'endroit où était située ma cellule, je ne voyais pas l'horloge.

M. West était dans les parages, on le devinait tout de suite, car dès que la cloche a sonné, tout le monde s'est levé et s'est mis à faire du bruit, à s'affairer. M. West ne tolérait pas, n'aurait jamais toléré, qu'un prisonnier fasse la grasse matinée.

T'auras tout le temps de dormir quand tu seras mort, qu'il disait.

Un gardien est arrivé et m'a informé que j'aurais droit à un peu d'exercice à neuf heures, une demi-heure à tourner en rond dans la cour. Il a ajouté que si j'avais des cigarettes, je pourrais fumer là-bas.

Je me suis rasé, lavé et habillé. Nous sommes allés prendre le petit déjeuner, trois par trois, ce qui prenait plus d'une heure et demie pour vingt détenus. Le bloc D pouvait en accueillir quarante en tout, mais manifestement les peines à perpétuité avaient le vent en poupe, ces temps-ci. Pourquoi, je l'ignorais. Ça ne faisait aucune différence pour moi.

Le petit déjeuner, c'étaient des céréales, du lait écrémé reconstitué à partir de poudre, deux morceaux de pain grillé tout sec, pas de beurre, deux cuillérées d'œufs trop cuits, et une tasse de café qui avait un goût de pisse tiède de raton laveur.

Il ne fallait pas longtemps pour prendre un tel repas. On ne l'avalait que par nécessité.

Neuf heures ont sonné. Le gardien de service est arrivé quinze ou vingt minutes plus tard et m'a averti que ma période d'exercice avait été annulée. M. West avait opté pour une fouille de cellule, à la place.

Il n'était pas censé me dire ça. Il se serait fait botter le cul si M. West l'avait su. Me le dire, c'était me prévenir, et même si je n'avais ni drogue, ni couteau, ni rien, j'avais un petit papillon de nuit en bois. Pas exactement un objet dangereux, mais M. West était le genre d'homme qui aurait pris le temps de le briser en morceaux et de le balancer d'un coup de pied dans le couloir. Il l'aurait fait pour s'exciter, sans autre raison, et en rentrant chez lui, il aurait été tellement chaud qu'il se serait tapé une branlette.

Même si je l'avais vu à de nombreuses reprises, même s'il m'avait parlé en de nombreuses occasions, je ne pouvais comprendre la passion de M. West pour la cruauté. C'était un tyran précis et systématique, un sadique haineux et sans complaisance, et je me demandais ce qui avait pu pousser un enfant à devenir un tel homme. À l'en croire, son père avait été assassiné, tué par des Noirs, mais je connaissais suffisamment M. West pour être convaincu qu'il n'était que le reflet de son père. Je n'avais aucun doute que ce dernier avait été assassiné par des gens en état de légitime défense, et peut-être M. West estimait-il que tous les hommes étaient responsables de ce qu'avait été sa vie. Il n'avait donc plus qu'un seul désir : se venger. Et quel meilleur endroit pour le faire que le système de détention fédéral ? Quel meilleur endroit pour trouver des victimes qui étaient incapables de se défendre, des hommes qui avaient déjà été vaincus, brisés, terrorisés ? Il avait un penchant singulier pour la raillerie et l'injure, il exigeait des autres un asservissement total, et chaque mot qui franchissait ses lèvres atteignait sa cible. C'était sa vie, c'était l'homme qu'il était, et il prenait le plus grand plaisir à s'entraîner jusqu'à atteindre la perfection.

M. West n'a pas participé à la fouille de ma cellule. Les gardiens ne m'ont pas posé de questions. J'ai tenu le papillon de nuit dans ma main pendant tout le temps qu'elle a duré. Ils n'ont pas vérifié à cet endroit. Ils ont palpé le revers de mon pantalon, ma taille, vérifié l'intérieur de mes chaussures, le col de ma chemise, mais ils n'ont pas regardé dans mes mains. Ils devaient estimer qu'une personne assez stupide pour cacher quelque chose dans ses mains durant une fouille de cellule était assez gonflée pour s'en tirer sans se faire prendre.

Et je m'en suis tiré.

Après leur départ, je me suis étendu sur mon lit et j'ai dormi environ une heure.

Le père Rousseau viendrait plus tard, en milieu d'après-midi, et il n'y avait rien d'intéressant à faire jusqu'au déjeuner.

Le déjeuner s'est passé, une nouvelle rotation d'hommes entrant et sortant trois par trois, et quand le repas a été fini, il était près de quatorze heures trente.

Rousseau arriverait d'ici une heure. Je voulais qu'il vienne. J'avais *besoin* qu'il vienne. Il m'avait dit qu'il avait lu les minutes du procès, et qu'il en avait retiré l'impression que je ne m'étais pas battu. Il avait raison. J'étais allé au tapis, et j'y étais allé sans résister. Ils avaient fait peser leurs indices contre moi. Je leur avais même fait une confession, une confession bidon, certes, mais suffisante pour que je me retrouve ici.

Rousseau avait raison sur le fait que je ne m'étais pas battu. Et maintenant ? Maintenant, pour la première fois en plus de dix ans, ce qui se passait me mettait en colère. Parler de tous ces événements avait réveillé mon ressentiment et mon amertume. Et même si être en colère moins d'un mois avant la date de mon exécution était plutôt inutile, ça me semblait néanmoins justifié.

J'allais crever. Le moins que je puisse faire, c'était dire aux gens que ça me foutait hors de moi.

Pourquoi ne m'étais-je pas battu ? Pourquoi avais-je laissé les diplômés en droit et les auxiliaires juridiques bénévoles aller et venir ? Des gens avaient lu le contenu de mon dossier. Des âmes bien-pensantes s'étaient élevées contre l'injustice, contre la quantité de simples présomptions, et elles étaient venues ici bien décidées à m'en faire sortir. J'avais répondu à leurs questions, mais pas aussi précisément que j'avais répondu à celles du père John Rousseau, car ça avait été pour moi une simple formalité. Comme si ces visites me dérangeaient. Comme si j'en avais tellement ma claque de toutes ces conneries que tout ce que je voulais, c'était attendre que ça se termine. Attendre que les lumières s'éteignent une bonne fois pour toutes.

Peut-être ma colère n'avait-elle rien à voir avec la venue du père John. Peut-être était-elle due au fait que j'avais un rendez-vous. Maintenant, c'était réel. Maintenant, ça allait se produire à coup sûr. Je ne savais pas. Je ne le saurais jamais. Je ne pouvais pas revenir en arrière...

« Ford ? »

J'ai ouvert les yeux, me suis tourné sur le flanc.

Le gardien de service se tenait dans le couloir.

« Le père John est là, c'est l'heure d'aller à confesse. »

Je me suis redressé, puis levé.

Le gardien a crié en direction du bout du couloir. Un bouton a été actionné, et la porte de ma cellule a coulissé et claqué contre son montant en produisant un bruit métallique.

Il est entré et a placé la ceinture autour de ma taille, puis il m'a attaché les mains à la ceinture, a enchaîné mes chevilles l'une à l'autre. Il est sorti, a crié de nouveau pour qu'on referme la porte, et ensemble nous avons longé le couloir jusqu'au *salon de Dieu*.

Rousseau avait l'air fatigué, complètement crevé.

Il fumait déjà, avait déjà un café posé sur la table devant lui quand je suis entré dans la pièce.

Le gardien m'a détaché les poignets, ôté la ceinture, désenchaîné les chevilles, et il est reparti avec son matériel.

Je me suis assis.

Près de vingt-quatre heures s'étaient écoulées depuis la dernière fois que je m'étais trouvé là. J'avais l'impression que ça ne faisait que cinq minutes. Je me demandais si la vingtaine de jours à venir passerait aussi vite.

« Comment allez-vous ? a-t-il demandé.

— On fait aller.

— Bien dormi ? »

J'ai souri.

« Mieux que vous, apparemment. »

Il m'a retourné mon sourire.

« Beaucoup de travail.

— Beaucoup d'âmes à sauver, c'est ça ?

— C'est ça.

— Vous avez une nouvelle pellicule ? »

Le père John a froncé les sourcils.

« Dans la caméra, de l'autre côté, ai-je dit en désignant la vitre sans tain.

— Ah, oui, une nouvelle pellicule.

— Où vont-elles ? »

Le père John a haussé les épaules.

« Dieu seul le sait. »

Je me suis penché en arrière, légèrement surpris.

« Dieu seul le sait ? C'est un peu blasphématoire, non ?

— Eh bien, il le sait probablement… alors que moi, aucune idée.

— Peut-être que vous devriez dormir deux heures et revenir plus tard », ai-je suggéré.

Le père John a secoué la tête.

« C'est bon. Je vais bien. Reprenons là où nous nous sommes arrêtés hier, d'accord ? »

J'ai acquiescé.

« D'accord. »

Je suis rentré à pied de la maison d'Eve Chantry. J'ai emprunté le chemin où j'avais un jour vu un cerf me regarder. Je me rappelais distinctement ce moment. Le sentiment que j'avais éprouvé alors avait été le même que celui que j'éprouvais désormais : un sentiment d'insignifiance.

Je ne savais pas quoi dire à Nathan. Ni à Linny.

Hé, vous savez quoi ? Deux gros bras se sont pointés et m'ont vu chez Eve Chantry. Ils ont dit que le père de Linny aimait pas que sa fille traîne avec des nègres. Ils ont dit que je ferais bien de vous le faire savoir, histoire que vous saisissiez bien le message et tout. Vous en dites quoi, hein ? Y a vraiment des gens qu'ont des préjugés, pas vrai ?

Non, je ne dirais pas ça.

J'ai décidé de parler à Nathan seul. De lui parler une fois que Linny serait partie. Il comprendrait peut-être mieux la situation qu'elle. Après tout, il avait vécu ça en Floride, à Panama City. Il l'avait même vécu quand quelqu'un avait tellement été offensé par sa façon de jouer au billard qu'on s'était tous les deux fait casser la gueule.

Je suis arrivé chez moi au bout de dix ou quinze minutes. Je me suis tenu au bout de l'allée et j'ai regardé la maison. La maison de mon enfance.

Alors même que j'entrais, j'ai su qu'il se passait quelque chose. Je l'ai senti, je n'aurais su dire comment, mais je l'ai *senti.*

Je les ai entendus avant même d'atteindre le bout du couloir.

La porte du salon était légèrement entrouverte, et en regardant par l'espace entre la porte et le montant, j'ai aperçu du mouvement derrière le fauteuil.

Elle s'est alors redressée, Linny Goldbourne, et depuis l'endroit où je me tenais, j'ai vu la partie supérieure de son torse nu, sa tête rejetée en arrière, ses yeux fermés. Un son s'échappait de ses lèvres ouvertes, comme un cri animal.

En m'avançant d'un pas, j'ai pu voir par-dessus le fauteuil.

Nathan était étendu par terre, sur le dos, Linny le chevauchait, et tandis que je regardais, les mains de Nathan se sont levées et ont saisi ses seins.

De si grandes mains. Des mains assez puissantes pour mettre Marty Hopper à terre, assez délicates pour faire un oiseau en papier chez Benny's.

Maintenant, elles étaient accrochées à Linny Goldbourne comme si elle risquait de s'envoler s'il la lâchait.

Elle a cambré le dos, continué de gémir, puis elle s'est mise à bouger d'avant en arrière, ses hanches pivotant comme un manège à la foire du comté.

En voiture tout le monde!

J'ai reculé.

J'ai senti mon visage s'empourprer, mes joues me brûler d'embarras, de rage, mais surtout de jalousie. J'ai senti la haine – une haine véritable – monter en moi comme une vague, une vague tournoyante, tortueuse, suffocante, que je pouvais à peine contenir. J'ai reculé, failli tomber, et quand j'ai retrouvé l'équilibre, j'ai senti la douleur cuisante des larmes qui m'emplissaient les yeux. J'avais la gorge serrée, nouée, mon souffle était court et âpre, et quand je me suis approché une fois de plus de la porte, quelque chose de si sombre s'était emparé de mon esprit que j'aurais pu les tuer tous les deux.

J'ai appuyé mon visage contre la surface fraîche des boiseries.

Je les entendais – chaque mot, chaque son, chaque souffle haletant –, et j'aurais voulu faire irruption dans la pièce, faire en sorte qu'ils sachent, qu'ils sachent *vraiment*, qu'ils comprennent *vraiment*, ce que leur complicité et leur trahison m'avaient fait.

Je voulais qu'ils souffrent autant que moi.

Je voulais *réellement* qu'ils souffrent.

Je me suis penché une fois de plus en avant, tandis que Nathan se redressait et refermait la bouche sur un de ses mamelons.

Elle a crié et s'est mise à rire.

« Ne me mords pas ! a-t-elle braillé. Oh, oh, oh, espèce de putain d'animal ! »

Nathan riait aussi désormais, et soudain elle s'est dégagée en se soulevant, l'a repoussé au niveau des épaules, puis sa tête a disparu lorsqu'elle s'est baissée vers son ventre, puis plus bas vers son entrejambe.

Nathan a gémi.

J'ai reculé. J'imaginais mon poing pilonnant le visage de Nathan comme un marteau-piqueur. J'imaginais les jointures de mes doigts blanchissant tandis que mes mains serreraient la gorge de Linny et étoufferaient son dernier souffle de traîtresse.

J'avais envie de hurler, d'exploser de rage et de les tuer, et moi avec.

Et j'ai su, j'ai su alors, que si je ne partais pas, je ne pourrais pas me retenir ; que si je ne m'enfuyais pas de la maison, je ferais quelque chose que je regretterais.

Alors, j'ai attrapé la poignée et refermé la porte en la claquant.

Puis je suis parti en courant.

« Ils ont dû vous entendre.

— Bien sûr qu'ils ont dû m'entendre. Je *voulais* qu'ils m'entendent. »

Le père John a acquiescé.

«Vous vouliez qu'ils sachent que vous étiez là.

— Oui, je voulais qu'ils sachent que j'étais là, que j'étais en colère, que c'était très bien qu'ils baisent ensemble, mais merde, pas dans mon salon, pas sur ma moquette… bordel!»

J'ai regardé le père John.

«Désolé.»

Il a agité la main.

«Pas de problème.»

Il a marqué une pause pour s'allumer une cigarette.

«Et c'est pour ça que vous n'avez jamais parlé à Nathan des hommes qui étaient venus chez Eve Chantry?

— Oui.

— Parce que vous étiez furieux après lui et Linny?

— Oui.

— Qu'est-ce que ça vous inspire, maintenant?»

Je suis resté silencieux, ai détourné le regard un moment.

«Je crois qu'au bout du compte ça n'aurait pas changé grand-chose que je leur dise ou non.

— Mais ils n'ont pas été en mesure de choisir par eux-mêmes, a déclaré le père John.

— C'est exact, mais si vous connaissiez un peu Nathan et Linny Goldbourne, vous comprendriez qu'ils auraient plus que probablement ignoré la mise en garde.

— Ou alors ils auraient cru que vous aviez tout inventé?»

Je l'ai regardé d'un air interrogateur.

«Pourquoi est-ce que j'aurais inventé ça?

— Par jalousie, a répondu le père John. Ils auraient peut-être pu prendre ça pour de la jalousie, se dire que vous vou-liez qu'ils se séparent parce que vous la vouliez pour vous.

— Possible. Mais ce n'était pas le cas... Je leur en voulais, plus à Nathan qu'à Linny, mais dès qu'elle a été partie, ça a semblé moins important.

— Alors, où êtes-vous allé ?

— J'ai marché. Je suis reparti par là où j'étais arrivé, puis j'ai changé de direction et suis allé de l'autre côté de la ville. Je me suis arrêté chez Benny's, j'ai bu un soda, je me suis calmé. J'ai été salement en colère pendant un moment, juste un moment... et puis je me suis calmé et je suis rentré.

— Et quand vous êtes rentré ?

— Quand je suis rentré, elle était partie. »

Nathan se tenait dans la cuisine, buvant une tasse de café. Il m'a adressé un geste de la tête quand je suis entré dans la pièce. Il savait que j'étais parti furieux. J'ai attendu qu'il dise quelque chose, mais comme j'ai eu l'impression qu'il ne savait pas quoi dire, j'ai parlé en premier :

« C'est bon. J'étais en colère, mais c'est passé. »

Il a paru soulagé.

« Bon sang, Danny, si j'avais su que tu rentrerais... eh bien, si j'avais su que tu rentrerais, on n'aurait pas...

— C'est bon. C'est fini. »

Mais ce que j'aurais voulu dire, c'était : *Bon, mon pote, je l'ai eue pendant un mois, et maintenant tu vas l'avoir pendant un mois, si on peut se fier au passé.* Mais je ne l'ai pas dit.

J'ai tenu ma langue de vipère, gardé mes pensées pour moi.

« Tu veux du café ? m'a demandé Nathan.

— Oui », ai-je répondu, et je me suis assis.

« Et vous n'en avez plus reparlé ? a demandé le père John.

— Non, nous n'en avons plus reparlé. Bon sang, c'était la veille de Noël. On s'est détendus, on a bu un coup et fumé des cigarettes. Je crois qu'on a même joué aux cartes ou quelque chose comme ça.

— Et quand avez-vous revu Linny ?

— Seulement après Noël, deux ou trois jours après.

— Et c'est la dernière fois que vous l'avez vue ? »

J'ai acquiescé.

« Exact, la dernière fois. »

Le père John s'est penché en arrière et a soupiré d'un air résigné.

« Une sacrée histoire, Danny. »

J'ai souri.

« Une sacrée histoire, père John. »

28

Noël est passé.

Linny, qui était probablement restée toute la journée avec ses parents, n'est pas venue. Nous ne l'avons pas revue avant le 27, et j'avais alors passé suffisamment de temps avec Nathan pour que notre amitié ait repris le dessus.

Le jour de Noël, nous avons mangé des hot dogs avec des condiments et du maïs doux. Nous avons bu du vin rouge, trois bouteilles à nous deux. Nous avons parlé de choses dont nous n'avions pas parlé depuis des années, des choses comme la mort de Kennedy et celle de Luther King, et bien que nous ayons discuté de ces événements considérables, nous n'avons jamais évoqué la guerre. Elle ne m'est même pas venue à l'esprit, et même si je ne peux pas parler pour Nathan, je crois que je le connaissais suffisamment pour savoir s'il y avait quelque chose qu'il ne me disait pas. Et je n'ai rien senti de tel.

Nous étions détendus, apparemment en harmonie avec le monde, et quand je me suis endormi sur le fauteuil avec une station de Virginie qui diffusait un morceau de Tony Bennett à la radio, Nathan m'a laissé là. Il savait que c'était ce que j'aurais voulu.

Le lendemain de Noël, je me suis rendu sur la tombe de ma mère. Je me suis agenouillé un moment en tenant des fleurs dans ma main, et j'ai eu beau essayer d'éprouver un profond chagrin, je n'ai pas réussi. La culpabilité que j'avais ressentie quand j'avais appris son décès était partie. J'avais affronté le fait que je n'avais pas été là, et même si je l'avais voulu, je ne pouvais pas revenir en arrière. Elle était partie, un peu de la même manière que mon père, et que Linny – peut-être pas en personne, mais assurément en esprit – et Caroline. Curieusement, je repensais de plus en plus souvent à cette dernière, et plus je me rappelais ce que nous avions partagé, plus ça devenait important.

Je n'avais jamais découvert pourquoi Caroline Lanafeuille avait quitté Greenleaf, ce que son père avait fait pour précipiter une telle réaction. La vérité, c'était qu'elle avait été la première. Et malgré les filles en Floride, les filles de la plage, malgré les sœurs Devereau et tout ce qu'elles avaient apporté avec elles, il n'y avait vraiment qu'une seule fille qui m'avait touché autrement que physiquement. Si j'avais dû pleurer la perte de quelqu'un, ça aurait été celle de Caroline.

Je ne suis pas resté longtemps sur la tombe, je n'en voyais pas l'utilité. J'étais venu, j'avais rendu mes hommages, je n'avais pas dit de prière car je ne croyais pas que quiconque écoutât. J'ai prononcé quelques mots *à l'intention* de ma mère : je lui ai dit que j'étais reconnaissant qu'elle se soit occupée de moi, que j'espérais qu'elle avait trouvé la paix, qu'elle avait retrouvé mon père. Puis j'ai quitté le cimetière au bout de Nine Mile Road et suis rentré chez moi.

Le reste de la journée s'est déroulé sans incidents. De temps à autre, Nathan marchait jusqu'à la fenêtre de devant et regardait en direction de la route. Je savais qu'il cherchait

Linny du regard. Une fois encore, comme avant, elle avait fait naître cette incertitude : était-elle avec vous ou ne l'était-elle pas ? Comment elle faisait ça… eh bien, je crois qu'elle-même ne le savait pas. Elle était à côté de vous, elle vous possédait, elle vous avalait complètement, puis elle était à un million de kilomètres et s'éloignait de plus en plus à chaque battement de cœur. Elle vous donnait l'impression que vous étiez le centre de l'univers, et puis que vous n'étiez plus rien. Je me disais qu'elle était peut-être un peu folle.

Mais Nathan était un homme, sa vie était là devant lui, et il apprendrait aussi.

Il apprendrait peut-être à ses dépens, mais bon, est-ce qu'on apprenait autrement ?

Plus tard, alors que le soir enveloppait la maison, je me suis étendu dans un fauteuil du salon et j'ai écouté la radio sans réellement entendre grand-chose. J'étais fatigué, comme si les dix-huit derniers mois de fuite m'avaient finalement rattrapé. Nathan était là – il allait et venait entre la cuisine et l'étage –, et je sentais son agitation. Il voulait que quelque chose se passe, et je me disais que le mieux pour tout le monde aurait été qu'il parte alors, qu'il aille voir sa famille, qu'il remette sa vie en ordre.

Mais il est resté. Il est resté avec l'intention de ne voir personne hormis Linny Goldbourne, car, à sa manière inimitable, elle l'avait capturé et ne le lâcherait pas tant qu'elle n'aurait pas décidé qu'elle voulait autre chose.

« Vous pensez qu'elle faisait ça délibérément ? » a demandé le père John.

J'ai secoué la tête.

« Je ne crois pas. Je crois qu'elle venait du genre de milieu où elle pouvait obtenir à peu près tout ce qu'elle voulait sans trop d'efforts. Quand vous vivez comme ça quelque temps, je crois que les choses commencent à perdre leur valeur. Les relations aussi. Je suppose que si vous avez de l'argent, il y a toujours des gens qui font la queue pour être votre meilleur ami.

— En avoir ou pas », a déclaré le père John en souriant.

J'ai secoué la tête en signe d'incompréhension.

« C'est le titre d'un roman, a-t-il expliqué. Il traite de ce genre de chose.

— Je vois, OK.

— Donc, vous pensez qu'il n'y avait aucune intention malveillante de sa part ?

— Intention malveillante, non. Je ne crois pas qu'elle avait même conscience de ce qu'elle faisait. Si je n'avais pas vu Nathan tourner en rond comme un lion en cage ce jour-là, j'aurais pu croire que c'était simplement moi, mais j'ai vu qu'il éprouvait les mêmes sentiments que moi avant lui. C'était le fait de ne pas *savoir* qui rendait comme ça. Est-ce qu'elle était avec vous ? Est-ce qu'elle n'était pas avec vous ? Est-ce qu'elle était partie avec quelqu'un d'autre ? Est-ce qu'elle se servait de vous pour s'amuser quelque temps, avant de vous oublier ? C'était la façon qu'elle avait de vous regarder parfois, comme si elle voyait à travers vous… c'était étrange.

— Saviez-vous beaucoup de choses sur son père ?

— Non. Je ne savais vraiment rien du tout sur lui. Quelques rumeurs, peut-être.

— Des rumeurs ?

— Les trucs que je vous ai dits, qu'il était un membre important du Klan, qu'il contrôlait beaucoup de terres, qu'il possédait des millions et des millions de dollars, qu'il pouvait acheter tout ce qu'il voulait, y compris les gens, les votes… ce genre de choses.

— Vous savez qu'il est mort.

— Vous me l'avez déjà dit.

— C'est vrai, a observé le père John, et il a semblé un moment distrait.

— C'est à cause de sa position à lui qu'elle a fini là où elle a fini, vous savez ? »

Le père John a acquiescé.

« J'y avais aussi pensé.

— S'il n'avait pas été qui il était, je ne crois pas que ce serait arrivé à Linny… Elle n'était pas si mauvaise que ça. »

Il y a eu un moment de silence tandis que le père John regardait ses mains avec une expression distante. Puis il a relevé les yeux et souri.

« Donc, le lendemain, le jour de son retour ?

— D'accord, ai-je dit. Le lendemain… »

Je me sentais bien, à mon réveil. Je n'avais touché ni à l'herbe ni au vin, la veille, et je ne m'en sentais que mieux.

Nathan a dormi jusqu'à ce que ce soit presque l'heure du déjeuner, et j'ai apprécié ces quelques heures seul. J'ai déambulé à travers la maison, passé un peu de temps dans chaque pièce, déplacé des objets, trouvé des photos que je n'avais pas vues depuis des années, des photos de moi enfant, de mes parents quand ils avaient une vingtaine ou une trentaine d'années. J'ai vu à quel point je ressemblais à mon père, et dans un sens ça m'a fait plaisir.

Je suis allé dans le jardin derrière la maison. Il était envahi par l'herbe. Sous un avant-toit qui faisait saillie à l'arrière du bâtiment, dans un petit abri où ma mère conservait le bois et les outils, j'ai pris une hache et fendu quelques bûches. La hache était lourde, rouillée à la jointure entre la lame et le manche, mais elle faisait ce qu'on lui demandait de faire. C'était agréable d'avoir une activité physique, de sentir l'air pur de la Caroline du Sud dans mes poumons. Agréable d'être vivant sans la crainte que quelqu'un ne me retrouve.

J'ai préparé le petit déjeuner, gaufres et bacon, je me suis assis seul dans la cuisine et j'ai mangé. Ça me semblait normal d'être de retour ici. Cette maison avait toujours été un point d'ancrage, un refuge, et même si je ne fuyais plus rien, elle continuait de me procurer un sentiment de sécurité. Je pouvais rester ici, quoi que pense le monde, et je m'estimais chanceux d'avoir ça.

Quand Nathan est descendu, il avait mal à la tête. Il n'a rien voulu manger, mais il a bu deux ou trois tasses de café.

« Je me disais qu'on devrait faire le ménage, ai-je dit. J'envisage de rester ici un moment.

— Pas de problème, a acquiescé Nathan.

— Tu peux rester aussi longtemps que tu veux, mais je pense que tu devrais réfléchir à ce que tu vas faire à propos de tes parents.

— Mes parents ? »

Je me suis assis face à lui.

« Oui, tes parents. Tu peux pas les laisser comme ça à essayer de convaincre tout le monde que t'es mort, Nathan.

— Pourquoi pas ? »

J'ai lâché un éclat de rire forcé, affecté. Je ne m'étais pas attendu à cette réponse.

« C'est pas correct. Ce sont tes parents, nom de Dieu. Tu veux qu'ils continuent de faire comme si tu étais mort pour le restant de leur vie ? »

Nathan a haussé les épaules.

« Je suppose qu'ils s'en remettront, a-t-il répondu. Merde, c'est peut-être déjà fait.

— Tu ne crois pas qu'ils seraient heureux de te voir ?

— Le choc tuerait plus que probablement mon père », a déclaré Nathan, et quelque chose dans le ton de sa voix m'a indiqué qu'il pouvait réellement croire une telle chose.

J'ai secoué la tête en signe de désaccord.

« Tu es leur fils. Quoi qu'il te soit arrivé, tu es toujours leur fils.

— Le retour de l'enfant prodigue, a-t-il raillé.

— Bon sang, Nathan, parfois je comprends vraiment pas ton point de vue. »

Nathan s'est figé avec sa tasse à mi-chemin entre la table et sa bouche.

« Je crois pas que tu aies besoin de saisir mon point de vue, Danny. Je suis comme je suis. Je pense ce que je pense. Je dis ce que je veux. C'est aussi simple que ça.

— Merde, t'as changé, vieux…

— Changé ? a-t-il dit d'un ton surpris. On a *tous* changé. Le monde a changé. Le monde est devenu un endroit complètement

411

dingue où les gens s'entre-tuent comme si demain n'existait pas. Tu crois qu'il s'agit de quoi, Danny ? Il t'arrive de te demander ce qu'on fout ici ? Il t'arrive de prendre le temps de réfléchir à ce qui se passe autour de toi ? Putain, parfois t'es vraiment aveugle.

— Ce qui signifie ? ai-je demandé, sur la défensive.

— Ce qui ne signifie rien.

— Si ça ne signifiait rien, tu ne l'aurais pas dit, ai-je déclaré sèchement.

— Oh, merde. C'est quoi, maintenant ? Une bagarre de bac à sable ? Une connerie du genre "C'est toi qui l'as dit, c'est toi qu'y es" ? »

Et alors, j'ai pensé à eux. J'ai pensé aux hommes dans la maison d'Eve Chantry.

J'étais à deux doigts de dire quelque chose. Mais je ne l'ai pas fait. Je n'ai rien dit. Je ne me suis pas demandé pourquoi. Je ne me suis pas interrogé sur mes mobiles, ou sur mon absence de mobiles. J'ai simplement décidé à cet instant précis de ne rien dire. Ça semblait ridicule que quelqu'un puisse vraiment faire quelque chose juste parce que sa fille fréquentait un Noir. Peut-être que j'y croyais. Peut-être que je me berçais d'illusions. Allez savoir. En tout cas, je ne l'ai pas mentionné.

Et alors, le moment est passé.

« Laisse tomber, ai-je lâché.

— C'est déjà fait », a répliqué Nathan.

J'ai marché jusqu'à l'évier. J'ai commencé à laver quelques assiettes. J'aurais voulu me retourner et en lancer une sur Nathan Verney et lui fendre le crâne en deux.

Mais je n'ai rien fait. Comme tant d'autres fois avant ça.

Un silence s'est installé entre nous, et j'ai laissé ce silence croître et emplir la maison, comme s'il pouvait étouffer Nathan, étouffer ce que je ressentais, nous enterrer tous les deux dans le vide et tout dissoudre.

Et peut-être que ce silence se serait prolongé, peut-être qu'il aurait poussé comme un sombre champignon, mais Linny est arrivée dans l'heure qui a suivi, et avec son arrivée les choses sont passées à un tout autre niveau.

« Un autre niveau, comment ça ? » a demandé le père John. J'ai souri.

« Elle était tellement enthousiaste à propos de tout. Elle apportait toujours quelque chose – quelque chose de génial, quelque chose de stupide, ça n'avait aucune importance. Ce jour-là, elle a apporté des chapeaux de fête et des ballons de baudruche, tout un tas de choses qu'elle avait ramenées de chez elle. Des bouteilles de champagne et des cigares qu'elle avait volés à son père, ces havanes de trente centimètres de long. C'était ce qu'elle faisait, elle prenait le contrôle, elle faisait en sorte que tout tourne autour d'elle.

— Et elle est restée toute la journée ?

— Oui, toute la journée.

— Et quand ces hommes sont-ils revenus ?

— Je ne suis pas sûr de l'heure exacte, minuit, ou peu après minuit, je crois. J'avais bu beaucoup de champagne, et aussi fumé un peu d'herbe, je dormais comme une masse… et sans le volume et l'intensité des hurlements, je ne crois pas que je me serais réveillé.

— Mais vous vous êtes réveillé ? »

J'ai acquiescé, allumé une autre cigarette.

« Et qu'est-ce qui s'est passé quand vous vous êtes réveillé ?

— J'ai eu tout d'abord conscience qu'il y avait dans la maison quelque chose qui n'aurait pas dû y être... vous voyez... quand vous *savez* simplement que quelque chose ne tourne pas rond ?

— Oui, a répondu le père John.

— Cette sensation, cette conscience, appelez ça comme vous voulez... je savais juste qu'il y avait dans la maison quelque chose qui n'aurait pas dû y être.

— Et quoi d'autre ? »

L'obscurité.

L'obscurité était intense.

Je ne sais pas comment décrire ça. L'obscurité, c'est l'obscurité, non ?

Je savais qu'il se passait quelque chose.

Pendant un long moment, tout a semblé silencieux, mais je savais qu'il y avait eu un bruit qui n'avait pas sa place ici.

C'était ce qui m'avait réveillé.

Du moins, j'avais l'*impression* que c'était ce qui m'avait réveillé.

Je croyais avoir entendu quelqu'un crier.

Je me suis redressé et j'ai tendu l'oreille.

Il y avait du mouvement, j'entendais du mouvement, et j'ai eu l'impression qu'il provenait de la pièce qui faisait face à ma chambre, celle où dormaient Nathan et Linny.

Je me suis glissé jusqu'au bord de mon lit puis me suis levé. Je ne me sentais pas dans mon assiette à cause de mon réveil soudain, du champagne que j'avais bu la veille au soir, du sentiment de confusion et de désorientation que j'éprouvais. Tout ça me donnait l'impression que j'avais perdu mon lien avec la réalité, que les amarres se déroulaient et que je dérivais sur une vague errante qui me perdrait.

Je me suis ressaisi.

Je me suis avancé vers la porte.

Boum!

Un bruit net, quelque chose de lourd tombant par terre, plus fort qu'un simple bruit de pas.

J'étais déconcerté.

Je me disais que Nathan et Linny s'envoyaient peut-être en l'air, mais quand j'ai atteint la porte, le sentiment que quelque chose clochait est devenu plus prégnant.

L'intuition n'est pas mon fort, mais quelque chose dans l'atmosphère, quelque chose dans la façon dont les poils se dressaient sur ma nuque, quelque chose dans la tension que je sentais dans mes tripes me disait que je marchais vers une chose effroyable.

Et alors, elle a hurlé.

« Vous saviez que c'était elle ? a demandé le père John.

— Ça ne pouvait être qu'elle. Et en plus, je connaissais suffisamment sa voix pour la reconnaître. Comme quand on reconnaît quelqu'un à son rire…

— Mais vous l'aviez entendue rire à de nombreuses reprises. Combien de fois l'aviez-vous entendue hurler ?

— C'était une hurleuse. »

Le père John m'a regardé d'un air interrogateur.

« Elle hurlait quand elle était excitée, elle hurlait parfois quand elle baisait, elle avait hurlé la fois où Nathan l'avait mordue... c'était une hurleuse, OK ?

— Mais ça devait être un hurlement différent... un hurlement de terreur ou quelque chose comme ça...

— C'était elle, ai-je déclaré d'un ton catégorique. Et puis, quand j'ai ouvert la porte, c'était Linny qui se tenait là... en train de hurler.

— Donc, vous l'avez vue hurler ?

— Oui, mais vous ne me laissez pas aller jusqu'au bout. J'ai entendu quelqu'un hurler, j'ai pensé que c'était Linny Goldbourne, et quand j'ai ouvert la porte, j'ai *vu* que c'était bien elle... c'est clair, maintenant ?

— C'est clair, a répondu le père John. Je suis désolé... poursuivez.

— Vous allez encore m'interrompre ? »

Le père John a secoué la tête.

« Non, à moins que je ne comprenne pas quelque chose.

— OK. Donc, je suis dans ma chambre, j'entends quelqu'un hurler et je pense que c'est Linny Goldbourne... »

Lorsque j'ai tendu la main vers la poignée de la porte, j'ai eu cette sensation dans mes tripes. Comme si un serpent se déroulait dans mes intestins.

La tension est brusquement montée en moi. J'ai doucement poussé la porte.

Elle a hurlé de nouveau.

La porte était entrouverte d'une dizaine de centimètres, et son cri m'a frappé comme un train de marchandises.

J'ai sursauté, fait un pas en arrière, et l'espace d'une seconde effroyable, j'ai cru que Nathan était en train de tuer Linny.

C'était une idée tellement ridicule que j'ai esquissé un sourire, mais c'était le sourire d'une personne terrifiée.

Il se passait quelque chose dans ma maison.

Il se passait quelque chose à dix mètres de l'endroit où je me tenais dans l'ombre, et je ne savais pas quoi.

Tout ce que je savais, c'était que c'était sérieux.

J'ai parcouru la chambre du regard à la recherche de quelque chose pour me défendre, quelque chose pour protéger Linny, mais il n'y avait rien.

J'ai poussé la porte un peu plus, et le hurlement est devenu un déferlement continu de rage, un torrent, une explosion de folie derrière la porte qui faisait face à ma chambre.

Je suis sorti comme une furie, entraînant ma peur avec moi. Une force intérieure me poussait, elle avait pris le contrôle de mon corps et m'a propulsé vers la porte de l'autre côté du couloir.

Linny se tenait auprès du lit, les yeux écarquillés, les mains tendues vers le centre de la chambre. Son corps était intégralement recouvert de sang rouge vif.

Nathan était étendu sur le lit, sa silhouette à peine visible parmi les draps écarlates.

J'ai ouvert la bouche pour hurler.

L'homme que j'avais vu dans la maison d'Eve Chantry, celui qui avait parlé, est apparu sur ma gauche comme une ombre, et j'ai ressenti une douleur telle que je n'en avais jamais ressenti.

C'était comme si on m'avait fracassé la tête avec une batte de base-ball.

Comme si Babe Ruth avait frappé un home run derrière mon front.

Tandis que je m'écroulais, j'ai vu le second homme qui se débattait avec Linny.

Elle continuait de hurler, comme si quelqu'un la déchirait en deux. Je me suis relevé en chancelant et j'ai senti que je dérapais. J'ai baissé les yeux et vu mes pieds nus glisser dans des ruisseaux de sang qui semblaient s'écouler sous moi, comme animés d'une volonté propre. J'ai perdu l'équilibre, ai voulu me raccrocher au côté du lit mais me suis de nouveau écroulé par terre.

J'ai hurlé à mon tour et senti une douleur terrible dans mon flanc.

Tout a commencé à s'obscurcir.

Un voile gris et noir ponctué d'éclats rouges a semblé me couvrir les yeux.

Je sentais une odeur, comme une odeur de poussière, et par la suite j'ai compris que ça devait être l'odeur du sang... le sang que je voyais en tombant... comme si quelqu'un avait étripé un porc et l'avait fait tournoyer à travers la pièce. Puis l'obscurité a tout envahi, comme de l'encre dans de l'eau, passant de l'indigo au bleu nuit, puis au charbon, à l'ébène, au noir de jais...

J'ai tenté de me redresser, m'accrochant au drap qui pendait au bord du lit pour me hisser. Alors que je me mettais à genoux, j'ai senti un nouveau choc.

J'ai hurlé de douleur et me suis roulé sur le flanc, entraînant le drap avec moi, le drap humide, lourd, imprégné d'un sang rouge et chaud…

J'ai tenté de me glisser sous le lit, de prendre appui sur le sol trempé, mais c'était inutile, et je perdais conscience…

Tue cet enfoiré! a lancé quelqu'un.

J'ai alors cru entendre la voix de ma mère.

Non, pas celle de ma mère… celle d'Eve Chantry.

Puis ça a été celle de Caroline Lanafeuille.

Elle citait un auteur comme elle avait l'habitude de le faire, Robert Frost ou Walt Whitman…

Ma surface est moi-même… sous laquelle on peut voir… la jeunesse est enterrée… Des racines?… Tout le monde a des racines…

J'ai ouvert la bouche pour hurler et senti une main autour de ma gorge, bloquant l'air dans mes poumons.

J'ai battu furieusement des bras, ai heurté quelque chose, quelque chose de dur…

Espèce d'enfoiré!

Un poing a percuté le côté de mon visage, j'ai eu l'impression que toutes mes dents volaient à travers ma bouche, puis on m'a écrasé la tête sur le sol. J'avais le souffle coupé, je sentais l'odeur du sang, j'en sentais le goût dans ma bouche. Le mien? Impossible de le savoir. Putain, il y avait tellement de sang… tellement de sang…

On m'a traîné à travers la pièce.

Linny s'est remise à hurler.

J'ai essayé de l'appeler.

J'ai entendu un bruit, comme quand Nathan avait frappé Marty Hooper chez Benny's, puis tout est devenu silencieux et je n'ai plus entendu que mon propre souffle... ma tentative désespérée de respirer tandis que les deux hommes me bourraient de coups de poing.

Je me suis déporté sur le côté, j'ai réussi à me rouler sur le flanc et à me mettre à genoux. En m'adossant au mur, j'ai commencé à me relever, puis je me suis projeté vers l'avant, vers le lit, comme si j'allais y trouver un sanctuaire.

Et il était là.

Nathan était là.

Ses yeux fixés sur moi.

Sa tête reposant sur le côté au milieu de la flaque de sang qui avait jailli de son corps et éclaboussé une grande partie de la pièce.

Son corps était immobile, bras écartés, comme le Christ crucifié.

Sa tête au bord du matelas.

Tranchée. Détachée.

J'ai de nouveau ouvert la bouche pour hurler, mais une chaussure m'a atteint à la mâchoire et projeté en arrière contre le mur.

Il n'est plus resté que l'obscurité... l'obscurité, et l'image de la tête décapitée de Nathan qui me fixait depuis le torrent de sang...

J'ai alors entendu la voix de Caroline.

Elle souriait.

On devrait... tu sais, on devrait... avant que je parte...

Puis ça a été le néant.

29

« Est-ce que la police était là quand vous avez repris connaissance ? a demandé le père John.

— Oui, elle était là.

— Et vous étiez déjà menotté ?

— Oui. J'étais étendu sur le ventre, sur le palier du premier étage, le visage contre la rampe, les mains menottées dans le dos. Je sentais le goût du sang dans ma bouche, et le côté de ma tête me faisait atrocement souffrir. Il y avait tellement de bruit, tellement de voix.

— Et vous les avez vus emmener Nathan ?

— Oui.

— Comment vous avez fait ?

— J'arrivais à distinguer le rez-de-chaussée à travers les barreaux de la rampe. Ils l'ont descendu sur une civière, mais il n'était pas recouvert.

— Et sa tête ? »

J'ai fermé les yeux. Je la revoyais nettement – trop nettement –, même encore maintenant.

« Sa tête a été portée par quelqu'un d'autre. Dans un sac en plastique transparent.

— Qu'est-ce qui s'est passé ensuite ?

— Ils l'ont emmené, sans doute au véhicule du légiste, ou à une ambulance, puis ils sont revenus me chercher.

— Et le lieutenant Garrett était là ?

— Oui, il était là.

— Et c'est lui qui vous a dit que vous alliez être inculpé pour le meurtre de Nathan.

— Oui.

— Et Linny n'était pas là ? Personne n'a mentionné son nom ?

— Non, elle s'était enfuie. On ne l'a retrouvée que bien plus tard dans la journée.

— Dans un champ, à environ un kilomètre. »

J'ai acquiescé.

« Nue, recouverte du sang de Nathan, a-t-il ajouté.

— Apparemment. On m'a dit qu'elle était hystérique, délirante, en état de choc, complètement traumatisée. On a laissé entendre que j'avais également essayé de la tuer, après avoir tué Nathan dans un accès de jalousie.

— Mais vous n'avez pas été inculpé pour tentative de meurtre ?

— Ni Linny ni la police n'ont lancé de poursuites pour tentative de meurtre.

— Et elle a aussitôt été envoyée à Charleston.

— À l'hôpital psychiatrique de l'État, oui.

— Et pendant la durée du procès, elle a été jugée mentalement inapte à témoigner ?

— Vous me posez des questions dont vous connaissez déjà les réponses. »

Le père John a souri.

« Désolé. C'est juste que j'ai encore peine à croire que toute l'affaire ait été bâtie sur des présomptions, que le seul témoin ait été jugé mentalement inapte à témoigner, qu'on l'ait laissé à l'hôpital psychiatrique de Charleston, et que l'avocat de la défense n'ait pas remis en question le moindre indice présenté par l'accusation. »

J'ai haussé les épaules.

« Je crois qu'il a été payé pour se taire. »

Le père John a levé les yeux.

« Par qui ?

— Par le père de Linny.

— Parce que c'étaient ses hommes qui avaient tué Nathan, les hommes qui étaient passés vous voir dans la maison d'Eve Chantry.

— Exact. »

Le père John a poussé un soupir de résignation.

« Et puis, il y avait la hache », a-t-il dit doucement.

J'ai acquiescé.

« La hache de la remise à bois, celle dont je m'étais servi le jour même pour couper des bûches dehors.

— Et c'est d'elle qu'ils se sont servis pour décapiter Nathan Verney. »

J'ai fait un signe de tête affirmatif.

« Il n'y avait pas d'autres empreintes ?

— C'est ce qu'on m'a dit.

— Qui ça, on, Garrett ?

— Oui. Et il y avait aussi tous les autres détails qu'on m'a donnés durant le procès. La police scientifique a affirmé que rien n'indiquait qu'il y avait eu quelqu'un d'autre dans la chambre à part Nathan, moi et Linny, que les empreintes de pas dans le sang sur le palier correspondaient à mon entrée dans la pièce et à ma sortie, à la fuite de Linny... vous connaissez la chanson.

— OK. Assez pour aujourd'hui.

— Vous devez aller quelque part ? ai-je demandé.

— Je dois aller quelque part, mais pas nécessairement quelque part de mieux. »

Il s'est levé.

« Père John ? »

Il m'a regardé.

« Je me demandais si vous pourriez faire quelque chose pour moi.

— Bien sûr, a-t-il répondu. Quoi ?

— Vous croyez que vous pourriez retrouver quelqu'un ? »

Il a haussé les épaules.

« Qui voulez-vous que je trouve ?

— Je connaissais une fille à Greenleaf, une fille avec qui je suis sorti pendant une brève période. Elle s'appelait Caroline Lanafeuille. Ça s'écrit L-A-N-A-F-E-U-I-L-L-E. Elle a quitté Greenleaf du jour au lendemain en août 1965, et je n'ai jamais su où elle était allée.

— Et vous voulez que je découvre où elle est maintenant, dix-sept ans plus tard ?

— Si vous pouvez. »

Le père John s'est rassis.

« Pourquoi, Danny ? »

J'ai souri et haussé les épaules.

« Simple curiosité. C'est la première fille que j'aie aimée... bon sang, quand j'y repense, c'est la *seule* fille que j'aie jamais aimée.

— Et qu'est-ce que vous voulez savoir ?

— Si elle va bien, si elle est mariée, si elle a des enfants, tout ce que vous pourrez apprendre, vraiment… si c'est possible.

— Tout est possible, Danny », a répondu le père John.

Il a tendu la main et l'a posée sur la mienne.

« Et si j'apprends tout ça, ou – dans le pire des cas – si j'apprends qu'elle va mal, ou même qu'elle est morte… qu'est-ce que vous ferez ?

— Rien. Je veux juste savoir, c'est tout. Quelle que soit sa situation, je veux savoir. Vous croyez que vous pouvez faire ça pour moi ? »

Le père John a acquiescé.

« Je peux essayer, Danny, le mieux que je puisse faire, c'est essayer.

— Alors essayez, d'accord ? »

Le père John a souri, serré ma main d'un geste réconfortant, et il s'est une fois de plus levé.

« Je serai absent deux jours, Danny, peut-être trois. »

J'ai levé les yeux.

« Nos conversations vont me manquer.

— À moi aussi, a-t-il répondu. Prenez soin de vous, d'accord ?

— D'accord. »

Il a tendu la main vers le bouton pour qu'on lui ouvre la porte.

Je me suis levé et j'ai attendu que le gardien de service me ramène au bercail.

Plus tard, bien plus tard, j'étais étendu sur mon fin matelas dans ma cellule, les yeux fermés, et je me repassais les événements de cette terrible nuit. J'étais fatigué, les yeux me piquaient, mais je n'arrivais pas à dormir. Je n'arrêtais pas de tout retourner dans ma tête, et je ne pouvais me débarrasser du sentiment que j'avais provoqué mon destin par mes omissions. Le recul – notre conseiller le plus cruel et le plus perspicace – vacillait dans le rétroviseur de mon esprit. Il me hantait, me torturait avec des noms et des accusations, et je le regardais se rapprocher de moi puis s'éloigner, puis se rapprocher encore comme pour me rappeler que quoi que je pense, de quelque manière que j'essaie de justifier mes actes, il serait toujours là. De temps à autre, il me montrait le visage de Nathan, puis celui de ma mère, et à un moment j'ai cru voir Caroline le matin où elle est partie de chez moi.

Mes pensées ont été interrompues par un bruit sur ma droite. Je me suis tourné et, quand mes yeux ont été accoutumés à l'obscurité, j'ai vu une silhouette adossée au mur, à cinq bons mètres de l'endroit où je me trouvais.

La personne a bougé une fois, deux fois, puis elle a fait une demi-douzaine de pas rapides et s'est arrêtée devant les barreaux de ma cellule.

« On n'arrive pas à dormir, petit homme ? »

M. West.

Mon souffle s'est bloqué dans mes poumons. Ma gorge s'est nouée. J'ai tenté de fermer les yeux, de l'effacer de mon champ de vision, mais quelque chose de puissant me forçait à le regarder.

Il a fait un mouvement de côté et agrippé les barreaux devant lui. Il a approché son visage, et même dans l'obscurité, je distinguais les ombres sous ses yeux, et au-dessus de ces ombres, le regard direct et implacable qui me clouait sur place.

« J'ai pensé à toi, Ford », a-t-il murmuré.

L'idée de M. West pensant à moi me perturbait grandement. Comme un tueur qui vous choisirait comme sa prochaine victime, qui vous filerait, vous épierait, qui apprendrait vos routines et vos habitudes, sans que vous vous doutiez de rien.

« J'ai pensé au vide que tu dois éprouver en ce moment, à l'absurdité de tout ce que tu es, de tout ce que t'as fait... sauf quand t'as tué le nègre. »

M. West a lâché un éclat de rire, un petit son rampant qui s'est répercuté contre les murs et le plafond.

« Ça, mon pote, c'est peut-être la seule chose valable que t'aies jamais faite. »

M. West a bougé une fois de plus, il s'est accroupi de sorte que nos yeux soient au même niveau. Il était à plus de trois mètres de moi, mais à cet instant j'avais presque l'impression de sentir son souffle sur ma peau quand il parlait.

« Et le prêtre... ce qu'il vient foutre ici, j'en sais rien. Pas la peine de perdre le peu de temps qui te reste à justifier ta pitoyable existence. T'as pas encore compris que Dieu existait pas ? S'il existait, est-ce qu'il t'aurait laissé moisir ici ? Est-ce qu'il t'aurait laissé aller à la chaise sans jamais lever le petit doigt pour t'aider ? Je crois pas. »

J'ai fermé les yeux une seconde ou deux. L'obscurité régnait derrière mes paupières, une noirceur suffisamment profonde pour m'engloutir. À cet instant, j'aurais aimé qu'elle le fasse.

M. West s'est relevé. Il s'est écarté des barreaux.

« Compte les jours, Ford... compte les jours. Dors si tu peux, mais souviens-toi que chaque heure où tu dors est une heure de perdue sur le peu qu'il te reste. Ça passe tellement vite. Pense à cette année... on dirait qu'elle a duré qu'un seul jour, pas vrai ? »

J'ai frémi. Il avait raison. Les *douze* dernières années s'étaient concentrées en un battement de cœur que j'avais à peine remarqué.

« Regarde-la disparaître, Ford... regarde tout disparaître... »

Et alors, il est parti. En un clin d'œil, il est parti.

J'entendais mon cœur battre. J'avais tellement conscience de ces battements que je me suis imaginé qu'il ralentissait. Mon cœur savait que la fin approchait. Il se préparait. Il se préparait à s'arrêter.

Et je m'arrêterais avec lui.

Aussi simple que ça.

30

C e n'est que le 17 que le père John Rousseau est revenu. Les quatre journées précédentes s'étaient volatilisées en silence, sans un bruit. Le temps était devenu intangible, impossible à mesurer. Les lumières qui s'allumaient et s'éteignaient marquaient le début et la fin des jours, mais je demeurais troublé à l'idée qu'il ne m'en restait que vingt-quatre. Un peu plus de cinq cents heures.

Clarence Timmons est venu m'informer que le père John était arrivé.

« Comment ça va, Danny ? » a-t-il demandé.

J'ai levé les yeux. Mon visage paraissait lourd, mes yeux vides.

« Je ne veux pas mourir, monsieur Timmons.

— Je sais, fiston, je sais. »

Il avait le ton d'un père réconfortant un enfant.

« Allez voir le père Rousseau, parlez-lui, d'accord ? »

J'ai acquiescé, me suis levé de mon lit, et j'ai attendu que M. Timmons me passe la ceinture.

« Je l'ai retrouvée », a annoncé le père John quand je suis entré dans la pièce.

J'ai froncé les sourcils d'un air interrogateur.

« Votre petite amie, Mme Lanafeuille. »

Mme Lanafeuille. Elle avait le même âge que moi. Je n'avais pas pensé à ça. Quand je me l'imaginais, je voyais une adolescente.

« Vous l'avez retrouvée ? »

Je ne savais pas ce que j'éprouvais. Une sensation puissante, indescriptible.

Le père John s'est assis.

« Et vous n'allez pas croire ce qu'elle fait comme métier.

— Quoi ? »

Il a souri.

« Elle est avocate. »

Je me suis mis à rire. À cause de l'ironie de la situation, peut-être à cause du fait que Caroline était bien vivante.

« Vous lui avez parlé ?

— Non, Danny, bien sûr que je ne lui ai pas parlé.

— Comment l'avez-vous retrouvée ?

— J'ai appelé le lycée de Greenleaf, j'ai eu les coordonnées du lycée où elle a été transférée en 1965, puis j'ai suivi la piste. Ça a été facile de la retrouver, beaucoup plus facile que je ne le pensais.

— Où habite-t-elle ?

— À Charleston.

— Elle est toujours ici, en Caroline du Sud ? »

Le père John a acquiescé.

« Oui, elle est toujours ici.

— Et elle est avocate.

— Avocate environnementaliste, a précisé le père John.

— De quoi ?

— Avocate environnementaliste. Elle s'occupe d'affaires ayant trait au droit foncier et aux violations d'ordonnances publiques relatives aux déchets, ce genre de choses. »

Je suis resté un moment silencieux. Je revoyais le visage de Caroline. Je me souvenais de son odeur quand elle s'était penchée et m'avait embrassé avant de partir. Je me rappelais que je n'avais pas voulu regarder par la vitre. Pas voulu me souvenir de son départ.

« Danny ? »

J'ai levé les yeux.

« Ça va ?

— Oui. Ça va.

— Est-ce que tout ça vous trouble ? » a demandé le père John.

J'ai haussé les épaules.

« Je ne sais pas ce que je ressens… je suis troublé, heureux d'apprendre qu'elle va bien… Je ne sais pas.

— Pourquoi vouliez-vous que je la retrouve ? »

J'ai secoué la tête. Je ressentais une oppression dans la poitrine, j'avais l'impression que les larmes allaient me monter aux yeux si je ne serrais pas les dents et les poings, si je ne faisais pas tout pour les retenir…

Mais je n'y arrivais pas.

Quelqu'un, quelque chose me poussait doucement, irrévocablement, vers un endroit où je ne voulais pas aller. Je me suis mis à pleurer. Je sentais un déferlement de douleur dans ma poitrine, dans ma tête, à travers tout mon corps. Je me suis mis à trembler, à sangloter, et je suis resté assis là à me balancer d'avant en arrière sur ma chaise pendant que le père John faisait le tour de la table et posait les mains sur mes épaules.

Je l'ai entendu dire : « Laissez-vous aller, Danny... Laissez-vous aller. »

Et c'est ce que j'ai fait.

Les larmes ont continué de couler.

Douze années de larmes.

Environ une heure plus tard, le père John m'a questionné sur les événements qui avaient immédiatement suivi mon arrestation.

J'en avais assez de parler. Mais je l'ai fait tout de même, parce que c'était une forme d'exorcisme, une catharsis, et parce que le père John Rousseau voulait que je le fasse.

« Garrett a été le premier à vous interroger ? a-t-il demandé.

— Oui, le lieutenant Garrett... un enfoiré coriace, impitoyable.

— Et votre premier interrogatoire a eu lieu sans la présence d'un avocat ? »

J'ai acquiescé.

« Ça n'a pas été consigné comme un interrogatoire, c'est pour ça que les informations qu'il contenait n'ont pas été balancées au tribunal. Ils m'ont lu mes droits à la maison, apparemment, ils m'ont dit que je pouvais attendre qu'un avocat arrive avant de parler, mais Garrett a ajouté que j'avais déjà commencé à parler, qu'il était là quand ça s'était produit... comme par pure coïncidence.

— Et qu'avez-vous dit ? »

J'ai secoué la tête. J'avais du mal à me rappeler l'enchaînement exact des événements.

« Je me rappelle avoir parlé des hommes qui étaient venus à la maison, avoir dit que je les avais vus chez Eve Chantry, ce genre de choses.

— Et Garrett n'a pas posé de questions à ce sujet?

— Non, il n'a rien dit. Il était assis là avec un air patient, comme s'il attendait le bus ou je ne sais quoi. Il me relançait de temps à autre, mais il n'a jamais vraiment posé de questions directes.

— Et vous étiez en état de choc? »

J'ai souri.

« J'étais sur une autre planète. J'étais assis dans le commissariat de Greenleaf, dans une salle d'interrogatoire, mes vêtements étaient couverts de sang, mes mains et mes pieds étaient attachés... et je crevais d'envie d'aller pisser. Ça, je m'en souviens, j'avais l'impression que j'allais exploser.

— Et un avocat est finalement venu?

— Oui, un avocat est venu, un type du bureau du procureur ou je ne sais d'où, mais il n'avait pas vraiment l'air de vouloir être là. Je me souviens que la première impression que j'ai eue, c'est qu'on l'avait tiré du lit, ou arraché à une fête, quelque chose comme ça. Il semblait avoir sacrément hâte de foutre le camp.

— Et en sa présence, Garrett a posé des questions?

— Oui. Il a posé beaucoup de questions. Il m'a demandé comment j'avais fait la connaissance de Nathan. Il semblait être au courant du fait que nous avions quitté Greenleaf pendant dix-huit mois. Il savait pour l'avis d'incorporation de Nathan. Il savait qui étaient ses parents.

— Et tout ça dans les deux heures qui ont suivi votre arrestation?

— Moins, peut-être une heure... il ne s'est pas écoulé beaucoup de temps entre le moment où on m'a amené au commissariat et celui où l'avocat est arrivé.

— Et qu'est-ce qu'il vous a demandé d'autre ? »

J'ai haussé les épaules.

« Ce que nous avions fait après avoir quitté Greenleaf, où nous étions allés. Il m'a questionné sur mes parents, sur l'école que j'avais fréquentée… toutes sortes de choses.

— Et durant l'entretien, ni lui ni l'avocat n'ont évoqué Linny Goldbourne ?

— Exact. Son nom n'a pas été mentionné avant le deuxième ou le troisième interrogatoire.

— Et il n'y avait pas d'avocat présent cette fois-là ? »

J'ai secoué la tête. Les détails commençaient à devenir plus clairs, presque comme si plus je réfléchissais, plus les souvenirs me revenaient.

« Alors, c'est quoi cette histoire de confession ? »

J'ai poussé un soupir.

« Ce n'était pas une confession. »

Le père John s'est penché en avant, tout ouïe, son expression dénotant un intérêt soudain accru.

Il m'a fait un geste de la tête pour m'inciter à continuer.

« Je parlais, je divaguais un peu… je me souviens que j'étais fatigué, vraiment fatigué. Garrett m'interrogeait sur ma relation avec Nathan, sur les choses que nous avions faites ensemble, il me demandait ce qu'avait pensé ma mère du fait que je me sois lié d'amitié avec un Noir dans les années soixante, combien de fois j'étais allé chez lui, si je m'entendais bien avec ses parents… ce genre de choses. Il m'a questionné sur ces hommes dans la maison d'Eve Chantry… »

« Je vous l'ai déjà dit. »

Garrett a eu un sourire, un sourire affecté. C'était un homme au visage dur, à l'air brutal, un homme qui semblait n'avoir guère de temps pour les émotions hormis le soupçon et la colère. Dès l'instant où je l'avais vu, j'avais eu peur de lui.

« Répétez-moi, a-t-il dit, faisant tout son possible pour paraître intéressé, pour avoir l'air compréhensif et compatissant, quand en vérité ces mots ne faisaient pas partie de son vocabulaire émotionnel.

— Teint basané, le premier plus petit, costaud, le second grand, plus mince. Costume-cravate, habillés comme des fédés ou quelque chose comme ça. »

Garrett a souri de nouveau, d'un air un peu sarcastique.

« Comme des fédés ? »

J'ai acquiescé.

« Vous savez, costume sombre, chemise blanche, cravate sombre, et ils roulaient dans une berline ordinaire.

— Rien de spécifique, rien qui pourrait nous aider à les identifier ? »

J'ai réfléchi un moment. Je ne voyais rien. J'ai secoué la tête.

Garrett a opiné du chef, et, pendant une fraction de seconde, ses lèvres ont esquissé un petit sourire satisfait, comme s'il était ravi que je ne puisse lui donner aucun détail précis.

« Alors, dites-m'en un peu plus sur Nathan... si ces types ont proféré un avertissement quand vous leur avez parlé chez Eve Chantry, pourquoi n'êtes-vous pas allé le lui dire ?

— J'étais furieux après lui.

« — Parce qu'il couchait avec votre petite amie ?

— Pas parce qu'il couchait avec ma petite amie... parce qu'ils le faisaient de façon si peu discrète.

— Peu discrète ? »

J'ai acquiescé.

« Je suppose que je m'attendais plus ou moins à ce qu'il se passe quelque chose entre eux, mais j'aurais voulu que ça prenne un peu plus longtemps, et qu'ils s'exhibent moins, vous voyez ce que je veux dire ? »

Garrett a secoué la tête.

« Non, monsieur Ford, je crois que je ne vois pas ce que vous voulez dire. Tout ce que je vois, c'est que certaines personnes vous ont apparemment prévenu que Nathan Verney aurait des problèmes s'il n'arrêtait pas de fréquenter Linny Goldbourne, et vous avez eu de nombreuses occasions de le mettre en garde, votre soi-disant meilleur ami, et pourtant vous n'avez rien dit, absolument rien. À mon avis, si vous considérez les choses sous cet angle, soit il n'y a pas eu d'avertissement et ces hommes ne sont jamais venus, soit Nathan Verney et vous n'étiez pas amis du tout et vous espériez qu'il lui arriverait quelque chose.

— Non, ça ne s'est pas passé comme ça.... Ils m'ont vraiment parlé, ils m'ont dit de prévenir Nathan, mais j'étais fou de rage, j'en voulais à Nathan et à Linny, j'aurais dû le lui dire, mais je ne l'ai pas fait. C'est tout ce qui s'est passé... rien de plus.

— Et que serait-il arrivé si vous aviez raconté à Nathan votre discussion avec ces hommes ? »

J'ai secoué la tête.

« Je ne sais pas. »

Garrett s'est penché en avant. Il a joint le bout de ses doigts et posé les coudes sur la table.

« Dites-moi ce qui d'après vous aurait *pu* arriver. »

J'ai haussé les épaules.

« Hypothétiquement ? »

Garrett a acquiescé.

« Hypothétiquement.

— Peut-être qu'il aurait fait quelque chose… peut-être qu'ils auraient tous les deux fait quelque chose. Peut-être qu'ils auraient moins affiché leur liaison.

— Donc, vous dites que dans ce cas il serait peut-être encore en vie aujourd'hui… en supposant, naturellement, que les hommes à qui vous avez parlé chez Eve Chantry existent vraiment, et que ce soient eux qui l'aient tué ?

— Exact. »

Garrett s'est penché en arrière.

« Qu'est-ce que ça vous inspire comme sentiment ?

— Je me sens mal… pire que mal… coupable de n'avoir rien dit, de ne pas l'avoir prévenu…

— Donc, en théorie, a repris Garrett, on pourrait affirmer que si vous aviez dit quelque chose, vous lui auriez peut-être sauvé la vie ?

— Oui, je suppose… c'est possible.

— Et le fait que vous n'ayez rien dit a donc été un des facteurs qui ont mené à sa mort.

— Si on considère les choses sous cet angle, oui, je suis responsable de sa mort. »

« C'était ça, ma confession. »

J'ai saisi une des cigarettes du père John.

« Aviez-vous conscience que chacune de vos conversations avec Garrett était enregistrée ?

— Non, on ne m'a jamais dit que quoi que ce soit était enregistré.

— Et la bande a été coupée. »

J'ai acquiescé.

« Oui, la bande a été coupée. Quand l'enregistrement de cet interrogatoire a été diffusé au tribunal, l'avocat général a dit... »

« Nous devons être certains qu'il s'agit bien de votre voix, monsieur Ford. »

J'ai fait un signe de tête affirmatif.

« Oui ou non, monsieur Ford ?

— Oui.

— C'est incontestablement votre voix ?

— Oui, c'est ma voix.

— Votre Honneur... je souhaiterais que l'huissier diffuse de nouveau le passage de l'interrogatoire.

— Accordé. »

Je me suis tourné pour voir le juge adresser un hochement de tête à l'huissier.

Celui-ci s'est levé, a passé quelques secondes à rembobiner la bande, puis il a appuyé sur « Lecture ».

... il couchait avec ma petite amie... ils le faisaient de façon si peu discrète... j'aurais voulu qu'ils s'exhibent moins, vous voyez ce que je veux dire ? J'étais fou de rage,

j'en voulais à Nathan et à Linny, j'aurais dû le lui dire, mais je ne l'ai pas fait. Je me sens mal... pire que mal... coupable de n'avoir rien dit, de ne pas l'avoir prévenu. Si on considère les choses sous cet angle, oui, je suis responsable de sa mort.

« Et on a estimé que ça constituait une confession satisfaisante ? a demandé le père John.

— Une confession qui valait la peine de mort.

— Et l'accusation a affirmé que l'enregistrement avait été analysé et qu'aucun signe de manipulation n'avait été découvert ?

— La défense aussi... même la défense a dit que la bande avait été analysée par un spécialiste indépendant. "D'une intégrité indiscutable", c'est l'expression qui a été utilisée, la bande était d'une intégrité indiscutable.

— Donc, votre défense n'était pas vraiment une défense ?

— C'était une blague.

— Pourquoi n'avez-vous pas changé d'avocat ?

— Pour prendre qui ? J'avais ce qu'on me donnait. C'était soit un avocat nommé par la cour, soit un avocat privé. Et on n'a pas d'avocat privé sans un paquet d'argent.

— Mais la maison vous appartenait... pourquoi ne pas l'avoir utilisée comme garantie ?

— La maison était bloquée par tout un tas de procédures légales depuis la mort de ma mère.

— Pratique, a observé le père John.

— Très, ai-je concédé.

— Et Linny n'a pas été autorisée à faire une déclaration ni à témoigner parce qu'elle était à l'hôpital psychiatrique.

« — Oui, elle a été jugée mentalement inapte à soutenir la défense ou l'accusation.

— Mais Garrett a été autorisé à faire une déclaration selon laquelle Linny Goldbourne vous avait désigné comme l'assassin ?

— Oui... apparemment, quand elle a été retrouvée, Garrett a été la première personne à lui parler. Elle lui a dit que j'avais tué Nathan et que je l'avais attaquée.

— Comment se fait-il que cette déclaration ait été acceptée par le tribunal ?

— Parce que Garrett n'était pas jugé mentalement inapte à témoigner, et parce qu'il y avait un autre agent présent quand Linny a dit ça.

— Ce devait être Jackson, Karl Jackson.

— Exact.

— Et Karl Jackson a confirmé que Linny Goldbourne vous avait désigné comme l'assassin devant le lieutenant Garrett et lui-même ?

— Oui, il l'a confirmé.

— Et la défense n'a pas soulevé d'objections ? »

Je me suis penché en arrière et j'ai souri, avec un brin de résignation.

« Père John, vous devez comprendre que de tout ce qui s'est passé dans ce tribunal, pas grand-chose n'avait de sens. L'avocat commis d'office qu'on m'avait attribué était nerveux comme pas possible, il transpirait comme un porc, il tripotait ses papiers, ses stylos, il a même renversé de l'eau sur son pantalon à un moment et a dû sortir pour se changer. Le procès a été moins un procès que l'occasion pour beaucoup de gens de dire toutes les conneries qui leur passaient par la tête, et personne n'a protesté, ni objecté, ni laissé entendre que les questions étaient biaisées. Si c'était un procès, alors bon sang, j'étais coupable. »

Le père John a souri.

« Attention à ce que vous dites, Danny. Tout est enregistré, vous vous souvenez ? »

J'ai secoué la tête et soupiré. Le père John a tendu le bras et posé sa main sur la mienne.

« Je suis désolé... Je n'en reviens tout simplement pas que tout ça n'ait pas été mis en pièces en appel.

— Par ma faute, ai-je dit. Parce que je ne voulais pas revivre tout ça. Parce que je ne voulais pas reprendre espoir puis voir mes espoirs anéantis...

— Et parce que vous vous sentiez coupable de n'avoir rien dit à Nathan. »

J'ai acquiescé.

« Parce que je me sentais coupable de n'avoir rien dit à Nathan.

— Et maintenant ? » a demandé le père John.

Je me suis penché en avant. J'étais tendu, crispé intérieurement, et une vague de désespoir et de chagrin grondait à la périphérie de ma conscience. Je la percevais, comme une ombre, comme le fantôme de tout ce que j'aurais dû ressentir au cours des douze années passées sans jamais le ressentir.

« Je ne veux pas mourir, ai-je déclaré d'une voix qui était un murmure. Mais il est un peu tard pour dire ça maintenant, n'est-ce pas ? »

Le père John m'a agrippé la main. Il a souri comme il a pu.

« Je le crains, Danny... je le crains. »

La vague de chagrin a déferlé.

Je me suis replié sans un bruit sous elle.

31

Ce soir-là, bien après le départ du père John, j'étais allongé sur mon lit et réfléchissais aux années que j'avais passées dans cette cellule, entre ces quatre murs, et aussi au monde qui s'étendait à l'extérieur.

Malgré l'absence de Frank Wallace et de Cindy Giddings de la station CKKL, M. Timmons avait laissé le petit transistor allumé, lequel ponctuait notre existence de nouvelles d'un autre monde dont nous savions tous que nous ne le reverrions jamais.

Je me souvenais de l'élection de Jimmy Carter en 1976, et du fait que douze jours plus tard sa ville de Plains, en Géorgie, mettait enfin un terme à la discrimination raciale. Ça m'avait rappelé une fois de plus que toutes les choses en lesquelles nous avions cru à l'époque étaient vraies. Nathan avait dit qu'il ne verrait pas de son vivant les changements pour lesquels Martin Luther King s'était battu. Combien il avait eu raison.

Avant de se retirer, Gerald Ford avait gracié Richard Nixon pour son implication dans le scandale du Watergate, le dernier acte d'un homme désespéré travaillant au profit de ses *compadres* et acolytes.

Nous avons entendu parler de Gary Gilmore, le premier homme exécuté aux États-Unis depuis dix ans. Après une longue campagne nationale contre le rétablissement de la peine de mort, il avait quitté sa cellule pour affronter le peloton d'exécution avec les mots *Finissons-en*.

James Earl Ray s'était évadé de son pénitencier dans le Tennessee et avait été en cavale pendant trois jours. Un mois plus tard, Carter accordait à titre posthume à Martin Luther King la médaille de la Liberté.

Et alors, Elvis est mort.

Des hommes adultes pleuraient dans leur cellule comme si c'était leur mère qui était partie.

Des émeutes ont suivi la victoire de Leon Spinks contre Ali en février 1978, et une étude peu connue a démontré que le meurtre était la principale cause de décès des jeunes Noirs aux États-Unis. Quoi qu'il en soit, en août de l'année suivante, les suprémacistes blancs organisaient une marche de quatre-vingts kilomètres entre Selma et Montgomery, rappelant au monde que les problèmes que nous pensions résoudre près de vingt-cinq ans plus tôt étaient toujours bien vivants dans ces bons vieux États-Unis.

Neuf mois plus tard, cinq personnes étaient tuées lors d'émeutes raciales, et la Garde nationale était appelée en renfort.

Reagan est devenu président.

John Lennon s'est fait tirer dessus par un autre type à deux prénoms.

Reagan a alloué un million et demi de dollars pour enquêter sur le meurtre et la disparition d'enfants à Atlanta.

Reagan s'est fait lui aussi tirer dessus.

Ces choses que nous entendions grâce à cette petite fenêtre sur le monde ne servaient qu'à nous rappeler que c'était dingue à l'extérieur, peut-être tout aussi dingue qu'ici.

Elles me disaient que la vraie justice n'existait pas. Qu'une grande partie de la vie était un mensonge. Amer, oui. Cynique, assurément. Optimiste... non, plus maintenant.

Je dormais avec le visage de Caroline Lanafeuille qui flottait derrière mes paupières.

J'étais heureux qu'elle soit vivante, en bonne santé, et qu'elle vive quelque part à Charleston.

18 octobre, un samedi.

Dehors, il pleuvait abondamment. Je l'ai entendu à mon réveil.

Je suis resté un moment allongé en m'imaginant que j'étais ailleurs, dans un endroit calme, loin des barreaux, des gardiens et de cette promesse de mort.

Mon imagination fonctionnait à plein tube mais ne parvenait pas à me faire oublier tout ça.

Ces choses étaient certaines, constantes, implacables. Elles étaient là quand je fermais les yeux, là quand je les rouvrais, là quand je dormais ou étais éveillé, et elles ne changeaient pas.

Le gardien de service est venu avant la cloche. Il m'a annoncé que j'avais un message du père John. Il ne pourrait pas me voir avant cinq ou six jours, presque une semaine. Et peu après on me transférerait à la cellule des condamnés, et il ne me resterait qu'une semaine. Cent soixante-huit heures. Dix mille quatre-vingts minutes. Juste un peu plus de six cent mille secondes. Et combien de temps me faudrait-il pour compter ces secondes ? Aussi longtemps qu'il me faudrait pour les vivre.

Ça ne semblait pas très long.

Je suis allé prendre le petit déjeuner dans un état d'hébétude silencieuse. Je me sentais distant, déconnecté, hors de portée.

Quelqu'un m'a parlé, un autre m'a bousculé dans sa hâte de manger, et ils étaient comme des fantômes.

De la viande morte ambulante.

Pour la première fois en près de douze ans, j'ai compris ce que M. West entendait par là.

Deux jours plus tard, on m'a rasé la tête.

On a fouillé ma cellule.

Ils ont trouvé mon papillon de nuit en bois. Le gardien de service l'a donné à M. West, qui l'a brisé en quatre et a fait voler les morceaux à coups de pied à travers le palier. Je les ai entendus tomber dans l'escalier jusqu'à la passerelle en contrebas.

Il est entré et m'a coincé contre le mur au fond de ma cellule.

« Connard, qu'il a dit. Abruti de connard. Il te reste vingt-deux jours, espèce de merde. Et vingt-deux jours, c'est sacrément long quand quelqu'un veut te pourrir la vie. Alors joue pas au con avec moi, OK ? »

Je n'ai rien dit. Une réponse n'était pas nécessaire. J'avais saisi le message, et M. West le savait.

Il est reparti, et j'ai commencé à refaire mon lit.

Quand j'ai eu fini, je me suis étendu dessus et j'ai compté les silences entre les bruits. Ils étaient très nombreux. J'ai fini par perdre le fil et me suis endormi. J'ai rêvé. Je crois que j'ai rêvé. Une vision de moi titubant au bord du lac Marion, portant mon propre cadavre.

Je me suis réveillé en sursaut.

Quand la cloche du matin a retenti, je me suis aperçu que mille quatre cents minutes supplémentaires de ma vie s'étaient volatilisées.

J'ai eu droit à une demi-heure d'exercice. Il pleuvait encore, mais M. Timmons m'a recommandé d'y aller tout de même.

J'ai suivi son conseil. Je suis sorti dans la cour et j'ai levé les yeux vers le ciel. La pluie tombait, une pluie d'automne, légère et fraîche, et j'ai apprécié cette sensation sur mon visage et mes mains.

J'ai cherché Dieu, là-haut. Je ne l'ai pas vu. Je me suis dit qu'il avait mieux à faire.

Jeudi 23 octobre. J'ai attendu Rousseau toute la journée, mais il n'y a pas eu signe de lui, pas un mot.

Bon sang, pas de coup de téléphone, pas de courrier...

M. Timmons est venu m'informer que sa femme réagissait bien à la physiothérapie et qu'elle avait perdu un peu plus de poids. Je lui ai dit que j'étais content pour elle. C'était un mensonge. Je n'en avais rien à foutre.

Il m'a alors laissé, est reparti par où il était arrivé, jusqu'à ce que je ne puisse plus entendre le bruit de ses pas sur la passerelle.

Le silence semblait lourd. Plus lourd qu'avant.

J'ai appuyé ma tête contre le coin de ma cellule, suis resté planté là pendant près d'une heure, jusqu'à ce que ma tête me fasse trop mal, et alors je me suis allongé.

Je crois que je me suis endormi en pleurant.

Je ne me souviens pas.

Peut-être que ça, c'était hier soir.

Vendredi.

Il n'a pas plu, du moins je n'ai rien entendu.

Une fois de plus, Rousseau n'est pas venu. Pas même un message. Pas un mot.

Il avait entendu ce qu'il voulait entendre, justifié sa piété et son innocence, joué le rôle de Dieu auprès du type mort à Sumter, et maintenant il était ailleurs, occupé à faire croire aux gens que quelque chose de mieux les attendait.

Je l'emmerde.

Je les emmerde tous.

« Ford ? »

J'ai ouvert les yeux.

J'étais allongé sur mon lit et je voyais à travers les barreaux derrière ma tête.

Le gardien de service se tenait là.

« Réveillé, fiston ? »

Je me suis retourné et me suis assis.

« Un coup de fil pour vous… je crois que c'est le prêtre. »

Il m'a tendu la ceinture à travers les barreaux. Je l'ai passée autour de ma taille, ai glissé mes mains dans les menottes et les ai fermées.

Je me suis approché des barreaux et me suis tourné sur la droite pour que le gardien vérifie que la première était bien fermée. J'ai pivoté à cent quatre-vingts degrés et il a vérifié l'autre côté.

Il a crié en direction du bout de la passerelle, une sonnerie a retenti, la porte s'est déverrouillée et il l'a ouverte.

Je me suis avancé vers lui et il m'a fait lever le pied droit pour me passer les chaînes de chevilles.

J'ai bruyamment traîné des pieds derrière lui, ai tourné à droite au bout de la passerelle et descendu la petite volée de marches jusqu'à la cage.

M. Timmons se tenait à l'intérieur.

Il tenait le combiné dans sa main.

Le gardien de service a ouvert la porte de la cage et je me suis approché. Quand je suis entré et que j'ai saisi le combiné, M. Timmons est ressorti de l'autre côté de la cage et a verrouillé la porte.

Le gardien m'a adressé un hochement de tête et j'ai fait un nouveau pas en avant.

Il a refermé la porte de son côté, et ils se sont chacun postés en sentinelle.

J'ai porté le combiné à mon oreille.

« Daniel ?

— Oui.

— C'est le père John, a inutilement annoncé la voix.

— D'accord, ai-je répondu d'une voix plate et dénuée d'émotion.

— Comment allez-vous, Daniel ?

— Comment vous croyez que je vais ? »

Il y a eu un moment de silence.

« Je suis désolé de ne pas être venu pendant quelques jours, a déclaré le père John. J'ai été occupé...

— Pas grave. Restez occupé, moi, je ne bouge pas d'ici, et tout sera parfait. Vous avez autre chose à dire ? »

Il y a eu un nouveau silence.

« Très bien », ai-je dit, et j'ai raccroché.

Je me suis retourné, ai donné un coup de pied dans la partie inférieure de la cage.

Le gardien a fait un geste de la tête à M. Timmons, qui a déverrouillé la porte et m'a fait sortir.

Puis il m'a ramené à ma cellule.

Il ne m'a pas demandé ce qui se passait, ne m'a pas posé la moindre question.

Il m'a ôté les chaînes de chevilles, m'a accompagné dans ma cellule, puis il est ressorti et a fermé la porte derrière moi. Il a passé les mains entre les barreaux, a détaché chaque menotte et attendu que je lui rende la ceinture avant de parler.

« Ce sera rapide », a-t-il dit. Ça semblait la chose la plus idiote et la plus indélicate à dire. « Je ne crois pas que vous sentirez quoi que ce soit, Daniel... »

Je me suis retourné, en colère.

« Vraiment, monsieur Timmons ? Vraiment ? »

J'ai fait un pas vers les barreaux et l'ai fusillé du regard.

« Racontez-moi la dernière fois que vous avez parlé à quelqu'un qui était passé sur la chaise électrique. »

Il a baissé les yeux. Il semblait fatigué et vaincu.

Peut-être voulait-il que je m'excuse, que je comprenne qu'il faisait simplement son boulot, peut-être ne voulait-il pas me contrarier encore plus.

Je ne me suis pas excusé. Je n'ai pas dit un mot. Je ne voulais pas qu'il s'en tire à si bon compte.

Lui aussi, je l'emmerde.

Je les emmerde tous autant qu'ils sont.

32

Le 27 octobre est passé sans rien à signaler.

Rousseau m'avait dit que le 27 serait le dernier jour où il pourrait me voir avant le 11 novembre.

Mon jour spécial.

Le jour le plus important de ma vie.

Mais Rousseau n'est pas venu. J'ai décidé que s'il venait le 10, il pourrait tourner les talons et retourner là d'où il venait.

Bon sang, il s'arrangerait probablement pour qu'un journaliste écrive un article sur le temps qu'il avait passé avec moi. Ça lui rapporterait quelques milliers de dollars. Il en donnerait une partie à l'Église pour ne pas se sentir trop coupable.

Dans une semaine, on me transférerait à la cellule des condamnés, et commenceraient alors les sept derniers jours de ma vie.

Je suis arrivé seul, je partirai seul.

Soit.

Il semble impossible de se préparer à mourir.

Mourir, c'est la grande inconnue, la seule chose que nous faisons tous mais que nous ne pouvons raconter à personne. C'est peut-être la raison pour laquelle nous ralentissons et reluquons quand nous tombons sur un accident de voiture.

Peut-être qu'on verra quelque chose; peut-être qu'il y aura une indication de ce qui nous arrivera quand nous partirons. Et même ceux qui travaillent au contact des morts – les employés des pompes funèbres, les croque-morts, les légistes et les bourreaux – en savent aussi peu sur le sujet que les autres. Et malgré leur connaissance intime de ce chapitre final, il semblerait qu'ils n'aient pas moins peur.

Pas moins peur.

Je sens que je suis prêt. Aussi prêt que je le serai jamais.

Je vais attendre d'être transféré à la cellule des condamnés, et alors je laisserai s'écouler les dernières heures jusqu'au moment où ils me ligoteront et m'injecteront un calmant, jusqu'au moment où ils enverront la purée, pour ainsi dire.

Il semblerait que d'ici peu je saurai ce qui se passe quand les lumières s'éteignent pour la dernière fois.

Une dernière chose à partager avec Nathan Verney.

M. West est venu.

Il s'est arrêté près de la porte de ma cellule. Il a marqué une brève pause, mais j'ai vu son visage. Il souriait, et il y avait quelque chose de sombre et de sinistre dans ses yeux.

Il attendait impatiemment le 4 novembre. Le transfert à la cellule des condamnés avait un côté si définitif. S'il y avait un appel, si le gouverneur ou le procureur intervenait, c'était généralement avant la dernière semaine.

Personne n'était intervenu.

Je savais que personne ne le ferait.

M. West aussi.

Et c'est pour ça qu'il souriait.

La nuit du 3 novembre, je n'ai pas dormi. J'ai essayé, Dieu sait que j'ai essayé, mais le sommeil m'avait abandonné au profit d'un autre.

J'entendais Lyman Greeve ronfler. Au moins, il n'était pas en train de souffler dans son harmonica. Avoir l'harmonica de Lyman Greeve comme dernier son de son ultime semaine sur terre aurait été insupportable.

Reconnaissant pour les petites grâces.

Je les ai entendus arriver alors que le soleil se levait.

Je savais qu'ils viendraient avant la cloche.

Qu'ils viendraient en silence, pour ne pas réveiller les autres détenus.

Je connaissais le pas de M. Timmons, et le gardien de service – quel qu'il soit ce jour-là – serait derrière lui.

J'ai compté leurs pas – trente-huit en tout –, et quand je me suis retourné, quand j'ai ouvert les yeux et les ai vus qui me regardaient à travers les barreaux, j'ai senti une montée de chagrin et de désespoir.

« Allez, Daniel, a dit M. Timmons. C'est le moment d'y aller. »

Je suis resté allongé sans bouger.

J'osais à peine respirer.

« Nous ne voulons pas être obligés d'entrer dans la cellule, Ford », a déclaré le gardien.

M. Timmons a levé la main et secoué la tête.

Reculez, signifiait ce geste.

M. Timmons s'est accroupi et m'a regardé à travers les barreaux.

Nos têtes étaient au même niveau.

« Je dois vous emmener, a-t-il expliqué. Il faut que vous veniez maintenant, sinon ils vous enverront un médecin qui vous injectera un sédatif, et après ils vous enchaîneront et vous emmèneront là-bas... et ce n'est vraiment pas digne, Daniel, ce n'est vraiment pas digne. »

La terreur s'était emparée de chaque atome de mon être.

Je hurlais intérieurement, plus fort que jamais, mais quand j'ai ouvert la bouche, j'ai simplement dit : *Finissons-en*.

Le gardien de service s'est avancé et a tendu la ceinture à travers les barreaux.

Mes mains étaient trempées de sueur et j'avais du mal à l'enfiler.

M. Timmons a demandé au gardien d'aller ouvrir la porte.

L'homme a protesté, affirmant que c'était une infraction à la procédure, qu'ils le regretteraient si quelque chose se passait.

« Allez ouvrir cette porte ! » a ordonné M. Timmons d'un ton cassant.

Le gardien a hésité.

« Tout de suite ! » a ajouté M. Timmons.

Le gardien s'est éloigné.

La porte s'est déverrouillée.

M. Timmons l'a ouverte sèchement et a pénétré dans ma cellule.

Il m'a aidé à enfiler la ceinture, l'a serrée autour de ma taille, puis il m'a passé les menottes aux poignets.

Le gardien est apparu derrière lui et a tendu la chaîne de chevilles.

« Sortez », m'a dit M. Timmons.

Je l'ai suivi hors de la cellule jusqu'à la passerelle.

Le gardien m'observait pendant que M. Timmons m'enchaînait les chevilles.

Nous avons marché côte à côte, M. Timmons sur ma droite, le gardien sur ma gauche.

Au bout de la passerelle, nous avons tourné à droite, et alors que nous approchions de l'escalier, le gardien s'est placé derrière moi car l'espace était trop étroit pour trois personnes.

Nous sommes descendus lentement.

Un cortège funéraire.

Au pied de l'escalier, je me suis dirigé vers la droite, et M. Timmons qui était devant moi a demandé que la porte soit déverrouillée.

Les sons... tous ces sons... les sonneries, le grincement du métal contre le métal, le fracas d'une porte claquant, le bruit des clés tournant dans les serrures.

Ils étaient comme les sons de ma vie.

Je sentais mon cœur cogner dans ma poitrine comme un poing gonflé et furieux, et j'éprouvais une terreur abjecte.

Pendant plus d'une décennie, j'avais attendu ce moment, sans jamais parvenir à imaginer l'horreur absolue que j'éprouvais désormais.

La porte s'est refermée derrière moi.

Je me suis instinctivement retourné, mais ma vue était bouchée par le gardien.

Un long couloir s'étirait devant nous.

Je n'entendais que le bruit de nos pas, et l'écho qui nous revenait, plus fort à mesure que nous approchions de la porte au bout du couloir.

Et pourtant, à cet instant, je savais que ce que je ressentais n'était rien comparé à ce que j'éprouverais sept jours plus tard.

La porte au bout du couloir s'est ouverte et nous l'avons franchie – d'abord M. Timmons, le gardien fermant la marche, moi au milieu.

Nous nous sommes retrouvés dans une petite pièce. Sur la droite se trouvait un bureau derrière lequel était assis l'agent administratif, un petit homme à l'air consciencieux qui portait un uniforme impeccablement repassé et des chaussures qui brillaient comme du verre noir. Derrière lui, légèrement sur sa droite, partait un couloir étroit qui menait à la cellule des condamnés.

M. Timmons s'est avancé.

« Daniel John Ford, prisonnier numéro 090987690. »

L'agent administratif a coché une case sur un formulaire, puis il a fait le tour de son bureau pour se poster auprès de nous.

Il a adressé un geste de la tête à M. Timmons, puis s'est approché de moi.

« Mon nom est Frank Tilley, a-t-il dit. Appelez-moi Frank. C'est comme ça, ici, fiston. Nous opérons un peu différemment du bloc D et du reste de la prison. Les détenus sont sous surveillance vingt-quatre heures sur vingt-quatre, et cette surveillance sera effectuée par M. Timmons et moi-même. Au cours de la semaine prochaine, vous aurez à tout moment quelqu'un ici pour vous parler ou vous fournir ce dont vous aurez besoin. Vous me comprenez, jusqu'ici ? »

Je n'ai rien dit.

J'avais la tête complètement vide.

Frank Tilley s'est penché en avant et m'a regardé droit dans les yeux.

« Vous me comprenez, fiston ? a-t-il de nouveau demandé.

— Daniel ? » a insisté M. Timmons.

J'ai hoché la tête... je *crois* que j'ai hoché la tête.

Ils ont de toute évidence perçu quelque chose, car Frank Tilley a dit : « OK, fiston, c'est bon. »

Il est retourné derrière son bureau.

« On va donc être ici pendant une semaine, et chaque jour à midi quelqu'un viendra prendre votre température et faire quelques examens basiques. Vous mangerez un peu mieux qu'à l'étage, mais rien de fabuleux. Si vous avez besoin de quoi que ce soit, dites-le à M. Timmons ou à moi, et si c'est raisonnable, on verra ce qu'on peut faire. Vous avez le droit de fumer ici, on vous fournira des cigarettes. »

Frank Tilley s'est une fois de plus écarté de son bureau.

Il s'est penché encore plus près et m'a presque murmuré à l'oreille :

« Nous nous attendons à quelques difficultés, Daniel. Il est rare qu'un homme ne craque pas de temps en temps durant la dernière semaine, mais je veux que vous sachiez qu'il n'y a aucune raison d'avoir honte ; si vous voulez pleurer un peu, ou prier à haute voix, ou ce genre de choses, allez-y, fiston. On ne juge personne, car on estime que vous avez déjà été jugé, et on est juste ici pour s'assurer que les choses sont faites dans le respect de la loi. N'oubliez pas que vous êtes également un être humain, et que vous vous êtes juste un peu écarté du droit chemin... OK ? »

J'ai acquiescé.

Deux fois.

Puis j'ai baissé la tête, j'avais l'impression que je n'aurais plus la force de la relever.

« OK, Clarence », a dit Frank Tilley.

Le gardien a saisi mon bras droit, Clarence Timmons mon bras gauche, et ils m'ont entraîné jusqu'au couloir qui menait à la cellule.

Frank Tilley est passé devant nous et a ouvert la porte ; en m'approchant, je me suis aperçu que la cellule comportait des barreaux sur trois côtés, et un unique mur au fond. Les barreaux montaient jusqu'au plafond, mais ils ne s'enfonçaient pas dedans, ils étaient fixés à une plaque métallique qui faisait quinze bons centimètres d'épaisseur. J'ai pénétré dans la cellule, et en regardant le sol, j'ai vu que la même plaque métallique se trouvait à la base. La cellule était une boîte métallique amovible, dotée d'une porte pour entrer et sortir, et d'un panneau coulissant en bas de la porte pour passer les plateaux-repas et le reste.

J'ai fait un pas supplémentaire et me suis tenu au milieu de la boîte.

J'ai vu une glissière métallique qui courait sur trois côtés à trente centimètres au-dessus du sol. À chaque angle, une petite lumière rouge était fixée à la glissière.

Clarence Timmons a remarqué que je la regardais.

« La barre à coups de pied, a-t-il expliqué. Si un prisonnier attrape un agent et l'entraîne contre les barreaux de la cellule, l'agent peut toujours activer l'alarme en donnant un coup de pied n'importe où sur la barre. Juste une mesure de sécurité, Daniel... » Il a souri. « Débarrassons-nous de ces menottes, hein ? »

J'ai traîné les pieds vers lui et il m'a ôté les menottes, m'a aidé à retirer la ceinture, puis il s'est agenouillé pour déverrouiller la chaîne de chevilles.

Emportant le tout avec lui, il a marqué une pause à la porte de la cellule et m'a regardé.

« Vous devriez peut-être vous reposer, a-t-il dit. Vous verrez que le lit ici est un peu moins dur que ceux d'en-haut. »

Il m'a de nouveau souri, comme s'il m'accueillait à une colonie de vacances, puis il a fermé la porte de la cellule.

Elle a claqué comme un coup de feu.

Un son définitif.

33

Je ne sais plus vraiment depuis combien de temps je suis ici, mais j'ai déjà l'impression que quelqu'un me vole mon temps.

Frank Tilley m'avait prévenu qu'on viendrait à midi vérifier ma température et m'examiner, et un toubib est en effet venu.

Dix minutes plus tard, Frank Tilley m'a informé que son service s'achevait et que Clarence Timmons allait descendre.

Clarence Timmons est descendu, pas plus de vingt minutes après le départ du toubib, et il m'a dit qu'il était un peu plus de dix-sept heures.

Quelqu'un m'a volé toutes ces heures.

Je le sais.

Je crois que je l'ai entendu.

Il est venu avec des chaussures à semelles souples, il s'est approché comme s'il marchait sur des œufs, et il m'a pris du temps, quelques poignées peut-être, puis il est reparti par là où il était arrivé.

Je l'ai appelé, mais il ne m'a pas entendu.

J'ai des moments de lucidité surprenante.

Je peux fermer les yeux, et tout ce que j'ai à faire, c'est penser au nom de quelqu'un...

Caroline

Linny

Marty

Eve

… et son visage m'apparaît, clair comme le jour. Il y en a tant…

Sheryl Rose

Benny

Dr Backermann

Emily Devereau

… et aucun d'entre eux ne sait où je suis.

J'aimerais qu'ils le sachent.

Mais je me dis aussi parfois que personne ne devrait savoir une telle chose.

Ça devrait rester entre Dieu et moi.

Et Nathan Verney.

« Daniel ? »

Je lève les yeux.

Clarence Timmons se tient là. Dans sa main, il a un sac en papier brun sur la partie inférieure duquel il y a de minuscules taches sombres, comme s'il contenait quelque chose d'humide.

« Ma femme a préparé ça… des beignets aux pommes… vous en voulez ? »

Frank Tilley me parle parfois, et le sentiment que j'ai, c'est que c'est un homme triste et seul.

Hier, je *crois* que c'était hier, il m'a dit qu'il était allé à un match de base-ball à Charleston. Il n'a pas dit : *Hé, Daniel,* mon pote Chester et moi on est allés à un match samedi dernier, ou : *J'ai emmené ma femme à un match à Charleston le week-end dernier.* Il a dit : *Je suis allé,* ce qui me laisse penser qu'il y est allé seul.

Qui va à un match de base-ball seul ?

Apparemment, Frank Tilley.

Peut-être qu'il va à d'autres endroits, des endroits où les gens savent qui il est, et ils parlent de lui quand il n'est pas à portée de voix, du genre : *Hé, c'est Frank Tilley... il surveille les types à Sumter quand ils sont sur le point de les faire griller... merde, mec, t'imagines un boulot pareil... je suis bien content de pas être Frank Tilley.*

En ce moment, je serais heureux d'être Frank Tilley, même si j'allais à des matchs de base-ball seul.

Il n'y a rien, ici.

J'ai demandé à Frank s'il était possible d'avoir un transistor, et même s'il a souri et semblé comprendre, il m'a expliqué que s'il apportait une radio ici, il se ferait salement remonter les bretelles.

Désolé, gamin, qu'il a dit. *Pas de radio.*

La troisième fois que j'ai vu Clarence Timmons, je lui ai demandé quel jour on était.

« Oh, vous venez de me rappeler, a-t-il dit. Le directeur va descendre à un moment donné pour vous parler. Je ne peux pas vous dire quel jour. »

Puis il s'est retourné et a regagné son bureau. J'ai pensé au directeur Hadfield, et on en est restés là.

Je n'ai jamais su quel jour on était.

Comme je l'ai déjà dit, j'ai parfois des moments d'intense lucidité.

Je pense à certains événements que j'ai décrits au père Rousseau, et ils me reviennent. Parfois je ferme les yeux, et je crois furtivement entendre une voix.

Eve me parlant d'une chose ou d'une autre, Nathan riant tandis qu'il raconte une blague… ce genre de choses.

Peut-être que plus on s'approche de sa propre mort, plus on est proche des morts.

Ils sont bien quelque part, non ?

Peut-être qu'ils nous attendent, et qu'en attendant ils discutent, et que si on écoute, si on écoute vraiment, on peut percevoir un vague écho de leurs voix.

Je ne perds pas la tête.

Parfois, je crois que mon esprit sait ce qui est sur le point d'arriver, mais que, dans sa réticence à partager avec moi ce moment de la mort, il me quitte déjà.

C'est comme s'il s'apprêtait à emporter mes souvenirs pour son voyage, et tandis qu'il les trie, tandis qu'il les plie, je les entraperçois avant qu'ils ne disparaissent pour toujours.

Merde, peut-être que je perds vraiment la boule.

À un moment, au bout de deux jours, peut-être trois, Clarence est venu me dire qu'il ne pourrait pas prendre son deuxième service de la journée.

Sa femme avait fait une chute, rien de trop grave, apparemment, mais il devait l'emmener à l'hôpital pour une radio.

J'ai acquiescé.

« Daniel ? »

J'ai regardé à travers les barreaux depuis l'endroit où j'étais assis au bord du lit.

« M. West va descendre, juste pour ces quatre heures, mais je veux que vous ne disiez rien qui puisse le contrarier ou le mettre en colère, vous me comprenez ? »

Sur ce, mon pouls a ralenti, et une sensation d'étouffement intense s'est emparée de moi. J'ai fermé les yeux et placé mon visage entre mes mains.

« Daniel ? »

J'entendais M. Timmons, mais je ne voulais pas répondre.

« Daniel… je sais que vous m'entendez. Écoutez-moi, fiston, écoutez-moi bien. M. West ne fera rien. S'il vous dit quelque chose, à vous de juger si vous devez répondre ou non. Il n'entrera pas dans la cellule, mais il vous provoquera peut-être, il essaiera peut-être de vous agacer, mais n'y prêtez pas attention… Il ne sera ici que quelques heures, et après il repartira, d'accord ? »

Je n'ai pas répondu.

« Je sais que vous m'avez entendu, Daniel, alors je ne vais pas me répéter… mais suivez mon conseil. »

Je me suis allongé.

J'ai tiré le fin oreiller de sous ma tête et l'ai placé sur mon visage.

Si j'en avais eu l'énergie, j'aurais pleuré.

J'ai su quand il est arrivé.

J'ai senti la lumière s'estomper.

Une sensation l'accompagnait toujours, l'impression de quelque chose de sombre et d'angulaire, de facettes mal ajustées qui n'allaient pas ensemble sans grincer.

J'ai retenu mon souffle.

« Monsieur Ford, a-t-il dit, d'une voix qui était presque un murmure. Comment ça va, là-dedans, fils ? »

Je n'ai rien répondu.

J'étais assis au bord de mon lit, tête baissée, yeux clos.

J'ai entendu la porte extérieure se refermer en claquant, produisant un écho infini.

« J'imagine que tu dois te sentir un peu seul, ici, Ford... que tu aimerais un peu de compagnie, un peu de conversation, pas vrai ? »

Une fois encore, je n'ai pas répondu.

« Hé ! Enculé ! Regarde-moi quand je te parle ! Regarde-moi maintenant ou j'entre et je te colle la branlée de ta putain de vie ! »

J'ai levé la tête et ouvert les yeux.

M. West me fusillait du regard à travers les barreaux.

Son visage était rouge comme une betterave, ses yeux écarquillés, frénétiques, comme s'il était possédé, et quand il a vu que je le regardais, il a souri et s'est tenu bien droit.

« C'est mieux, a-t-il déclaré d'une voix qui était de nouveau un murmure. Bon, parlons de ce qui va t'arriver, mon pote. Ça te va ? Ça te dérange pas d'avoir une petite discussion sur les quelques jours à venir, pas vrai ? »

Il a acquiescé.

« Bien, parfait, c'est ce qu'on va faire. Alors, vers cinq heures, dimanche matin, ils viendront ici et ils te raseront de nouveau la tête. Ils font ça pour le contact. Il faut que le courant passe bien, tu vois, et puis s'ils te rasent pas la tête, tes cheveux prendront probablement feu, et après ça puera comme pas possible. Ils te demanderont si tu veux un calmant avant de t'emmener dans la salle de procédure. »

Il a éclaté de rire.

« Peu importe ce que tu répondras, mon gars, parce qu'ils donnent pas de calmant, juste du putain de glucose, ou une solution saline, ou je sais pas quoi. Pourquoi ils voudraient que tu souffres moins, hein ? T'es un assassin, un putain de meurtrier, œil pour œil et tout le tintouin, pas vrai ? Alors pourquoi ils voudraient t'épargner un peu de douleur ? Merde, mon gars, tu vas jongler. J'ai entendu dire que c'étaient des minutes de torture, la douleur la plus atroce qu'on puisse imaginer... et parfois une seule décharge suffit pas. Parfois, ils doivent envoyer la sauce trois ou quatre fois pour que le cœur s'arrête. Les vieux, bien sûr, pas de problème, on pourrait les tuer en les branchant directement à la prise murale... mais un jeune type en bonne santé comme toi, avec un cœur solide, fort comme un cheval, bon Dieu, ça m'étonnerait pas qu'ils soient obligés de te faire griller pendant vingt ou trente minutes. »

Il a de nouveau éclaté de rire.

Je faisais tout mon possible pour ne rien ressentir, ne pas entendre sa voix, mais j'avais beau essayer, plus je tentais de me protéger, plus je devenais faible.

« Ils disent des trucs comme quoi c'est humain, comme quoi la mort est instantanée... c'est de la connerie, fiston, de la pure connerie à cent pour cent. C'est *conçu* pour faire mal, c'est conçu pour que t'aies l'impression que ta cervelle va exploser et tout éclabousser… voilà comment c'est censé être. Et y a des gens qui viendront, ils voudront te voir hurler, et te tortiller, et battre des pieds, et voir ta tête se balancer d'avant en arrière comme si elle était montée sur ressort… et ils vont adorer, mon vieux, ils vont adorer chaque seconde. »

J'ai essayé de m'échapper en imagination.

Je me tiens au bord du lac Marion.

Je sens l'odeur de la brise.

J'entends la voix de ma mère.

Elle nous appelle pour le dîner.

Elle nous appelle tous les deux.

Je me tourne et vois Nathan qui se tient à ma droite.

Il est petit.

C'est un enfant.

« Va y avoir des journalistes, des gens du service pénitentiaire, les parents du nègre… »

J'ai dû avoir une réaction.

« Oh, oui, ils seront là. Tu le savais pas ? Tu savais pas que cet abruti de pasteur nègre et sa grosse bonne femme seraient là ? Personne te l'a dit ? Bon Dieu, c'est une putain de surprise, pas vrai ? Merde, mon gars, ça fait des mois qu'ils ont réservé leur billet… ils voulaient une place au premier rang… ils voulaient être aux premières loges pour assister à ta dernière petite danse. »

Je me redresse.

Je me penche vers la fenêtre.

Je vois Caroline Lanafeuille longer l'allée depuis ma maison en direction de la route.

Elle se retourne en arrivant au bout, elle se retourne et lève les yeux vers moi, elle sourit, me souffle un baiser, et elle me dit qu'elle m'aime...

« Tous les gens qui comptent seront là, fils... Tu es la grande attraction, le truc qu'il faut pas manquer... »

Quelque part, quelque chose a bougé.

Ou est-ce mon imagination ?

« Pour sûr, ça fait un bout de temps qu'on n'a pas grillé quelqu'un ici, à Sumter, et on veut pas que quiconque manque ça, pas vrai ? »

La Floride.

Le soleil est chaud.

Mes mains sont couvertes de poisson.

Nathan s'amuse de quelque chose.

Je ris aussi, mais je ne sais pas pourquoi... et ça n'a aucune importance... rien au monde n'a d'importance... tout va bien se passer... oui, tout va bien se passer...

« Tu m'écoutes, Ford ? »

M. West a fait un pas en avant et m'a regardé de près à travers les barreaux.

J'ai senti quelque chose monter en moi, comme une contraction, quelque chose qui me disait que je n'avais vraiment rien à perdre...

« Écoute-moi bien, espèce de petite merde à la con. Écoute ce que je dis, parce que c'est de la fin de ta vie pathétique qu'on est en train de causer. »

Je sens une vague en moi, une vague de haine et de colère, un désir intense de démolir quelque chose, de démolir *quelqu'un...*

« Je crois qu'y a pas vraiment grand-chose à dire... trente-six ans, c'est ça ? Trente-six ans à te traîner sans rien faire d'utile. J'ai raison, pas vrai ? »

La vague enfle, elle va déferler, s'abattre sur le rivage et balayer la plage, et je l'entends, je l'entends dans ma tête, j'entends le bruit de cette vague qui emplit mes oreilles, qui emplit tout mon corps...

« Et maintenant, tu vas te faire griller lundi pour la seule chose valable que t'aies jamais faite... la seule chose que t'aies faite qui valait quelque chose, hein, Ford ? Parce que t'as tué un putain de nègre à la con. »

J'ai traversé le court espace qui me séparait des barreaux plus vite que je ne l'aurais cru possible.

Mais M. West anticipe tout, il savait jusqu'où aller, il savait que je craquerais, il m'a vu venir comme si j'approchais au ralenti.

Alors même que j'atteignais les barreaux, sa main est passée à travers et a agrippé l'arrière de ma tête, tirant mon visage vers lui d'un mouvement soudain.

De son autre main, il a attrapé ma chemise au niveau de ma taille. J'étais coincé contre le métal froid. C'était comme s'il essayait de me faire passer dans l'espace de dix centimètres qui séparait les barreaux.

Je sentais son souffle sur mon visage.

Il était froid.

Totalement dénué de chaleur.

Et je n'entendais que le son de sa voix.

« T'es foutu, Ford. Complètement foutu, et tu peux être sûr que personne n'a rien à branler de toi et de ta petite vie pathétique. Ta vie vaut rien… moins que rien, et pour ce qui me concerne, ils auraient simplement dû te balancer du haut du bloc D dans la cour et économiser le coût de cette putain d'électricité… »

Je sentais la pression de ses poings contre le milieu de mon corps.

« Ta vie n'a *jamais* rien valu, a-t-il repris d'une voix sifflante. T'étais juste là, t'aurais pu être n'importe qui… absolument n'importe qui. Toi et ton crétin de copain nègre, à fréquenter des gens qu'auraient même pas dû vous pisser dessus si vous aviez été en feu. »

Mes yeux étaient écarquillés.

Je pensais à Robert Schembri, à ce qu'il avait dit sur West et Goldbourne.

West a lu dans mes pensées.

« T'as compris, hein ? Tu t'es fait baiser, tellement baiser que tu vas en crever. »

Il a souri avec une expression de plaisir qui venait du fond du cœur.

Ses mains m'ont soudain lâché, et je suis tombé en arrière, ma tête manquant le bord du lit de seulement quelques centimètres.

Pendant quelques secondes, je n'ai pas vu ce qui se passait.

Il y a eu un silence, qui a semblé infini, puis ce silence a été troublé par des vagues rouges et grises, et quelque chose de turquoise a semblé surgir sans un bruit à l'horizon de ma conscience.

J'ai cru entendre des bruits de pas. Une porte a claqué. Pendant un moment, il n'y a plus rien eu.

Puis une voix a retenti.

Bougez pas, fiston, j'ai appelé quelqu'un pour vous aider.

Je n'ai pas bougé.

Je suis resté exactement où j'étais.

Un peu plus tard, j'ai senti que quelqu'un m'aidait à me relever puis m'étendait sur le lit, et pendant un moment, il y a eu un murmure de voix à peine perceptibles.

Je n'entendais pas ce qu'elles disaient.

Je me foutais de ce qu'elles disaient.

J'ai fermé les yeux.

34

« **V**ous voulez prier avec moi, fiston ? »
Je me suis retourné en entendant la voix de Clarence Timmons.

Il était assis de l'autre côté des barreaux, il avait approché une chaise et me regardait tandis que j'étais allongé sur le lit.

Il a souri.

« J'ai appris que vous aviez eu des soucis avec West. Je suis désolé, Daniel, désolé de ne pas avoir été là. Je devais emmener ma femme… et si ça peut vous consoler, elle n'a rien de grave. »

Non. Ça ne me consolait aucunement.

J'ai bougé la tête et tenté de sourire quand même.

« Je sais que c'est dur, Daniel… »

Mon cul que tu le sais.

« … mais je veux que vous sachiez qu'il y a des gens qui croient en la bonté inhérente des hommes, et qu'il y a un endroit meilleur à la fin. Alors, priez un peu avec moi, d'accord ? »

Je n'ai pas répondu ; je me suis retourné et j'ai regardé le mur derrière moi. Le côté de mon visage était contusionné et gonflé. Ma langue semblait trop grosse pour ma bouche.

« Notre Père qui es aux cieux… »

L'enfer est dans mon cerveau.

« Que ton règne vienne… »

Ma volonté est partie.

« … sur la terre comme au ciel. Donne-nous aujourd'hui… »

Le jour de notre mort.

« … pardonne-nous nos offenses… »

Comme tu fous la paix à ceux qui nous ont offensés.

Et que tu les laisses arpenter la surface de la terre pendant que tu tues les innocents, les solitaires, les faibles, les sans-défense, espèce de fils de pute tout-puissant.

« Taisez-vous ! Fermez-la ! Laissez-moi tranquille, nom de Dieu ! »

Je me suis mis à pleurer.

M. Timmons n'a pas dit un mot.

Il s'est levé de sa chaise, l'a soulevée en silence et a regagné son bureau au bout du couloir.

Il n'a plus prié avec moi.

Plus tard, on m'a apporté à manger.

La nourriture était meilleure ici.

Pourquoi ?

Ils voulaient vous rappeler ce que vous alliez manquer ? Ils voulaient être bien sûrs que vous garderiez toutes vos forces ? Ou avaient-ils simplement pitié de vous ?

Aucune idée.

Aucune idée et rien à foutre.

J'ai mangé.

Tout ce qu'il y avait.

Puis j'ai fumé cigarette sur cigarette, même si je savais que Clarence Timmons ne fumait pas et que ça l'incommoderait.

Rien à foutre de lui.

Et de ses prières.

Rien à foutre de rien.

J'ai dormi, je ne sais pas combien de temps, mais à mon réveil Clarence Timmons était parti et Frank Tilley était là.

Je voulais lui demander quel jour on était, et l'heure aussi, mais je ne l'ai pas fait.

Parce que j'ai décidé que je ne voulais pas savoir. De la sorte, je pouvais faire comme s'il me restait une semaine, ou six jours, ou cinq. Je savais qu'il m'en restait moins. Mais je ne voulais pas savoir combien.

J'ai pensé à John Rousseau.

J'ai demandé à Frank où il était.

« Je ne sais pas, fiston… je ne suis pas au courant de ses allées et venues. Pourquoi ? »

Je lui ai expliqué que le père John Rousseau et moi avions passé de nombreuses heures ensemble durant plusieurs semaines, qu'il avait dit qu'il me reverrait le 27 octobre, que lui parler me manquait.

Frank Tilley a arboré une expression résignée, et il a dit : « Le fait qu'il soit prêtre, Daniel, ne signifie pas qu'il soit plus fiable qu'un autre. Vous ne devriez pas trop compter sur lui, vous savez ? S'il vient, il vient, s'il ne vient pas, il ne vient pas. »

Il a attendu que je réponde.

Je ne l'ai pas fait. J'avais déjà accepté le fait que je ne reverrais jamais Rousseau. S'il était un représentant de Dieu, alors soit Dieu devait mieux choisir ses employés, soit Dieu était de mèche et ça le faisait rigoler.

J'ai laissé tomber, essayé en vain de dormir, et suis resté un moment allongé à regarder le plafond en me demandant si le lendemain serait le jour de ma mort.

Ils sont arrivés un peu plus tard, deux hommes en blouse blanche. Ils avaient un rasoir électrique, une serviette, un bol en plastique à moitié rempli d'eau. Ils ont posé le bol par terre à l'extérieur de la cellule, et le premier, le plus grand, m'a regardé à travers les barreaux.

« Je dois vous raser la tête, a-t-il annoncé. Je sais que c'est débile, je sais que c'est un sale moment, mais je dois tout de même entrer et vous raser la tête. Soit vous coopérez et c'est plié en cinq minutes, soit on appelle un médecin qui vous plantera un tranquillisant dans le cul et vous tomberez comme une masse... Qu'est-ce que vous préférez ?

— Je coopère.

— Parfait », a répondu l'homme, et il a fait signe à Frank Tilley de venir ouvrir la porte.

Mes cheveux étaient déjà courts, plus courts qu'ils ne l'avaient jamais été, et quand ils ont passé l'appareil sur ma tête, j'ai senti mon crâne vibrer. Ce n'était pas une sensation déplaisante, même si je n'oubliais pas pourquoi on me faisait ça.

Pour que le courant passe bien.

Quand ils sont repartis, je me suis assis au bord de mon lit avec les mains sur la tête, et je me suis aperçu que la dernière fois que je n'avais pas eu de cheveux, c'était à ma naissance.

Repars comme tu es arrivé.

N'apporte rien avec toi, n'emporte rien.

Après ça, je n'ai pas mangé, mais j'ai vomi sur le plateau-repas.

La fois suivante où je l'ai vu, j'ai demandé à Clarence Timmons : « Pas de nouvelles de Rousseau ? »

Il a fait non de la tête.

J'ai murmuré : « L'enfoiré. »

Un peu plus tard, Clarence m'a posé quelques questions.

Il y a quelqu'un que vous voulez appeler ?

Non.

Quelqu'un à prévenir ?

Non, personne.

Et vos... vos restes, Daniel... vous comprenez qu'une crémation aura lieu, et que les cendres seront enterrées ici, dans l'enceinte du pénitencier ?

Balancez-les aux chiottes, monsieur Timmons... vous feriez aussi bien de les balancer aux chiottes.

Nous avons parlé de prescience, de prémonitions, d'augures et de présages, de motifs dans le sable et les vagues, et de la façon dont la Lune tourne la moitié de sa face vers vous et vous prédit l'avenir. Il y a des rêves et des cauchemars, les lignes de la main et les rides du visage, les décolorations des yeux et les feuilles de thé au fond de votre tasse quand on a bu la dernière goutte. Il y a les devins, les télépathes et les diseurs de bonne aventure, et la septième fille de la septième fille d'une lignée tzigane qui remonte à un temps ancestral.

Il y a toutes ces choses.

Et puis il y a l'intuition.

L'instinct.

Tout ça me dit que je *vais* mourir. Je n'ai jamais été aussi certain d'une chose. Et je n'ai jamais été plus incertain de ce qui arrive ensuite.

Qu'est-ce qu'il y a de l'autre côté ?

Qu'est-ce qui vient *après* ?

Les murs sont nus. Il n'y a aucune décoration. Sur ces murs, je vois toutes les images de ma vie. Tout ce qui s'est passé avant.

Parfois, je sens une odeur familière, et je m'aperçois que c'est ma propre odeur. L'odeur de mon corps. De mon *être* physique. Je suis la seule personne dont je ne me sois jamais éloigné. Et je pense aux choses que j'aurais dû dire et faire. Comme mon père me l'a dit un jour : *Les gens ne regrettent jamais vraiment ce qu'ils ont fait, seulement ce qu'ils n'ont pas fait.*

Je n'ai rien dit.

Rien dit à Linny Goldbourne – à cause de ma jalousie, de ma fierté, de ma vanité et de mon intransigeance. Et elle s'est retrouvée perdue dans le système, un peu comme moi. Sauf que l'État ne la tuerait pas, du moins pas physiquement.

Je n'ai rien dit à Nathan.

Et il a été assassiné.

Alors, suis-je censé mourir moi aussi ?

Le père John Rousseau se serait empressé d'invoquer l'équilibre universel des choses, n'est-ce pas ?

S'il était ici.

Mais il n'y est pas.

L'enfoiré.

Bizarrement, j'ai su.

J'ai *su* que le moment était venu.

J'étais en train de dormir, et je me suis réveillé en sursaut.

Et j'ai *su*.

Une semaine s'était écoulée.

Si vite.

Comme un souffle.

Comme un battement de cœur.

J'étais allongé sur le flanc face au mur, et j'ai entendu du bruit derrière moi, et aussi d'autres sons. Comme des sons intérieurs. Des sons souterrains.

Quelque part, j'ai entendu un enfant rire, et je me suis aperçu que c'était... *moi, debout dans l'allée en train de regarder un chien pourchasser un chat, et le chien était si gros, et le chat si rapide qu'il semblait se moquer du chien parce qu'une bête aussi grosse ne le rattraperait jamais...*

J'ai souri.

J'avais les larmes aux yeux.

« Ford ? »

C'était la voix de M. West.

Il venait me chercher. C'était ma justice parfaite.

Je n'ai pas bougé.

Je n'osais pas respirer.

Fais le mort et ils te laisseront tranquille.

« Ford... faut que tu te lèves, petit enculé. »

Puis, avec une infinie satisfaction dans la voix : « C'est ta grande heure, petit connard... »

J'ai entendu la clé dans la serrure.

« Assieds-toi, reste immobile, bouge pas tant que je te l'ai pas dit. »

J'ai commencé à me retourner et j'ai senti ses mains sous mes bras, sous mes épaules. Il me soulevait comme un animal mort. Il m'a traîné jusqu'au bord du lit, puis il m'a enchaîné les pieds, a passé la ceinture autour de ma taille, placé mes poignets dans les menottes, et il m'a fait me lever...

Et alors, nous avons marché.

Je pleurais.

Je le sais.

Nous sommes sortis de la cellule et avons marché jusqu'au bout du couloir. Nous avons marqué une pause pendant qu'on déverrouillait la porte, puis nous nous sommes remis en mouvement... et quelque part au fond de moi je me suis abandonné à une force extérieure, à une puissance extérieure, et j'ai espéré que Dieu existait, j'ai essayé de croire...

C'est si difficile de croire.

J'ai demandé un signe.

J'étais un poids mort.

De la viande morte.

Chaque pas m'était pénible, impossible, et dès que je ralentissais, M. West était là derrière moi, me poussant du bras, de la main, pour me faire avancer...

Et chaque pas semblait contenir mille battements de cœur, chaque battement de cœur mille souvenirs, chaque souvenir mille raisons de ne pas vouloir mourir...

« Monsieur West... monsieur West, je ne veux pas mourir... »

J'entendais ma voix lointaine.

J'étais à un kilomètre de là, plus loin encore.

« Monsieur West...

— Trop tard pour ça, connard... trop tard. »

Je l'entendais.

J'entendais tout.

J'entendais mon cœur et j'avais l'impression qu'il allait s'arrêter de battre d'une seconde à l'autre.

M. West était désormais à côté de moi. Il a désigné la droite.

« Par là », a-t-il dit.

Je l'ai regardé. Il avait un visage sans expression, implacable.

Nous avons franchi une deuxième, une troisième porte, puis avons descendu un escalier.

J'avais le sentiment que nous nous dirigions vers l'arrière du bloc D.

Je crois me rappeler avoir demandé : *Encore combien de temps ?*

Ou peut-être l'ai-je simplement pensé.

Car M. West s'est tourné vers moi, mais il n'a rien dit.

Mon cœur bondissait dans ma poitrine, mon pouls s'emballait. Mes mains, mes jambes, tout mon corps était couvert de rivières de sueur, et pourtant j'étais glacé jusqu'aux os.

Nous avons franchi une porte au bas de l'escalier, et la lumière est devenue étincelante.

J'ai été étourdi une seconde, aveuglé, et alors que j'essayais en vain de lever instinctivement les mains, alors que j'essayais de me retourner pour voir où j'étais, j'ai entendu un bruit de moteur de voiture.

Je me suis tourné sur la droite, et j'ai su à cet instant que la fin approchait.

Le directeur Hadfield se tenait immobile, les mains repliées l'une dans l'autre comme un origami devant lui.

Son visage était calme, presque dénué d'expression, mais il y avait quelque chose dans ses yeux, comme de la chaleur… *C'est bon, Daniel*, a-t-il prononcé en silence.

Je *savais* qu'il n'était pas là. Je savais sans le moindre doute que mon esprit avait largué les amarres et qu'il se jouait de moi, mêlant le présent aux souvenirs passés. Je savais que j'hallucinais, car à côté de lui se tenait le père Rousseau, qui souriait d'un air compréhensif, et à côté du père Rousseau il y avait Caroline… Caroline Lanafeuille… et j'ai songé qu'elle était peut-être mon ange gardien, envoyée ici pour me guider hors de ce sinistre endroit…

Du regard, j'ai cherché Nathan, ma mère et mon père. J'ai cherché Eve Chantry et Larry James, les garçons qui étaient devenus des hommes dans quelque champ désolé et détrempé d'un pays dont nous n'avions jamais entendu parler…

Mais ils n'étaient pas là, aucun d'entre eux… et pourtant j'aurais tant voulu voir quelqu'un avec qui j'aurais pu partager ce que je ressentais.

J'aurais voulu dire quelque chose, mais M. West m'a entraîné en avant, promptement, précisément, sans effort, vers ma mort.

Mes genoux se sont défilés sous moi.

« Daniel. »

Une autre voix.

M. Timmons.

Sa main sous mon bras, me retenant.

Une autre main sur mon épaule, quelqu'un qui me guidait. Puis on m'a dit de baisser la tête. Je les ai sentis qui me soutenaient, et je me suis retrouvé assis sans savoir ni où ni pourquoi.

J'ai crié : « Monsieur Timmons ! Monsieur Timmons ! »

Ma voix était celle d'un enfant terrifié et désespéré.

« Du calme, Ford », a lancé M. West.

J'ai entendu Clarence Timmons demander :

« Vous lui avez dit ? Vous lui avez dit où il allait ?

— Bien sûr, a répondu M. West. Bien sûr que je lui ai dit.

— Me dire quoi ? ai-je demandé d'une voix âpre. Me dire quoi ? »

Une portière a claqué.

J'étais dans un véhicule.

La lumière vive provenait des fenêtres tout en haut du mur.

J'étais assis à l'arrière d'une voiture.

La voiture avançait.

M. West était assis face à moi. Il souriait. Il souriait comme je n'avais jamais vu personne sourire.

« Le moment est venu, petit homme, a-t-il murmuré. Arrangement spécial pour toi, fils, arrangement très spécial. Petit problème avec les générateurs ici, alors on t'emmène ailleurs pour finir le boulot. Ça prendra pas longtemps, vingt, trente minutes avant d'arriver... et ça nous laisse un peu plus de temps pour causer, t'en dis quoi ? »

Je crois que j'ai pissé dans mon froc.

« Tu fais plus ton malin, maintenant, hein, gamin ? » a lâché West d'une voix sifflante.

Il s'est penché en avant et m'a agrippé la gorge de sa main droite. Il s'est penché encore plus près, et quand il a parlé, j'ai senti la moiteur de ses paroles sur ma peau. Il y avait une odeur, une odeur fétide de pourriture, comme la puanteur ancestrale qu'exhalaient les marécages de Floride les plus profonds.

« Tu crois que ça va être plus facile à partir de maintenant ? Tu crois que tu vas faire une petite balade puis qu'ils vont te brancher et que ce sera réglé ? Moi, je crois pas. T'as aucune idée de ce que tu vas souffrir, absolument aucune idée. Personne sait à quel point ça fait mal... merde, on n'a jamais eu l'opportunité de demander à qui que ce soit, pas vrai ? »

West a lâché son rire gras.

Il a dit d'autres choses – des choses sombres et hideuses –, et quelque part parmi les battements de mon cœur, parmi le grondement du véhicule et les vibrations du moteur, je crois que ma conscience m'a échappé.

J'ai vu le visage de Caroline.

On devrait... tu sais, on devrait... avant que je parte...

Et alors son visage est devenu un motif sur les ailes d'un papillon de nuit, puis il y a eu une flamme, une brève explosion de couleurs.

... et les papillons de nuit sont attirés par la lumière car ils veulent être vus, ils veulent que leur propre beauté magique soit reconnue.

J'ai entendu la voix de ma mère qui m'appelait en bas de l'escalier.

Dan-ny ! Dan-ny ! Daaaan-ny !

J'ai alors eu la sensation de tomber à la renverse, à la renverse au ralenti.

J'ai senti une douleur vive dans mon flanc.

J'ai ouvert les yeux.

« Reprends tes esprits, tête de con, a sifflé M. West. Tu vas pas tomber dans les pommes maintenant, connard ! »

J'ai refermé les yeux, impossible de m'en empêcher.

J'avais l'impression d'être avalé par une chose sombre et froide.

J'ai vu Eve Chantry.

... du coup, elle y est allée seule, elle est partie sur le lac dans ce petit bateau un matin...

Une nouvelle douleur dans mon flanc, plus vive, plus dure, et M. West m'a giflé violemment.

« Qu'est-ce qu... »

Il m'a de nouveau serré la gorge. Son visage était tout contre le mien. Plus près que je ne l'aurais cru possible.

« Qu'est-ce qu'il y a ? C'est ça que t'allais dire ? Qu'est-ce qu'il y a ? C'est tout ce que tu trouves à dire dans les dernières minutes de ta minable vie de merde ? Je vais te dire ce qu'il y a, Ford. Je vais te dire la vérité, ici et maintenant. On va arriver quelque part très bientôt, et puis on va t'emmener dans un long couloir, un couloir qui s'étirera à n'en plus finir... et vers le milieu de ce couloir, tu comprendras qu'il y a pas de retour en arrière... et c'est là que tu commenceras à craquer pour de bon. Il paraît qu'on perd le contrôle de ses muscles, qu'on peut plus marcher normalement, qu'on se pisse dessus... »

Je ne l'entends pas.

Je me revois enfant avec les doigts enfoncés dans les oreilles...

Je ne t'entends pas ! Je ne t'entends pas !

Je sentais son souffle, froid et humide, sur mon visage. J'avais l'impression qu'il gelait sur ma peau.

Des images se ruaient vers moi comme dans un kaléidoscope.

Serpent Mike... est-ce que le Viêt-công, c'est comme King Kong ?

Mon souffle était court et saccadé tandis qu'il m'agrippait la gorge... comme s'il voulait que ses doigts rencontrent ma jugulaire.

Le visage de Nathan !

Nathan disait quelque chose.

Coupable... Bon Dieu de bois, allez chercher une corde !

« ... t'as l'impression que ta langue est gonflée dans ta bouche, qu'elle est gonflée et qu'elle t'étouffe... et tu voudrais crever sur place parce que n'importe quoi doit valoir mieux que se faire griller vif, que bouillir dans son sang et ses fluides corporels, tu crois pas ? »

J'ai fermé les yeux.

M. West m'a giflé une fois de plus.

« Réveille-toi, espèce de connard ! Réveille-toi ! »

J'ai essayé d'ouvrir les yeux. Impossible.

J'imaginais que John Rousseau était assis face à moi.

Je crois qu'il y a toujours des chiens soldats cheyennes dans l'Oxbow... je crois qu'Elvis est bien vivant... je crois que l'homme n'a jamais vraiment marché sur la Lune...

Je sentais les doigts de M. West s'enfoncer dans mes paupières pour me forcer à le regarder... et je l'ai fait... j'ai ouvert les yeux et je l'ai fixé. Ses yeux étaient noirs, sans âme.

Comme ceux du cerf que j'avais vu dans le virage près de la maison d'Eve Chantry, il y avait un million et demi de vies de ça.

C'est le papillon de nuit.

Un sacré truc, monsieur Ford.

J'entendais la voix de Jack Chantry tandis qu'il titubait au bord du lac, portant le corps sans vie de sa fille...

C'était comme si on avait arraché son âme à son corps.
Un sacré truc, madame Chantry.

J'entendais l'obscurité approcher. Noire et grise, ponctuée de vagues écarlates, accompagnée d'un bruit semblable à une tempête surgissant de nulle part…

Puis ça a été le néant.

On m'a tiré de la voiture.

J'ai entendu la voix de Clarence Timmons. Il parlait à M. West.

« Vous lui avez dit où nous allons et pourquoi ?

— Bien sûr que je lui ai dit, a répondu sèchement M. West. Je vous l'ai déjà dit. »

Clarence Timmons s'est approché. Il avait une expression compatissante et compréhensive. Il a tendu la main vers moi et m'a aidé à me tenir debout. Puis il m'a aidé à marcher, lentement, prudemment, et soudain nous avons pénétré dans un couloir haut de plafond.

J'ignorais où j'étais, et alors même que je me tournais pour poser une question, demander quelque chose, *n'importe quoi*, M. Timmons a souri, hoché la tête, et a fait signe d'avancer.

Pourquoi souriait-il ?

Se réjouissait-il de ne plus avoir à me parler ?

M'en voulait-il parce que je n'avais pas prié avec lui, parce que j'avais montré mon absence de foi, mon impiété, et avais ainsi prouvé que je méritais de mourir ?

J'ai de nouveau essayé de parler, mais mes lèvres étaient collées l'une à l'autre.

J'ai avancé en titubant, j'ai perdu à un moment l'équilibre, mais il y avait des mains pour me rattraper, tant de mains…

comme si personne ne voulait que je craque maintenant, que je craque au moment le plus important de ma vie.

Le moment de ma mort.

Tandis que j'avançais, chancelant, à bout de souffle, désorienté, je les voyais me plaquant sur la surface froide et dure de la chaise, je m'imaginais les électrodes qu'ils colleraient sur mon cuir chevelu, l'odeur du tissu quand ils me placeraient une cagoule noire sur la tête...

Pour que ta tête n'explose pas sur ton torse et que les gens ne soient pas trop choqués...

Et puis l'attente.

Les secondes devenant des minutes.

Les minutes devenant des heures.

Quelque part, le tic-tac d'une horloge.

Personne n'osant bouger de crainte de rompre l'effroyable et fébrile tension.

Une goutte de sueur froide s'échappant de mon front et coulant le long de mon nez.

Cette sensation... peut-être la dernière que j'éprouverais.

Jusqu'à ce qu'arrive la douleur.

Comme la foudre.

Comme le feu traversant mon corps.

Comme un couteau si immense qu'il peut vous transpercer le crâne et perforer votre charpente jusqu'à ce que vous y soyez suspendu comme une marionnette.

Et vous voudriez mourir suffoqué pendant que vos entrailles remontent violemment en vous dans une tentative vaine d'échapper à la déferlante de souffrance...

Et les hurlements...

Et ne plus rien entendre...

Car les bruits sont dans votre tête.

Car vous êtes déjà mort, mais personne ne le sait, et ils continuent de faire tourner ce générateur pendant que les lumières faiblissent... et à l'extérieur les manifestants anti-peine de mort attendent, écoutent et comprennent qu'une fois de plus leur venue n'a servi à rien...

Car Daniel Ford est mort.

Plus mort qu'Elvis.

J'ai alors abandonné.

À l'instant où nous avons atteint le bout du couloir, j'ai abandonné.

Je me suis résigné à mon destin et à la volonté de Dieu.

Nous avons franchi une porte. Nous l'avons franchie comme on émerge d'un océan, cherchant notre souffle. La terreur était comme un poing brûlant en moi, un poing qui serrait mon cœur et menaçait d'en presser la moindre goutte de sang entre ses doigts.

Mes jambes ne fonctionnaient plus. Rien ne fonctionnait. Mes muscles étaient comme de la gelée, mes bras comme des élastiques usés, inertes et sans vie.

J'ai fermé les yeux. Je ne voulais pas voir la salle de procédure devant moi, les portes d'acier, les hublots, la chaise où aucun vœu de dernière minute ne viendrait me sauver. Les hommes patients au visage de marbre à qui Dieu avait confié la tâche de me brûler vif. Estimant qu'il fallait bien que la lettre de la loi soit respectée pour que je me retrouve ici, ils se reposeraient sur leur certitude que ce que disait la Bible était bien la parole de Dieu. Œil pour œil...

Une odeur a empli mes narines. Elle était reconnaissable entre mille. Je n'aurais pas pu la décrire, mais elle était là – parfaitement réelle. Une odeur de poussière sur des livres, de plancher et de plafond voûté, l'odeur d'un million d'années de précédents.

Nous avons franchi la porte, et deux agents sont apparus, un de chaque côté de moi, pour me soutenir tandis que j'avançais en chancelant dans une allée qui séparait deux rangées de chaises.

Est-ce ici qu'ils vont s'asseoir ? Est-ce ici que la mère et le père de Nathan vont s'asseoir pour assister au spectacle ?

Je voyais mes pieds qui semblaient se traîner sur le sol, chaque pas exigeant un effort surhumain. Je les regardais car je ne pouvais pas lever les yeux... je ne pouvais pas supporter l'idée de ce qui allait arriver, conscient que maintenant – maintenant enfin – il n'y avait plus rien à faire...

Avec ma combinaison orange vif, mes mains et mes pieds enchaînés, ma tête rasée, j'avais l'impression d'être un clown dément.

On m'a presque porté sur les derniers mètres, puis on m'a ordonné de m'asseoir.

J'ai serré fort les yeux.

J'ai ouvert la bouche pour hurler, mais seul du silence en est sorti.

J'attendais les mains, les électrodes, la cagoule en coton qu'ils me placeraient sur la tête...

Le bruit de respirations, la mienne et celle des autres, l'odeur de ma sueur s'échappant avant de se transformer en vapeur...

La sensation du temps s'étirant devant moi, chaque seconde devenant une minute, chaque minute devenant une heure... ma vie entière désormais comprise dans un unique battement de cœur explosif qui signifierait la fin de tout ce que j'avais été, de tout ce que j'aurais pu devenir...

Oh! Dieu, oh! Dieu, oh! Dieu... pas comme ça... pas comme ça... tout sauf ça...

Une voix a retenti.

« Ouvrez les yeux, monsieur Ford. »

C'était une voix nouvelle, une voix que je n'avais jamais entendue. Je ne voulais pas obéir. Je ne voulais pas voir le visage des hommes qui m'exécuteraient.

« Ouvrez les yeux, s'il vous plaît, monsieur Ford », a répété la voix.

J'ai fait non de la tête.

« Monsieur Ford ! » a ordonné la voix, sèche et autoritaire.

Mes yeux se sont ouverts malgré eux. Je les ai maudits. J'aurais voulu être aveugle.

La lumière m'a ébloui. Étourdi. Pendant un moment, j'ai été incapable de trouver le moindre repère, puis, tandis que des couleurs et des formes émergeaient lentement, j'ai distingué une large table devant moi, et, derrière, une barre des témoins, et, la jouxtant sur la droite, une estrade surmontée d'un bureau, et sur le bureau, une carafe d'eau et un verre posé à l'envers.

Les agents de police étaient assis derrière moi.

J'ai essayé de me retourner et failli tomber tandis que mes chaînes s'entortillaient autour de mes pieds. Des gens sont alors arrivés, des voix ont résonné, un huissier en uniforme est apparu à une porte derrière l'estrade.

Je me demandais si je rêvais.

Je me demandais si j'étais déjà mort, si j'attendais le Jugement dernier.

L'huissier a feuilleté quelques paperasses devant lui.

« Que tout le monde se lève », a-t-il ordonné.

J'ai essayé d'obéir. Je me sentais nauséeux, la tête me tournait, et un des agents derrière moi s'est empressé de m'aider à me lever.

Je me suis retrouvé debout, mal à l'aise, emprunté, tel un enfant qui apprendrait à garder l'équilibre.

J'ai pensé à une petite fille noire, pas plus de cinq ou six ans, ses cheveux attachés en nattes fines avec des rubans de couleur vive au bout, comme d'étranges fleurs exotiques avec des pétales jaune soleil et une tige noire... elle marchait dans Nine Mile Road, des larmes coulant sur son visage, ouvrant de grands yeux désespérés...

Et à cet instant, je me suis demandé si ce serait ma dernière pensée... l'assassinat du roi...

« Que tout le monde se lève, a répété l'huissier. L'audience de la cour d'appel de Caroline du Sud est ouverte, présidée par l'honorable juge Thomas J. Cotton. »

Le juge est entré par la porte où était apparu l'huissier. Un homme grand, imposant, distingué, avec une allure impeccable et raffinée. Il a traversé l'arrière de l'estrade et s'est assis.

Il a levé son marteau et frappé un coup.

« Procédons vite. Il est tôt, je ne suis pas censé être ici. Qui est le premier ? »

J'ai entendu des pas derrière moi. J'ai essayé de me retourner mais n'y suis pas parvenu.

Quelqu'un est passé près de moi et a marché vers la barre des témoins.

Je l'ai regardé.

L'huissier s'est approché pour lui faire prêter serment.

L'homme a atteint la barre des témoins, puis il s'est retourné.

Et alors j'ai *su* que je rêvais.

C'était le père John.

Il ne portait pas son col.

J'ai essayé de me lever.

Un agent est apparu sur ma gauche, a posé la main sur mon bras et m'a fait rasseoir sur ma chaise.

J'entendais l'huissier lui faire prêter serment.

« Nom ?

— Frank Stroud. »

Le juge s'est tourné vers lui.

« Monsieur Stroud, a-t-il dit en souriant. C'est un plaisir de vous revoir. »

J'ai regardé le père John. Il m'a retourné mon regard. Son visage était dénué d'expression, implacable.

« Mais..., ai-je ânonné d'une voix faible et crispée. Père John... »

Le juge a adressé un signe de tête à l'un des agents et on m'a demandé une fois de plus de rester assis et de me taire.

« Bon, la matinée s'annonce meilleure que prévu, a déclaré le juge. Et bien que nous vous connaissions tous très bien, veuillez indiquer votre profession au greffier.

— Enquêteur auprès de la cour spéciale fédérale de Caroline du Sud.

— Et quelles révélations excitantes avez-vous aujourd'hui, monsieur Stroud ? J'ai cru comprendre que vous aviez un assistant qui présentera les preuves, et aussi quelques témoins.

— Oui, Votre Honneur. J'ai un assistant qui résumera dans les grandes lignes les faits de ce dossier, et trois témoins prêts à faire une déclaration. »

Mon cœur s'est arrêté de battre.

J'ai fondu en larmes.

J'ai essayé de me retourner, de voir quelqu'un – M. West, M. Timmons…

Vous lui avez dit où nous allons et pourquoi ?

J'ai senti quelqu'un derrière moi.

Encore une fois, j'ai essayé de me retourner.

Encore une fois, j'ai échoué.

Une main sur mon épaule.

J'ai senti un parfum.

« Ne bouge pas », a dit une voix.

Sa voix.

Caroline…

Une voix surgie de mille ans plus tôt… une voix qui renfermait tous mes souvenirs de Greenleaf.

Les larmes se sont mises à déferler, ruisselant sur mon visage.

J'arrivais à peine à respirer.

« Huissier, occupez-vous de l'appelant, donnez-lui un verre d'eau ou quelque chose », a ordonné le juge.

Le juge s'est de nouveau tourné vers le père John, qu'il n'arrêtait pas d'appeler Frank Stroud.

« Et vos témoins ? »

Stroud a acquiescé.

« Le sergent en retraite Karl Jackson, de la police de Greenleaf, un expert en analyses audio du bureau du FBI de Charleston, et une Mlle Linda Goldbourne. »

Et après ce nom, après que Caroline Lanafeuille s'est assise à côté de moi, je n'ai plus entendu grand-chose.

Il y avait des voix, des visages, des noms, des dates et des questions. Des questions à n'en plus finir.

Et quand Linny est arrivée, quand elle est passée à côté de moi, quand j'ai vu l'expression sur son visage – une expression de douleur, de compassion, de peur –, j'ai senti un gémissement franchir mes lèvres.

Uuuhhh...

Un gémissement semblable à celui qu'avait dû pousser Jack Chantry quand il s'était agenouillé dans la terre avec sa fille entre ses bras.

Tout m'est revenu.

Tout.

Chaque son, chaque couleur, chaque émotion et pensée, chaque espoir brisé. Tout.

Le silence régnait dans ma tête.

Je suis resté assis pendant une éternité vide.

Je ne ressentais rien.

De temps à autre, un fracas déferlait dans ma tête, comme si quelqu'un avait libéré la mer et qu'elle venait me prendre.

À un moment, j'ai cru que j'allais m'évanouir, et tandis que je basculais en avant vers la table, l'un des policiers s'est précipité derrière moi, et j'ai entendu sa voix, douce, presque réconfor-tante, qui me disait une chose dont je ne me souviens plus.

Je la sentais *à côté* de moi... ma Caroline... et je devais me retenir de me tourner vers elle... je voulais voir son visage, j'en avais tellement envie, mais je ne pouvais pas – je n'osais pas – car à cet instant j'étais persuadé que si je voyais son visage, je me réveillerais et découvrirais que tout ceci n'était qu'un rêve cruel.

D'autres personnes sont arrivées, des personnes qui disaient des choses que je ne comprenais même pas. Le temps se déroulait autour de moi, un temps empli de voix, de voix de mon passé, de noms, de moments et de souvenirs que j'avais totalement oubliés.

Et pendant tout ce temps, *elle* était là, à côté de moi.

À un moment, elle a tendu le bras et refermé sa main sur la mienne. Une sensation semblable à une décharge électrique, mais lente et douce, m'a traversé.

Il y a eu alors de l'agitation sur ma droite, et j'ai vu l'huis-sier se lever et se tourner vers le juge, qui s'est penché en avant et a déclaré :

« Il me semble, monsieur Ford, que vous ayez été la vic-time d'un complot complexe. Si les informations techniques sur votre confession enregistrée présentées par le témoin de M. Stroud, de même que les témoignages concernant les mesures prises par Richard Goldbourne pour faire interner sa fille en hôpital psychiatrique, sont exactes... eh bien, s'il s'avère que ces choses ont ne serait-ce qu'une once de véra-cité, je serais bien en peine de trouver un juge qui n'annule-rait pas cette condamnation.

Report d'exécution accordé.

Appel accordé. »

Le marteau s'est abattu.

Je me suis entendu pleurer, puis produire ce même gémissement.

Uuuhhh…

Et je crois que je me suis encore pissé dessus.

35

Quatre mois plus tard.

Le révérend Verney se tient dans le couloir de sa maison. Depuis l'endroit où il se trouve, il voit la télé dans le salon. Il voit sa femme qui la regarde.

Une jolie blonde apparaît à l'écran.

Elle tient un micro.

Derrière elle, le révérend Verney voit un pénitencier.

La jolie blonde parle.

« Suite à une nouvelle révélation aujourd'hui, la cour d'appel de l'État de Caroline du Sud a déclaré que Daniel Ford, le détenu du couloir de la mort de Sumter reconnu coupable en 1971 du meurtre de Nathan Verney, avait été jugé de façon anticonstitutionnelle et avait été la victime d'un complot prémédité. Le procureur de Caroline du Sud Robert Moriera a émis une assignation à comparaître à l'encontre de l'ancien lieutenant de la police de Greenleaf Michael Garrett, après que le témoignage du sergent en retraite Karl Jackson a révélé que Garrett était impliqué dans le complot. En échange de son témoignage, le sergent Jackson se serait vu accorder une immunité totale.

« L'enquêteur spécial Frank Stroud, un homme qui a bâti sa réputation au début des années soixante-dix, lorsqu'il a vainement tenté de poursuivre en justice le membre du Congrès Richard Goldbourne pour complicité dans l'assassinat de Robert Kennedy, a déclaré aujourd'hui qu'il était ravi de l'issue de l'appel, et a mis l'accent sur l'importance qu'il y a de revoir la question de la peine capitale et de ses conséquences en Caroline du Sud.

« L'aspect le plus étonnant de cette affaire est peut-être le cas de Linda Goldbourne, la fille de Richard Goldbourne qui, avant sa mort, était une personnalité politique importante de l'État. Des informations révélées durant la procédure d'appel ont indiqué que Linda Goldbourne avait été internée par son père à l'hôpital psychiatrique de l'État de Caroline du Sud pendant près de douze ans, soit le temps qu'a duré l'incarcération de Daniel Ford.

« Ayant été jugée mentalement inapte à témoigner durant le premier procès de Ford au début des années soixante-dix, les affaires légales et personnelles de mademoiselle Goldbourne ont été gérées exclusivement par son père. Afin de l'empêcher de se présenter à la cour ou de faire une déposition à la police, Richard Goldbourne a continuellement interdit à sa fille de recevoir le moindre visiteur hormis lui-même et quelques membres de sa famille proche. Après le décès de son père, Linda Goldbourne a été interrogée par l'enquêteur spécial Stroud, et les circonstances réelles du meurtre ont été révélées.

« Bien que le procureur Moriera ait clairement fait savoir que des condamnations étaient peu probables étant donné le décès de Richard Goldbourne, il a exprimé sa gratitude envers l'enquêteur spécial Stroud pour avoir dévoilé cette dramatique erreur judiciaire.

« Et maintenant, laissons Daniel Ford célébrer sa libération quelque part en Caroline du Sud, après douze ans d'emprisonnement et son sauvetage tout juste deux jours avant la date de son exécution. C'était Cindy Giddings pour NBC News, à vous le studio… »

Mme Verney se lève et se retourne.

Elle a les larmes aux yeux.

Elle tend les mains et son mari marche vers elle.

Il l'entoure de son énorme présence et elle enfouit son visage dans sa chemise.

« Dieu soit loué, murmure-t-il. Dieu soit loué… »

Personne ne m'a dit ce qui se passait. Le père John m'a expliqué qu'il voulait éviter de me donner de faux espoirs.

Il supposait que je serais plus disposé à parler à un prêtre qu'à un enquêteur fédéral. Alors, il a changé de métier, et il a changé de nom.

Quant à Linny Goldbourne, c'est elle qui a tout initié. Après la mort de son père, elle a parlé librement. Stroud était là pour l'écouter, de la même manière qu'il m'a écouté. Et qu'importe qu'il l'ait fait parce qu'il voulait faire tomber Richard Goldbourne par n'importe quel moyen. Le fait est qu'il l'a écoutée, et il l'a bien écoutée. Linny lui a dit qu'elle ne savait pas qui avait tué Nathan, qu'elle n'avait jamais vu ces hommes, mais qu'elle savait une chose.

Ce n'était pas moi qui l'avais assassiné.

Je suis assis dans un petit restaurant quelque part à Charleston.

Face à moi se trouve Caroline Lanafeuille.

Elle est splendide. Ses cheveux aux nuances multiples oscillent entre l'ambre, l'ocre et le jaune paille. Et elle a cette manière d'incliner la tête et de sourire à demi.

« Donc, elle va rentrer chez elle », explique-t-elle.

Mais je n'y prête guère attention. Je regarde ses lèvres bouger. Je songe que pendant une période j'ai embrassé ces lèvres. Une période qui me semble désormais remonter à une éternité. Durant une vie dont je crois désormais qu'elle n'a jamais pu être la mienne.

« Et comme sa mère est toujours en vie, et que la maison familiale suffira amplement à satisfaire ses besoins, je crois que ça ira pour Linny. Ça prendra du temps... comme pour toi, Danny. » Elle tend le bras et me saisit la main. Elle sourit. « Mais je crois que ça ira pour elle. »

Je souris. J'ai envie de pleurer, mais maintenant c'est différent.

« Merci », dis-je, pour ce qui est je crois la cent millième fois.

Elle acquiesce.

Une serveuse apparaît sur ma droite.

« Vous avez faim ? demande-t-elle.

— Je suis affamée, répond Caroline. C'est possible d'avoir des œufs et du pain de seigle grillé ? »

La fille, dont le badge indique qu'elle s'appelle Charlene, répond : *Bien sûr, on peut vous faire des œufs et du pain de seigle grillé.*

Charlene se tourne alors vers moi, elle sourit, et elle me demande ce que je veux.

Je lève les yeux vers elle. Je voudrais la prendre dans mes bras.

« Vous avez des sandwichs au jambon cuit ? »

Charlene sourit de nouveau. Elle a les dents les plus blanches que j'aie jamais vues.

« Oui, on a du jambon cuit, répond-elle. Mon chou, on a le meilleur jambon cuit de ce côté-ci de la frontière avec la Géorgie. »

J'éclate de rire.

Caroline fronce les sourcils.

Charlene se met également à rire, même si elle ne sait pas pourquoi.

Frank Stroud n'a pas perdu son boulot pour s'être fait passer pour un prêtre.

Il m'a fait croire que ça risquait d'arriver, mais il plaisantait.

Il semblait tout prendre à la légère, comme s'il n'avait même pas besoin que je le remercie.

Après l'appel, alors que mon histoire ne faisait déjà plus les gros titres, je l'ai vu à la télé. Il parlait de la corruption dans un commissariat.

Il était comme ça, manifestement. Toujours en lutte contre quelque chose.

Je ne l'oublierai jamais.

Elle a mangé ses œufs, comme elle les avait toujours mangés.

On aurait pu être chez Benny's. On aurait pu être sur la véranda, respirant l'odeur du poulet frit cuisiné par ma mère.

Je lui ai demandé pourquoi ; pourquoi était-elle venue me voir après tant d'années ?

Elle a simplement souri. Simplement souri et répondu : *Parce que...*

Je lui ai aussi demandé pourquoi elle était partie si vite, ce qu'avait fait son père pour provoquer un départ si soudain de Greenleaf, il y avait si longtemps de cela.

Elle est restée un moment silencieuse, puis elle m'a dit qu'il s'était passé à l'époque des choses qu'elle ne comprenait pas, mais qu'elle sentait que ça avait à voir avec des gens qu'il fréquentait. Il était médecin, un bon médecin, mais des gens venaient l'aider tard le soir, ou parfois au petit matin, et elle croyait que ces gens étaient liés à une autre partie de sa vie qu'il n'avait aucun désir de partager avec elle.

Elle avait songé à pousser plus loin, à découvrir la vérité, mais elle avait eu peur de chercher, peur de rouvrir une blessure qui était presque guérie.

Et alors, elle a souri une fois de plus, ri doucement, et nous n'en avons plus reparlé.

« J'aimerais te revoir, ai-je dit.

— Je comprends », a répondu Caroline.

Je me suis imperceptiblement penché en avant. Il y avait quelque chose dans son expression, quelque chose au fond de ses yeux... un mot, un son... quelque chose...

J'ai senti mon cœur se serrer fort, comme un poing d'enfant désespéré – une réaction futile.

« J'ai une vie, Daniel... »

Elle m'a regardé, peut-être même a-t-elle vu à travers moi.

Je me sentais transparent.

Je n'entendais rien que le son de mon cœur qui battait frénétiquement comme les ailes d'un papillon de nuit.

« J'ai une vie, a-t-elle répété, comme pour se convaincre elle-même. Ce qui s'est passé entre nous... nous étions des gamins, rien que des gamins... tu le sais, n'est-ce pas ? »

J'ai senti une once de désespoir dans le ton de sa voix, comme si une fois encore elle disait ça simplement pour se convaincre qu'elle avait raison.

« J'ai un boulot, a-t-elle poursuivi, et j'ai une maison, une voiture, un chien... »

Elle s'est tue et m'a regardé droit dans les yeux. Il y avait quelque chose de si direct dans son regard implacable que j'ai été momentanément troublé.

« Et un mari, a-t-elle ajouté. J'ai ma vie... »

Elle a détourné le regard. J'ai vu des larmes s'accumuler au coin de ses yeux.

« Frank est venu me voir... il m'a dit pour Linny, que son père était mort et qu'elle avait voulu témoigner sur ce qui s'était passé. Il m'a raconté qu'elle avait essayé à maintes reprises d'envoyer des messages, mais que son père avait toujours été là. Il m'a expliqué ce qu'il faisait et pourquoi... et crois-moi, je voulais croire que tu étais innocent ; pendant toutes ces années, j'ai vraiment voulu croire que tu étais innocent... et maintenant que je sais que tu l'es, j'ai l'impression d'être arrivée au bout de quelque chose... »

Elle a tendu le bras et posé sa main sur la mienne.

« Mais je ne peux plus te revoir. Tu dois avancer, Daniel, mais je ne peux pas reculer pour aller à ta rencontre, tu comprends ? »

Je ne comprenais pas, mais j'ai acquiescé comme si je comprenais, peut-être pour essayer de me convaincre que je la comprenais, me convaincre qu'elle avait raison.

« Je voulais te revoir, a-t-elle murmuré. J'ai souvent pensé à toi, mais je n'ai jamais pu me résoudre à aller te voir dans cet endroit... l'idée de ta mort... »

Elle s'est détournée, juste un moment.

« Je voulais m'assurer que tu allais bien... je voulais te dire que quoi que les gens disent, tu avais été le premier. »

J'ai levé les yeux vers elle.

Elle a souri en inclinant la tête sur le côté comme elle le faisait toujours, ses cheveux retombant au ralenti.

« Toujours le premier. Et je t'ai aimé, je t'ai aimé de la seule façon que je connaissais à l'époque... mais je dois te laisser ici pour que tu trouves ta propre voie. »

Elle a laissé le reste de ses œufs et de ses toasts.

Je l'ai regardée se lever. Je l'ai regardée se glisser de biais derrière la table. Je l'ai regardée rassembler ses affaires, tendre la main vers moi et me toucher la joue.

J'ai continué de sentir son parfum même alors que je ne la voyais plus.

Et quand j'ai entendu sa voiture, je ne me suis pas retourné, je n'ai pas regardé par la fenêtre pour la voir disparaître.

Je ne l'ai pas laissée partir ; j'étais simplement contraint par l'honneur à la libérer.

Et elle a été libérée... comme un papillon de nuit, dans cet ultime silence ténu avant que la flamme ne le consume.

Il y avait tant de questions que j'avais voulu lui poser.

Je sentais une brise pénétrer par la porte du restaurant, une brise qui semblait se concentrer autour de ma table et occuper le siège où Caroline s'était trouvée tout juste quelques instants plus tôt, et je me suis demandé si j'aurais eu le courage de poser ces questions. Elle était venue et partie si vite.

Comme autrefois.

J'ai fixé l'assiette devant moi.

Tu dois trouver ta propre voie, maintenant, Daniel...

Je me suis interrogé sur les motivations qui l'avaient poussée à venir.

... arrivée au bout de quelque chose...

Que lui avait dit Frank Stroud ?

J'ai songé que je ne le lui demanderais jamais.

J'ai songé que lui aussi m'aurait dit la même chose : que je devais trouver ma propre voie.

Alors, je l'ai laissée partir sans opposer de résistance.

Et tandis que le bruit de sa voiture s'estompait, je me suis dit que je l'avais volontairement laissée partir.

Le temps me le dirait.

Je crois que je le reverrai, mon frère.

Il se tiendra tête droite.

Et moi aussi.

Et cette fois, quand nous marcherons ensemble, nous ne prendrons pas de chemins séparés.

Nous marcherons côte à côte, comme nous l'avons toujours fait... peut-être pas physiquement, mais assurément en esprit.

Parfois, je m'interroge sur ma vie. Presque tout le monde s'accorderait à dire que je suis encore un homme jeune, un homme qui a vu douze ans de sa vie se perdre silencieusement dans l'oubli.

Parfois, j'essaie de me dire que ces douze années m'ont aidé à grandir, qu'elles ont fait partie des étapes nécessaires pour que je devienne adulte.

Je regarde les gens autour de moi – dans la rue, au centre commercial, la vie rangée de ceux qui passent leurs journées dans un bureau –, et je m'aperçois qu'ils prennent les heures, les jours et les mois pour acquis.

Une telle chose m'effraie.

Les gens m'interrogent parfois sur moi, en passant, vous savez, comme à la gare routière, ou quand ils font la queue pour quelque chose, et je souris, je parle de choses sans importance, je raconte de pieux mensonges. Pas parce que j'ai honte, car je sais, j'ai toujours su, que je n'aurais jamais pu tuer un homme. C'est pour ça que je ne suis pas allé à la guerre. Mais les gens ont des préjugés, ils ont des opinions toutes faites, et leurs propres expériences ne font qu'assombrir leurs pensées et leurs attentes. C'est comme s'ils s'attendaient au pire. Comme s'ils étaient conditionnés pour penser qu'il vaut toujours mieux croire au pire... car ainsi on est rarement pris en défaut.

La vérité, c'est que j'essaie de ne prendre personne en défaut. Mais bon, je ne m'attends pas à ce que les autres le sachent. Je suis un étranger, comme tous ceux qui passent dans la rue, et je trouve dommage que de nos jours on ne puisse pas sourire à un enfant, ou même à un adulte, sans éveiller les soupçons.

Je vais me trouver un boulot. Je n'ai jamais eu peur du travail, et il viendra à moi, mais dans l'immédiat, je vais prendre le temps de regarder de nouveau le monde. D'essayer de le voir tel qu'il est réellement. J'ai oublié comment il était, et je me retrouve dans une position où je dois tout réapprendre. Il y a une certaine magie dans ce processus, c'est comme un aveugle recouvrant la vue, un sourd recouvrant l'ouïe, mais il est également douloureux d'observer que si nous avons avancé à bien des égards, nous avons aussi reculé.

La maison dans laquelle j'ai grandi est toujours là. Elle est humide. Les fenêtres sont brisées. La porte-écran tient à peine sur ses gonds et pendouille au-dessus des marches comme un ivrogne. Quand on se tient sur ces marches, on sent que le poids de la bâtisse menace sa structure même.

Mais j'y suis tout de même allé.

J'ai pénétré à l'intérieur.

J'étais seul. La maison était aussi silencieuse qu'un cimetière, et une fois à l'intérieur, j'ai avancé lentement, prudemment, comme si je marchais sur des œufs. Une fois encore, je me suis tenu dans le couloir, regardant dans la cuisine où j'avais pris presque tous mes repas d'enfant, où Nathan et moi nous étions cachés du monde à notre retour de Floride. Puis je me suis retourné et me suis posté dans l'entrebâillement de la porte où j'avais vu Nathan et Linny, où j'avais cru ma confiance bafouée, où j'avais pris conscience de mon incapacité à contrôler les aspects importants de ma vie.

J'ai versé quelques larmes. Pour Nathan. Pour Linny. Pour moi.

Je pense encore à elle, Linny Goldbourne, et je l'imagine quelque part en Caroline du Sud, veillant à sa propre guérison, et même si je pourrais décrocher le téléphone et entendre le son de sa voix en une fraction de seconde, je ne veux pas le faire.

Je crois aussi qu'elle ne souhaite pas me parler, car chacun rappellerait à l'autre une partie de sa vie qui est désormais révolue. Pas oubliée, révolue. Et c'est mieux ainsi.

Le passé est le passé.

Autant le laisser partir.

La première fois que je suis revenu à la maison, je ne suis pas monté à l'étage. Je me suis dit que c'était dangereux, que les escaliers n'étaient peut-être pas sûrs. Mais ce n'était pas la vérité.

Alors j'y suis retourné, j'ai pris mon courage à deux mains et suis monté tel un fantôme de mon passé. Je me suis tenu sur le palier et j'ai regardé par la porte de ma chambre.

Je suis reparti avec le papillon de nuit, serrant le petit cadre en bois. Le verre était intact, la créature en dessous toujours parfaitement préservée.

Je l'ai accroché au-dessus du lit étroit de ma chambre, dans la banlieue de Charleston, une chambre que je considère désormais comme chez moi.

Je vais vendre la maison, et je déciderai alors quoi faire et où aller.

Pour le moment, ça n'a aucune importance.

J'ai du temps.

J'ai eu du temps à Charleston, du temps à Sumter.

Maintenant, c'est un temps différent.

Chaque jour est comme une chose nouvelle, et je veux qu'il ait un sens.

Je me demande ce qu'est la vie, ce qu'elle signifie. Peut-être n'est-elle rien de plus qu'une histoire, une histoire chaque fois différente et rare, racontée avec une voix propre. Certaines vies sont riches et grisantes, des odyssées narrées avec une telle ferveur et une telle passion qu'on se perd dans la langue du récit. D'autres foncent vers l'avant avec une telle puissance qu'on se laisse entraîner par le mouvement des événements, sans se soucier de la manière dont elles sont racontées, ni de la langue utilisée. On sait juste qu'elles ont eu lieu, et qu'on était là pour en entendre le récit.

Je crois qu'il y a une éternité de cela, j'aurais peut-être pu avoir une de ces vies.

Mais alors, j'ai perdu la foi.

Puis je l'ai retrouvée.

Et un jour, *un jour*, j'aurai un fils.

Je le *sais*.

Je l'appellerai Nathan.

Ça me semble approprié.

Et quand je prononcerai son nom, quand il me regardera avec des yeux pleins d'amour, je repenserai au sandwich au jambon cuit enveloppé dans un torchon blanc.

À un poisson dans la boîte à lettres d'Eve Chantry.

À la brise provenant du lac Marion, au mimosa d'été près de Nine Mile Road, à une odeur qui ressemblait à de la tarte aux noix de pécan et à du soda à la vanille, le tout enveloppé dans un parfum d'herbe fraîchement tondue.

Je repenserai à la sensation qui accompagnait tout ça, une sensation de chaleur et de sécurité, et de tout ce qui faisait l'enfance en Caroline du Sud.

Je repenserai à ces premières années, aux bleus et aux larmes, à la passion et à la promesse de l'avenir, aux douleurs que nous avons endurées dans notre naïveté tandis que nous regardions autour de nous avec émerveillement, tels des réceptacles que le monde remplissait à ras bord... le bruit et la fureur... le tonnerre de la vie...

Tout ça... je me souviendrai de tout ça.

Mais surtout, plus important que tout le reste, je me souviendrai du garçon avec qui je l'ai partagé.

Il a donné sa vie, pas pour rien, je le sais, mais il l'a donnée tout de même.

Et en donnant sa vie, il m'a permis de regagner la mienne.

Et je lui en suis reconnaissant.

ÉPILOGUE

Je suis dans un marché, quelque part. Je regarde distraitement les fruits – pastèques et coings, grenades, d'autres fruits tout aussi étranges. Je voudrais dire quelque chose, n'importe quoi, mais l'allée est déserte. Je voudrais crier, entendre une voix en retour...

Hé, là !

Quoi ?

Vous êtes au courant pour la fouille de cellule ?

Quelle fouille de cellule ?

Timmons a dit qu'il devait y en avoir une.

Je sens une tension dans ma poitrine, des larmes dans mes yeux, et je m'appuie lourdement contre le stand de fruits. Je baisse les yeux vers mes pieds. Sous eux se trouve une feuille de journal. Je veux la repousser d'un coup de pied, mais elle colle à ma semelle. Je prends maladroitement appui et me baisse pour la décoller.

Je retourne la feuille.

Je me fige.

Je m'essuie les yeux et regarde de nouveau.

Je vois le visage de M. West et suis pris d'une telle terreur que je peux à peine respirer.

Je quitte le marché en courant, les gens me regardent détaler dans les allées. Peut-être me prennent-ils pour un voleur.

Dans la rue, trente mètres plus loin, je m'arrête. Ma respiration est âpre, douloureuse. Je serre dans ma main la feuille de journal sale. Je regarde de nouveau. Ce n'est pas une hallucination : le visage de M. West me retourne mon regard. Des yeux de mort.

UN GARDIEN DE PRISON ASSASSINÉ

Je m'appuie à un réverbère. Je suis pris de vertiges, nauséeux.

« Harlon West, un gardien du pénitencier fédéral de Sumter avec trente ans de service à son actif, a été assassiné hier soir lors d'une brutale agression. »

Je suis abasourdi. Je vois des couleurs qui ne peuvent pas être là.

« Lyman Greeve, un condamné à mort qui doit être exécuté l'année prochaine, a agressé M. West et l'a plaqué au sol. Puis il l'a frappé plusieurs fois à la gorge avec l'étui métallique d'un harmonica bon marché. »

Je me mets à pleurer, les larmes coulent sur mon visage. Les gens m'observent, mais je m'en fous.

« L'un des collègues de Harlon West, Clarence Timmons, a affirmé que tout avait été tenté pour secourir West avant que Greeve le tue, mais "il était fou de rage, il nous a échappé… et avant que nous puissions intervenir, M. West était perdu…" »

J'éclate de rire. Maintenant, les gens me fixent vraiment.

« Le directeur du pénitencier fédéral de Sumter, John Hadfield, a déclaré que Harlon West était depuis longtemps un employé dévoué et que ses collègues le regretteraient amèrement. »

Je brandis le journal dans les airs. Je l'agite comme un drapeau. Je crois au karma. Je crois que Dieu existe.

Je crois que Lyman Greeve ira à la mort bien plus satisfait que s'il avait appris à jouer *My Darling Clementine*.

Et je crois que Nathan – peut-être plus que quiconque – aurait apprécié ça.

REMERCIEMENTS

Ce livre est dédié à de nombreuses personnes, qui ont toutes contribué à leur manière.

À Whitman, Williams, Woodstein, à Kelly Joe Phelps, et à tous ceux qui ont accompagné mes pensées.

À ma mère et à ma grand-mère, toutes deux mortes depuis longtemps, pour leurs conseils et leur affection.

À un père que je n'ai jamais connu, et ne connaîtrai probablement jamais.

À Nick Sayers pour son temps, sa patience, ses encouragements.

À Jenny Parrott et à Mark Rusher, qui ont suffisamment cru en moi pour me trouver une maison.

À Jon Wood, mon éditeur chez Orion – un homme de passion et de persévérance. Sans sa direction, ses idées et son courage, ce livre n'aurait jamais été publié.

À tous ceux qui ont cru que je ne vaudrais jamais rien.

Enfin, à ma femme, Victoria, et à mon fils, Ryan..., pour tout ce qu'il y a eu, et tout ce qu'il y aura encore...

En matière de littérature, il convient de se méfier de l'actualité. Sa définition est parfois trompeuse. Qu'entend-on par un « vieux livre » ? Range-t-on dans cette catégorie *Lolita* de Vladimir Nabokov, *De sang-froid* de Truman Capote ? Ont-ils moins de choses à nous apprendre sur l'humain, la société, moins de plaisir à nous donner que le livre qui trône en haut de la liste des best-sellers ? Il n'est ainsi pas interdit de penser avec Nietzsche que l'actualité peut s'avérer être une « fausse alerte permanente ».

Depuis *Au-delà du mal* de Shane Stevens jusqu'à *La Traque* de Roderick Thorp, en passant par *En mémoire de la Forêt* de Charles T. Powers, nous avons dès l'origine de Sonatine Éditions inscrit à notre catalogue des ouvrages qui « dataient » parfois de plusieurs décennies et qui n'avaient jamais été traduits en France. Nous avons également remis au devant de la scène certains romans – comme ceux de Robert Goddard – qui eux avaient déjà été publiés en français mais qui étaient passés injustement inaperçus.

Aller ainsi à la quête de pépites oubliées dans les bibliothèques françaises ou étrangères étant pour nous un réel plaisir, nous avons décidé de systématiser cette démarche en consacrant une collection particulière à certains de ces livres. Nous publierons désormais chaque année dans Sonatine + deux livres inédits et deux livres déjà parus mais qui, à notre avis, méritent une nouvelle chance.

Ces œuvres oubliées ont suscité notre enthousiasme, les rendre accessibles est un réel plaisir et nous espérons vivement que celui-ci sera partagé par nos lecteurs.

Arnaud Hofmarcher et François Verdoux

Stona Fitch
AVEUGLÉ

Traduit de l'anglais (États-Unis) par Bernard Cohen

Quelque chose va vous arriver

Bruxelles. Après un dîner d'affaires. Elliott Gast, économiste américain sans histoires, se fait kidnapper. Il se retrouve enfermé dans un appartement anonyme, sans aucun contact avec ses ravisseurs. Elliott pense d'abord que c'est une erreur. Qu'on l'a pris pour quelqu'un d'autre. Rien en effet dans son existence ne peut motiver un tel acte. Il n'est pas spécialement riche, il ne fait pas de politique, il n'est pas célèbre, c'est un homme dans la foule. Alors pourquoi s'en prendre à lui ? Lorsque, enfin, ses ravisseurs lui révèlent la vérité, elle apparaît plus atroce que tout ce qu'il a pu imaginer : ceux-ci savent tout de lui et ont décidé, pour des raisons bien précises, d'en faire la proie d'une expérience interactive et voyeuriste d'une cruauté sans précédent.

Avec ce roman culte dans les pays anglo-saxons, Stona Fitch décrit un monde où terrorisme, vie privée et voyeurisme ont partie liée, un monde où la compassion n'a presque plus sa place. Ce monde : le nôtre. Jusqu'où sommes-nous prêts à aller pour être tenus en haleine ? Telle est la question piège qui hante ces pages où le lecteur, pris dans une spirale de violence, est, justement, captivé jusqu'à la dernière page.

Stona Fitch est né à Cincinnati en 1961. Après des études à Princeton, il a été cuisinier, guitariste dans un groupe punk, journaliste et éditeur. Il vit dans une communauté à Concord, Massachusetts. Publié en 2001 aux États-Unis et en 2002 en France par Calmann-Lévy, sous le titre *Sens interdits*, *Aveuglé* est son premier roman.

« Saisissant dans sa conception, dérangeant dans ce qu'il dit de l'époque ! »
J. M. Coetzee

« Un écrivain aussi doué que passionné qui a des choses importantes à dire. »
Russell Banks

Ouvrage réalisé par Cursives à Paris
Imprimé en Espagne par Industria Gráfica Cayfosa
Dépôt légal : juin 2015
ISBN 978-2-35584-295-5